Cuando el día tiene 36 horas

Cuando el día tiene 36 horas

Una guía para cuidar a enfermos
con pérdida de memoria,
demencia senil y Alzheimer.

Nancy L. Mace
Peter V. Rabins

EDITORIAL PAX MEXICO, Librería Carlos Césarman, S.A.

Av. Cuauhtémoc No. 1430 • Col. Sta. Cruz Atoyac • Mexico. D.F. • C.P. 03310

Título de la obra en inglés: *The 36-hour Day*
Publicada por: Warner Books, Inc.
© Copyright 1981 By The Johns Hopkins University Press
Primera edición en español: Septiembre de 1988
Tiraje: 3,000 ejemplares
Traducción: Beatriz Romero de Rodríguez
Revisión técnica:
Lic. Lilia Mendoza M.,
Presidente de la Asociación Mexicana de Alzheimer y Enfermedades
Similares, y
Dra. Rosalía Rodríguez García
Jefe del Servicio de Geriatría del
Hospital López Mateos del ISSSTE
EDITORIAL PAX MEXICO LIBRERIA CARLOS CESARMAN, S.A.
Av. Cuauhtémoc 1430
México, D.F. 03310
ISBN 968-860-076-8

Impresora GALVE, S. A.-Callejón de San Antonio Abad, 39.-México. D. F.

Contenido

Comentario a la edición en español

En esta obra Nancy L. Mace y Peter V. Rabins abordan muchas de las cosas que podemos hacer para aprender a simplificar y con ello facilitar las actividades de la vida cotidiana de nuestros seres queridos que padecen la enfermedad de Alzheimer, similares o pérdida de la memoria, logrando con esto un mayor bienestar.

Comprender un problema de esta naturaleza desde el inicio es de vital importancia tanto para quien la padece como para los familiares que rodean y cuidan al paciente. Entender qué es lo que pasa significa enfrentar de mejor manera los problemas cotidianos.

Resulta alentador saber que grupos de investigadores buscan afanosamente las causas de esta enfermedad y sus posibles curas., ya que hasta ahora, lo que sabemos es que la solución no está en los medicamentos; sin embargo, existen formas de tratamiento, terapia de orientación a la realidad, terapia física y ocupacional, grupos de apoyo a los familiares, por ejemplo.

El título: *Cuando el día tiene 36 horas* puede parecer paradójico a primera vista; de hecho expresa, precisamente cómo son los días de quienes conviven con una persona con serias fallas de memoria.

Contar con esta edición es español, es tener en nuestras manos un primer manual sobre el tema, que será una luz y guía en las vidas de las familias que junto con el paciente son víctimas de esta enfermedad.

Si no podemos todavía cambiar ni detener el curso de esta enfermedad incurable, y a menudo nos sentimos desvalidos, impotentes y desprotegidos, será mejor recordar las muchas cosas que podemos hacer en beneficio del paciente, de la familia y propio, y eso es lo que este libro nos aporta.

Junto con la presentación de este libro, nos queda un largo trabajo, hacer consciente al público en general que estos pacientes y sus seres queridos merecen y requieren un trato digno y más humano.

Lic. Lilia Mendoza Martínez
Presidente de la Asociación Mexicana
de Alzheimer y Enfermedades Similares

Preámbulo

Desde hace tiempo se ha venido sintiendo la necesidad de contar con un libro de consulta práctica y detallada para guiar a los familiares de personas con algún tipo de demencia. Muchas de estas familias podrían continuar cuidando a su pariente en casa si comprendieran mejor el problema. La comprensión cabal de la naturaleza de los síntomas y de algunas de las conductas problemáticas que ocasionalmente acompañan a estas enfermedades contribuirá a que sus manifestaciones sean menos misteriosas y menos amenazantes sus implicaciones.

Si bien los síntomas y trastornos de los pacientes con demencia son mucho más comprensibles que los causados por muchas otras alteraciones psíquicas, no se han publicado descripciones de las diferentes enfermedades demenciales ni se ha hecho nada para auxiliar a los familiares de los enfermos. Esta deficiencia, que es resultado del descuido general en que se ha tenido a las cuestiones de la vejez durante muchos años, se está corrigiendo en la actualidad con iniciativas como la del presente libro. Afortunadamente este creciente interés por el bienestar del enfermo está haciendo que el sentimiento de pesimismo y desesperanza que ha caracterizado en el pasado a la atención de estos pacientes se convierta en optimismo. El resultado probable no sólo será una mejor atención del enfermo sino que también despertará un interés mayor en su manejo y éste se traducirá en un incremento de la docencia y la investigación. Este libro representa el primer paso en tal dirección. Podrá recurrirse a él tanto en busca de asesoría inmediata para afrontar un problema apremiante como para obtener un cuadro general respecto a los cuidados y al tratamiento del paciente durante el curso de su enfermedad.

El Día de 36 Horas es un tributo a todos aquellos que como los autores y la Fundación T. Rowe y Eleanor Price que lo apoyó, iniciaron con gran visión en las Instituciones Médicas Hopkins un programa dirigido a cubrir las necesidades de las personas con enfermedades demenciales. Las acciones filantrópicas encaminadas a mejorar la atención de las personas enfermas y a promover la enseñanza de métodos para impartir cuidados especializados son más bien escasas, pero en esta área son especialmente necesarias.

Dr. Paul R. McHugh
Director y Jefe de Psiquiatría
del Departamento de Psiquiatría
y Ciencias de la Conducta,
Escuela de Medicina de la
Universidad Johns Hopkins

Prefacio

Aunque este libro se escribió para las familias en las que hay un miembro con algún tipo de enfermedad demencial, reconocemos que hay otras personas, entre ellas el paciente mismo, que podrían leerlo, y esto nos parece bien. Esperamos que aquellos que sufren tales enfermedades no se desalienten porque usamos palabras como *paciente* o *persona con lesión cerebral;* las hemos escogido precisamente porque queremos hacer hincapié en que están enfermos y no "simplemente viejos". Confiamos también que el tono del libro logre hacerles sentir que pensamos en ellos como individuos y personas, nunca como objetos.

La obra no pretende proporcionar consejos médicos, legales, ni de ninguna otra especialidad, por lo que deberá recurrirse a los profesionales correspondientes cuando se requieran tales servicios.

En el momento presente no todos los profesionales están informados sobre lo que es la demencia y si bien en repetidas ocasiones pediremos al lector acudir a personas debidamente capacitadas, no dejamos de reconocer que le será difícil encontrar tal tipo de ayuda. Será preciso, por lo tanto, que conjugue los servicios profesionales con su propio juicio. La intención del libro es que sirva como una guía general puesto que no podría abarcar los detalles de todas las situaciones en particular.

Sabemos igualmente que no se consiguen fácilmente servicios como centros de atención diurna, atención domiciliaria o programas de evaluación, y que cuando existen dependen de presupuestos federales y consiguientemente de políticas federales, por lo que suelen desaparecer.

En cuanto a los ejemplos que usamos a lo largo de la obra para ilustrar nuestra exposición, no son descripciones de personas reales sino situaciones que hemos ideado basándonos en vivencias, sentimientos y soluciones que diversas familias y pacientes, han discutido con nosotros cuyos nombres y otros datos que pudieran identificarlos hemos cambiado.

Por último, estas enfermedades las padecen tanto hombres como mujeres y por ello hemos usado pronombres masculinos y femeninos alternadamente en los diferentes capítulos.

Agradecimientos

Son tantas las personas que han dado su tiempo, experiencia y sabiduría que resulta imposible nombrarlas a cada una. Deseamos agradecer a todas las personas, conocidas o anónimas, que han contribuido con ideas e información.

La Fundación T. Rowe y Eleanor Price, a través de la creación del Servicio de Enseñanza T. Rowe y Eleanor Price en el Departamento de Psiquiatría y Ciencias de la Conducta en la Escuela de Medicina de la Universidad Johns Hopkins, ha reunido a un grupo de personas para aprender y enseñar a atender a personas con enfermedades demenciales. El Dr. Paul R. McHugh, director y jefe de psiquiatras del Departamento de Psiquiatría y Ciencias de las Conducta, ha hecho que el estudio de las demencias y su impacto sobre los pacientes y sus familias sean uno de los principales objetivos de su departamento. Muchas de las ideas que aquí se presentan son de él. Igualmente, leyó todo el manuscrito y contribuyó en su forma y contenido así como nos dio sus consejos a todo lo largo de su desarrollo. El Dr. Marshal F. Folstein, director de la División de Psiquiatría del Hospital General, nos enseñó acerca de la atención de los pacientes y sus familias y ha sido fuente de muchas de las ideas que se presentan en el libro. El Dr. Ernest M. Gruenberg, Ph.D., y el Dr. Morton Kramer, Sc.D., ampliaron nuestra comprensión del impacto social de la demencia.

También nuestros colegas han hecho contribuciones significativas al contenido del libro. La enfermera Jeanne M. Floyd, R.N., ha creado muchas de las técnicas de manejo que discutimos y ha trabajado estrechamente con nosotros haciendo sugerencias específicas respecto al

17

cuidado de los pacientes, y junto con el personal de enfermería de la unidad psicogeriátrica de la Clínica Phipps y la Jefe de Enfermeras Eva Ridder, N.R., ha creado y puesto en práctica muchas ideas nuevas. Janet Abrams Bachur, A.C.S.W., escribió secciones del material sobre la búsqueda de recursos y la selección de un asilo. También leyó gran parte del manuscrito y aportó sus amplios conocimientos sobre recursos y terapia familiar. Sue R. Hardy, O.T.R., ha investigado, desarrollado y probado buena parte del material sobre terapias ocupacional y física. Jeanne, Janet y Sue ayudaron también a compilar la lista de lectura.

La enfermera Mary Jane Lucas, R.N., compartió con nosotros su amplio conocimiento sobre los pacientes, y sus familiares, que sufren estos padecimientos. La terapia de grupo que realiza con los cónyuges de los pacientes le ha dado forma a nuestro conocimiento general de las reacciones emocionales de las familias así como nuestras ideas específicas acerca del trabajo en grupo con los familiares. El Dr. Jerome D. Frank, Ph.D., leyó la sección del manuscrito relativa a las emociones y nos ofreció valiosos comentarios.

Muy importantes entre todos los que nos han dado sus enseñanzas son nuestros pacientes y sus familiares. De ellos hemos aprendido acerca de los problemas, sus soluciones y lo que es más importante aún, sobre la fortaleza, el valor y el amor con los que los familiares de los pacientes hacen frente a las enfermedades demenciales. Muchos miembros de la Asociación de la Enfermedad de Alzheimer de Maryland (ADAM) y de la Asociación para el Estudio de la Enfermedad de Alzheimer y Trastornos Relacionados (ADRDA) han leído el manuscrito, hecho contribuciones, y dado su tiempo para llamarnos, escribirnos y compartir algunas soluciones a los problemas que han encarado. Es imposible nombrar a todos y cada uno, pero quisiéramos agradecer especialmente las contribuciones de Glenn I. Kirkland, Mary LaRue, Bobbie Glaze, John J. Mitchell, Joan y Douglas Luebehusen, y al *Col* W.H. Van Atta. La ADRDA a través de la colaboración personal de su presidente Jerome H. Stone, y de otros profesionales de su personal, nos han dado consejos valiosos y apoyo en el desarrollo de este libro.

Hazel E. Carroll, *R.N.,* directora de enfermería en el Hogar Keswick de Baltimore, Md., Ruth Lovett, *R.N.,* anterior asistente de la directora de enfermería del *Greater Baltimore Medical Center,* y Osa Jackson, *Ph.D., R.P.T.* asistente de profesor en el Departamento de Terapia Física de la Escuela de Medicina de la Universidad de Maryland, compartieron generosamente con nosotros sus conocimientos y experiencia en la atención de los pacientes. El Dr. Robert Katzman, jefe del Departamento de Neurología de la Escuela de Medicina de la Universidad Albert Einstein, y Miriam Aronson, *Ph.D.,* asistente de profesor en los departamentos de Psiquiatría y Neurología de la Escuela de Medicina de la Universidad Albert Einstein, leyeron el manuscrito. Sus reflexiones y comentarios fueron de la mayor utilidad.

Queremos expresar nuestro agradecimiento a muchas personas que nos dieron sus consejos en áreas que no son de nuestra competencia. Phyllis J. Erlich, *Esq.,* elaboró y revisó la sección sobre asuntos financieros. Frederick T. DeKuyper, asistente del consejero general de la Universidad Johns Hopkins, leyó y nos dio sus comentarios sobre el capítulo de asuntos financieros y legales.

Matthew Tayback, *Sc.D.,* director de la Oficina de la Senectud del Estado de Maryland, y Susan Coller, directora de capacitación y desarrollo educacional, de la misma institución, nos dieron información acerca de las oficinas federales y estatales de la Senectud. Nancy P. Whitlock, de la *Medical Assistance Policy Administration* del Departamento de Salud e Higiene Mental de Maryland, y Sheridan Gladhill, Richard Strauss, William Coons, y Robert Augustine, de la Administración de Financiamiento de la Atención a la Salud, nos guiaron a través de las complejidades de *Medicare* y *Medicaid.* Gene VandeKieft, *C.I.C.,* de *Rice and Associates, Inc.,* nos dieron sus consejos acerca de los seguros. Domenic J. LaPonzina, ejecutivo de asuntos públicos del Servicio de Recaudación Interna del Distrito de Baltimore, nos ayudó con la ley de impuestos. Oliver P. Boyer, Jr., de la *Jarrettsville Federal Savings and Loan Association,* sugirió muchos de los sitios donde pueden buscarse valores financieros.

Maggie Rider, secretaria nuestra, nos alentó y se hizo cargo del buen funcionamiento de la oficina mientras nosotros escribíamos y reescribíamos el manuscrito, además de darnos sugerencias acerca del contenido del libro. Bonnie Strauss y Violet E. Goodman aportaron su valiosa asistencia administrativa, y un equipo de mecanógrafas nos auxilió a través de las múltiples revisiones del manuscrito. En especial queremos expresar nuestro agradecimiento por sus consejos y guía a nuestro editor, Anders Richter, así como al personal de *The Johns Hopkins University Press* que coordinó y realizó la publicación.

Los familiares y amigos son una bendición especial durante la elaboración de un libro. Viven con un manuscrito en la mesa del comedor, piensan posibles títulos durante sus vacaciones y persisten en dar su aliento y alegría. Leyeron el manuscrito y compartieron su visión y sus ideas. Damos las gracias especialmente a Karen Rabins, Hank Kalapaca, Randy Lang, Catherine Lang, al Sr. y la Sra. F.R. Lawson, a Eugene Peterson y a Edna Bradford.

1

Demencia

María se había dado cuenta desde hacía dos o tres años que le estaba fallando la memoria. Al principio tenía dificultad para recordar los nombres de los hijos de sus amigos; más tarde olvidó totalmente las mermeladas de fresa que había almacenado. Para compensar su mala memoria hacía notas de todo cuanto podía, diciéndose a sí misma que después de todo estaba envejeciendo. Sin embargo, pronto descubrió que a menudo tardaba en encontrar palabras que siempre había sabido y entonces se empezó a preocupar porque se estaba volviendo senil.

Algún tiempo después, al hablar con un grupo de amigos, se dio cuenta que no sólo olvidaba los nombres ocasionalmente sino que también perdía por completo el hilo de la conversación. Trató igualmente de compensarlo y su estrategia fue usar siempre una respuesta apropiada aun cuando en su fuero interno no entendiera nada. La gente en general no lo notaba, excepto su nuera que incluso le comentó a una de sus amigas: "Creo que mi suegra está chocheando". María se preocupaba a veces al grado de deprimirse, aunque siempre negaba estar mal. No tenía a nadie a quien confiarle, "estoy perdiendo la cabeza. Veo cómo se va yendo poco a poco". Además, no quería pensar en eso; no quería pensar que se estaba haciendo vieja y especialmente no quería que la trataran como si estuviera senil. Todavía disfrutaba de la vida y podía manejarse bien sola.

Así las cosas, al llegar el invierno María enfermó. Primero creyó que era sólo un resfriado; el médico le dio unas píldoras y le pregunto qué podía esperarse a su edad, lo cual la disgustó sobremanera. María empeoró rápidamente y se metió en la cama sintiéndose temerosa, débil y muy cansada. Una vecina de María le avisó por teléfono a la nuera y ambas la encontraron semiinconsciente, con fiebre y expresándose con incoherencia.

La llevaron al hospital. Durante los primeros días María tenía sólo una vaga idea, nebulosa e intermitente, de lo que estaba sucediendo. Los médicos le informaron a su familia que tenía una neumonía y que le estaban funcionando mal los riñones. Se movilizaron así todos los recursos de un hospital moderno para luchar contra la infección.

María se encontraba en un lugar ajeno, nada le era familiar. Mucha gente desconocida entraba y salía; le decían donde estaba pero ella lo olvidaba pues en ese ambiente extraño no podía compensar su falta de memoria, y su confusión se agravó con el delirio que le causaba la enfermedad. Un día pensó que su marido, un apuesto joven con uniforme de soldado, la había visitado. Al llegar su hijo, María se sorprendió de que hubieran ido juntos. El hijo le aclaraba reiteradamente. "No mamá, papá tiene 20 años de muerto", pero ella no lo creía así pues acababa de estar con ella. Luego, al reclamarle a su nuera que "nunca iba a visitarla", creyó que la chica mentía cuando le aseguró que había estado ahí temprano en la mañana. A decir verdad no recordaba la mañana.

Iba a verla mucha gente que la empujaba, la jalaba; le introducían y sacaban cosas por todas partes, la picaban y le ordenaban que soplara en botellas. Ella no comprendía y nadie le explicó que al soplar en las botellas se forzaba a respirar profundamente y así se fortalecían sus pulmones y su circulación. Las botellas llegaron a ser parte de la pesadilla; no podía recordar dónde estaba; cuando quería pararse para ir al baño se topaba con los barandales de la cama que se lo impedían, así es que mojaba la cama y se ponía a llorar.

Poco a poco María se fue recuperando. Desapareció la infección, cesaron los mareos y superaba así la fase aguda de la enfermedad dejó de imaginarse cosas, pero la confusión y la falta de memoria empeoraron. Probablemente la enfermedad no había modificado el curso gradual de su pérdida de memoria, pero sí la había debilitado, la había sacado del ambiente familiar en el que funcionaba y, especialmente, había hecho patente la gravedad de su situación; su familia se dio cuenta que ya no podía seguir viviendo sola.

Los parientes de María hablaban y hablaban haciendo planes y tratando de explicárselos a ella, pero María los olvidaba. Cuando finalmente fue dada de alta del hospital, la llevaron a vivir a la casa de su nuera. Algo festejaban ese día por lo que la condujeron a una habitación. Allí estaban por fin algunas de sus cosas, pero no todas, y pensó que tal vez se las habían robado mientras estaba en el hospital. Le decían que ya le habían explicado dónde estaban las demás cosas, pero ella no podía recordar lo que le habían dicho.

Le hacían ver que ahora vivía en ese lugar, en la casa de su nuera. Pero tiempo atrás María había decidido que jamás viviría con ninguno de sus hijos; quería volver a su propia casa donde podía encontrar las cosas y, según ella, seguir viviendo como siempre. Quería irse a su casa también para ver qué había sucedido con las cosas que eran sus tesoros de toda la vida. Esta no era su casa, su independencia había desaparecido y sus cosas también. María tenía un gran sentimiento de pérdida. No recordaba las explicaciones cariñosas que le daba su hijo ni su argumento de que ya no podía seguir ella sola y que lo mejor era que viviera con él. Muy seguido María sentía miedo, un miedo indefinido que su mente alterada no podía nombrar ni explicar de alguna manera. Venían personas, venían recuerdos, pero con la misma facilidad desaparecían; no sabía distinguir entre la realidad y los recuerdos del pasado. El baño ya no estaba en el lugar de ayer; vestirse se transformó en una faena irrealizable pues sus manos habían olvidado cómo abotonar. Por todas partes le colgaba la ropa mal puesta y no entendía como sucedía.

Gradualmente perdió la capacidad de dar sentido a lo que sus ojos y oídos le indicaban; los ruidos y la confusión le daban pánico. No entendía nada y los demás no se lo podían explicar por lo que el pánico la apabullaba. Le preocupaban sus cosas: una silla y la vajilla que había pertenecido a su madre. Le respondían que ya se lo habían dicho una y otra vez, pero ella no podía recordar dónde estaban las cosas. Quizá se las habían robado. ¡Tanto que había perdido! Las cosas que aún conservaba las escondía algunas veces y luego no recordaba dónde las había metido.

Para María el baño se había convertido en algo aterrorizante; la tina era un completo misterio, de un día a otro no recordaba cómo controlar el agua: unas veces se escapaba por el resumidero y otras salía tanta que la veía subir y subir en la bañera sin poder pararla. Su nuera se desesperaba, "¡cómo voy a llevarla al Club de la Tercera Edad si huele mal, no puedo lograr que se bañe!" Pero el baño requería que María recordara tantas cosas, entre ellas desvestirse, la manera de llegar al baño y de lavarse. Sus dedos habían olvidado subir y bajar las cremalleras y sus pies ya no sabían entrar en la tina. Eran tantas las cosas que no podía recordar su mente dañada que el pánico la atolondraba.

Todos tenemos nuestra propia manera de reaccionar cuando algo nos inquieta. Unos tratamos de alejarnos de la situación por un rato para pensar en ella; otros prefieren salir a tomarse una cerveza. Hay quienes optan por desyerbar el jardín o salir a caminar un rato. A veces reaccionamos con ira y arremetemos contra los que nos están causando la preocupación o que son parte de la situación. O bien nos sentimos desanimados durante un tiempo hasta que la naturaleza nos cura y la inquietud desaparece.

La forma en que María lidiaba con los problemas no cambió. Con frecuencia cuando se sentía nerviosa optaba por salir a caminar. Se detenía en el pórtico, miraba a lo lejos, y luego empezaba a vagar sin rumbo, alejándose del problema. Sin embargo éste seguía ahí, y empeoraba, pues María corría el riesgo de extraviarse en ese entorno extraño: había desaparecido su casa y esa no era su calle —¿o acaso era una calle de su infancia, o aquella en la que vivía cuando sus hijos eran pequeños?—. El terror la invadía y sentía que el corazón se le salía del pecho. María entonces aceleraba el paso.

Algunas veces reaccionaba con ira. Una ira cuyo origen ella misma no entendía. Pero sus cosas se habían ido; su propia vida parecía haberse ido. Los armarios de su mente se abrieron, se vinieron abajo, o se desvanecieron por completo. Quién no se va a enojar con todo esto. Alguien se había llevado sus cosas, los tesoros de una vida entera. ¿Habrá sido su nuera, o su propia suegra tal vez, o quizás una hermana resentida con ella desde la infancia? Uno de esos días María culpó a su nuera, pero pronto se le olvidó tal sospecha. Su nuera para quien la situación era abrumadora, no pudo olvidarlo.

Todos seguramente recordamos nuestro primer día de clases en la universidad; no dormimos la víspera por el temor de perdernos al día siguiente y no encontrar el salón de clases en un edificio extraño. Pues bien, para María todos los días eran así. Sus familiares empezaron a enviarla durante el día a un centro de atención diurna. En las mañanas un autobús pasaba por ella y su nuera la recogía en las tardes —si bien María a menudo olvidaba que existía tal arreglo. María desconfiaba de los cuartos pues a veces se le perdían, o de repente se encontraba dentro de los sanitarios de hombres.

María conservaba buena parte de sus habilidades sociales y podía platicar muy bien y reírse con otras personas del centro de atención diurna. A medida que fue tomando confianza empezó a disfrutar el tiempo que pasaba en compañía de los demás, aunque nunca podría recordar lo que ahí hacía para platicárselo a su nuera.

A María le encantaba la música; parecía habérsele quedado impregnada en alguna parte de su mente que siguió conservando mucho tiempo después de haber perdido otras cosas. Disfrutaba mucho cantando canciones viejas que le eran familiares. Cantaba todo el día en el centro de atención, con su nuera y, aunque no cantaba muy bien, las dos mujeres descubrieron que gozaban mucho cantando juntas.

Finalmente llegó el día en que la carga emocional y física de velar por María fue demasiada y la tuvieron que internar en un asilo. Pasada la confusión aterrorizante de los primeros días, María empezó a sentirse segura en su asoleada recámara. No podía recordar el plan de actividades del día, pero la reconfortaba la seguridad de una rutina. A veces creía que todavía estaba en el centro de atención diurna y otras no sabía dónde se encontraba. Le complacía que el baño estuviera cerca, donde ella podía verlo, pues así no tenía que recordar dónde estaba.

María se ponía muy contenta cuando sus familiares la visitaban, pero raras veces recordaba bien sus nombres. Olvidaba que la habían visitado la semana anterior y los regañaba por abandonarla. Ellos nunca sabían qué decirle y se concretaban a abrazar su frágil cuerpo, le tomaban la mano, se sentaban a su lado en silencio o cantaban viejas canciones. A ella le gustaba que no trataran de hacerla recordar lo que acababa de decir, o que la habían visitado la semana anterior, ni que le preguntaran si se acordaba de tal o cual persona. Lo que más le agradaba era simplemente que la abrazaran y la quisieran.

Si a algún miembro de su familia le han diagnosticado una demencia, podría tratarse de enfermedad de Alzheimer, de una demencia por infartos múltiples, o de alguna otra de varias enfermedades. Aunque no estén seguros aún del diagnóstico, el hecho es que una persona cercana a usted ha perdido parte de sus habilidades intelectuales: la capacidad de razonar y recordar. Es probable que en forma gradual se le vayan olvidando más las cosas, muestre cambios de personalidad, se deprima, se retraiga o se vuelva emocionalmente inestable.

Aunque no todos los trastornos que causan estos síntomas son crónicos e irreversibles, muchos sí lo son. Cuando se llega a un diagnóstico de demencia irreversible, tanto el paciente como su familia se enfrentan a la tarea de aprender a vivir con esa enfermedad. Ya sea que usted decida internar a la persona en un asilo o cuidarla usted mismo, tendrá que afrontar nuevos problemas a la vez que adaptarse a los sentimientos que desencadena el hecho de tener un ser querido con una enfermedad incapacitante y progresiva.

El presente libro se ha diseñado para ayudarle a lograr ese ajuste así como para facilitarle la tarea de manejar cotidianamente a un enfermo crónico. Hemos observado que hay ciertas dudas que casi todas las familias quieren aclarar y el presente material le servirá para empezar a encontrar las respuestas, aunque no es un substituto de la autoridad del médico y de otros profesionales.

¿QUÉ ES LA DEMENCIA?

Quizá haya notado que a los síntomas de pérdida de la memoria y de la capacidad tanto de pensar como de razonar que presentan los adultos se les ha dado muchos nombres. Esto se debe a las diferentes maneras como se les ha descrito y definido en viejos libros médicos. Entre los términos más comúnmente usados están: síndrome orgánico cerebral, senilidad, endurecimiento de las arterias y síndrome cerebral crónico. Su médico de cabecera hablará tal vez de enfermedad de Alzheimer, enfermedad de infartos múltiples, demencia senil o demencia presenil. En este libro llamamos *demencia* a todos estos estados patológicos.

Los médicos usan la palabra *demencia* para referirse específicamente a una disminución o pérdida de la capacidad mental. La palabra viene de dos palabras latinas que significan *separación* y *mente*. Demencia no significa locura. Los profesionales de la medicina la han escogido porque es la menos ofensiva a la vez que el término más preciso para describir a este grupo de enfermedades. Por lo tanto, demencia describe un grupo de síntomas y no es el nombre de una enfermedad ni de enfermedades que causan los síntomas.

Hay dos estados patológicos mayores que dan síntomas de confusión mental, pérdida de la memoria, desorientación, deterioro intelectual y otros problemas similares. Estos dos estados anormales pueden ser similares y prestarse a confusión por lo que los abordaremos en detalle en el Capítulo 17. El primero de ellos es el *delirio* y comprende un grupo de síntomas en los que la persona se encuentra menos alerta de lo normal, a menudo está somnolienta, pero puede pasar de la somnolencia a la excitación. Al igual que una persona demente, está confusa, desorientada y desmemoriada. Estos estados anormales también han recibido el nombre de "síndromes cerebrales agudos" o "síndromes cerebrales reversibles". El delirio puede tener como causa diversas enfermedades tales como la pulmonía, la infección renal, la desnutrición y las reacciones a medicamentos.

El segundo estado patológico es la *demencia*: el funcionamiento intelectual de la persona es deficiente estando ella bien despierta. Los síntomas de la demencia pueden ser originados por diferentes enfermedades, algunas de las cuales son curables y otras no. La enfermedad de la tiroides, por ejemplo, puede causar una demencia que es curable al corregirse la anormalidad de la glándula tiroides. En el Capítulo 17 presentamos un resumen de algunas de las enfermedades que pueden causar demencia.

En los adultos la causa más frecuente de demencia irreversible parece ser la *enfermedad de Alzheimer*. En ésta, la deficiencia intelectual va aumentando gradualmente desde fallas de la memoria hasta la incapacidad total de la misma. Las alteraciones estructurales cerebrales de la enfermedad de Alzheimer se aprecian a simple vista en las autopsias de estos pacientes. No se conoce la causa de esta enfermedad y los médicos, por ahora, no tienen manera de detenerla o curarla. Sin embargo, es mucho lo que puede hacerse por el bienestar del paciente y para que la familia tenga un sentido de control de la situación.

La *demencia por infartos múltiples* parece ser la segunda causa más común de las demencias irreversibles. Consiste en una serie de enfermedades cerebrovasculares, a veces tan leves que ni el enfermo ni los familiares aprecian cambio alguno; sin embargo, en conjunto estas lesiones son capaces de destruir suficientes porciones de tejido cerebral y afectar la memoria y otras funciones intelectuales. A este estado patológico antes se le llamaba ''endurecimiento de las arterias'', pero los estudios en autopsias han demostrado que es el daño causado por las lesiones vasculares y no una circulación deficiente el origen del mal. En algunos casos, el tratamiento correcto puede llegar a reducir la posibilidad de mayores daños cerebrales.

A veces la enfermedad de Alzheimer y la demencia por infartos múltiples aparecen juntas (en el Capítulo 17 abordamos detalladamente el diagnóstico y las características de estas enfermedades).

Las personas que tienen una enfermedad demencial pueden padecer a la vez otras enfermedades distintas y volverse vulnerables a otros problemas de salud. Tales enfermedades al igual que las reacciones adversas a los medicamentos a menudo causan delirio a las personas con una enfermedad demencial. El delirio puede empeorar el comportamiento y las funciones mentales del enfermo por lo que detectar y tratar cuanto antes otros padecimientos agregados resulta vital para su estado de salud general y para facilitar su atención. Esto sólo puede lograrse cuando el médico encargado del enfermo dedica el tiempo suficiente tanto a éste como a la persona que lo tiene a su cuidado.

La depresión es común entre la gente mayor y puede causar pérdida de la memoria, confusión y otros cambios en la función mental. La demencia causada por depresión es reversible y al curarse ésta la memoria a menudo mejora. Aun cuando la depresión aparece también en personas con demencia irreversible, hay que tratarla siempre.

En el Capítulo 17 analizamos también otras condiciones raras que llevan a la demencia.

Las enfermedades demenciales no tienen barreras sociales ni raciales; entre sus víctimas hay ricos y pobres, sabios e ignorantes. Mucha gente famosa y brillante ha sufrido padecimientos de este tipo. No hay razón pues para avergonzarse porque un miembro de la familia tiene una enfermedad demencial. Aunque antes eran comunes las demencias asociadas a la etapa final de la sífilis, en la actualidad son muy raras y no se sabe que haya otra conexión entre la demencia y las enfermedades venéreas.

La pérdida severa de la memoria *nunca* es parte normal del envejecimiento. Según los últimos estudios que se tienen, el 5% de los viejos presentan un daño intelectual ostensible y otro tanto sufren trastornos menos severos. Estos padecimientos prevalecen entre los que llegan a la octava y novena décadas, aunque cerca de un 80% de los que alcanzan edades muy avanzadas nunca experimentan pérdida significativa de la memoria ni otros síntomas de demencia. Con el paso de los años nos vamos tornando algo desmemoriados, pero generalmente no al grado de que esto interfiera con nuestra vida. Casi todos conocemos personas activas y en pleno uso de su intelecto a los 70, 80 y 90 años, entre ellos Margaret Mead, Pablo Picasso, Arturo Toscanini y Duke Ellington quienes continuaron ejerciendo sus profesiones hasta el momento de su muerte; todos sobrepasaron los 75 años y Picasso llegó a los 91.

A medida que más gente alcanza la longevidad, más crucial se vuelve el aumentar los conocimientos acerca de la demencia. En los Estados Unidos, por ejemplo, se ha estimado que de 2 a 4 millones de personas sufren algún grado de menoscabo intelectual.

EL ENFERMO

Una persona que padece una enfermedad demencial tiene dificultad para recordar cosas, pierde la capacidad para entender, razonar y usar su buen juicio, aunque puede volverse muy hábil para ocultarlo. El comienzo y transcurso de su menoscabo dependen de la enfermedad que lo origine así como de otros factores, algunos de los cuales se desconocen aún. A veces surge repentinamente y uno puede decir con certeza "desde tal fecha papá ya no es el mismo". Otras veces el comienzo es gradual; los miembros de la familia al principio no se percatan de que algo anda mal. O tal vez es el propio paciente el primero en notarlo. Alguien con una demencia ligera puede por lo general describir claramente su mal: "las cosas simplemente se me escapan de la cabeza", "empiezo a explicar algo y de repente ya no hallo las palabras para expresarme".

La gente encara su situación de diferentes maneras, a veces ocultando hábilmente sus torpezas, otras haciendo notas para reforzar su memoria, quizá negando su estado o culpando a los demás de sus tropiezos. Algunas personas se deprimen o se enojan al darse cuenta que les falla la memoria mientras otros aparentan estar alegres. Generalmente cuando la demencia es ligera o moderada la persona puede continuar haciendo la mayoría de las cosas de su vida diaria. Al igual que con cualquiera otra enfermedad, el paciente puede participar en su tratamiento, en las decisiones familiares y en planear el futuro.

Algunas veces las primeras manifestaciones de pérdida de la memoria se toman por estrés, por depresión, e incluso por una enfermedad mental. El diagnóstico equivocado causa un agobio adicional tanto al enfermo como a la familia. Una señora recuerda el comienzo de la enfermedad demencial de su esposo, no en términos de pérdida de la memoria sino de su actitud y estado de ánimo y lo describe de la siguiente manera:

"No me daba cuenta, o no quería ver, que algo andaba mal. Carlos estaba más callado que de costumbre; parecía deprimido y le echaba la culpa a sus compañeros de trabajo. Luego su jefe le avisó que lo iban a transferir —en realidad a descender— a la oficina de una sucursal más pequeña. A mí no me explicaron nada; sólo sugirieron que nos fuéramos de vacaciones, cosa que hicimos. Fuimos a Escocia. Sin embargo el estado de Carlos no mejoró; estaba deprimido e irritable. Al hacerse cargo de su nuevo puesto, tampoco pudo manejarlo; culpó de ello a los compañeros más jóvenes; se volvió tan irritable que llegué a preguntarme qué podría andar mal entre nosotros después de tantos años juntos. Fuimos a ver a un consejero matrimonial que no hizo más que empeorar las cosas. Yo sabía que andaba muy desmemoriado pero se lo atribuí al estrés".

En su momento el esposo comentó:

"Yo sabía que algo andaba mal; veía cómo me ponía tenso por cosas sin importancia. La gente creía que yo sabía cosas sobre la fábrica, pero yo no recordaba nada. El consejero dijo que era estrés, pero yo pensaba que era algo más, algo horrible. Estaba aterrado".

Algunas personas presentan cambios de la personalidad aunque muchas de las cualidades que siempre han tenido persisten: seguirá siendo dulce y amable o empeorará su carácter si siempre ha sido una persona con quién resulta difícil convivir. Otros enfermos cambian en forma dramática, de amables se hacen exigentes, de activos se vuelven indiferentes; se tornan pasivos, dependientes y apáticos, o inquietos, irascibles e hipersensibles, temerosos y deprimidos.

Una mujer comentaba:

"Mi madre fue siempre la persona alegre y sociable de la familia. Me imagino que ella sabía que le estaba fallando la memoria. Lo peor de todo es que ahora ya no quiere hacer nada, no se peina, no arregla la casa y rehúsa completamente a salir a la calle".

Es común que las personas con trastornos de la memoria se irriten por cosas sin importancia y que tareas que antes les parecían simples ahora les resulten difíciles de realizar.

Otra familia nos comentaba lo siguiente:

"Lo peor de papá es su mal carácter. Antes era ecuánime y en cambio ahora vocifera por cualquier cosa. Anoche le dijo a mi hijo más pequeño que Alaska no es un estado de la Unión Americana. Empezó a gritar y a enojarse y acabó por marcharse del cuarto. Más tarde, cuando le pedí que se bañara, nos peleamos en serio pues él insistía en que ya lo había hecho".

Los familiares deben tener en cuenta que el enfermo ya no controla muchos aspectos de su comportamiento, por ejemplo su ira, o el ir y venir de un lado a otro en la habitación. Los cambios que aparecen no son el resultado de una personalidad desagradable que se acentúa al envejecer, sino de un cerebro dañado y el paciente no puede controlarlos.

En los padecimientos en los que la demencia es progresiva, la memoria del paciente empeora gradualmente y llega el momento en que no puede seguir ocultando más sus yerros, se olvida del día en que vive, dónde está o cómo hacer tareas tan sencillas como vestirse; también deja de ordenar coherentemente las palabras. A medida que avanza la demencia se hace evidente que el daño cerebral afecta muchas funciones tales como las motoras (coordinar, escribir, caminar), la memoria y el habla. No hallan fácilmente el nombre de cosas familiares, se vuelven torpes para caminar y arrastran los pies. Su capacidad fluctúa de un día a otro, y a veces de una hora a otra, por lo que los familiares difícilmente saben qué pueden esperar de él.

Algunos pacientes tienen alucinaciones (oyen, ven o huelen cosas que no son reales). Como para ellos son tan vívidas, los familiares se aterrorizan. Otros enfermos se vuelven excesivamente desconfiados y esconden sus cosas, o acusan a todo el mundo de estarlos robando. Muchas veces simplemente las esconden y luego no recuerdan dónde están, por lo que en medio de su confusión suponen que se las han robado. En otra familia nos relataron lo siguiente:

"Mamá está tan paranoica que esconde su cartera, su dinero y sus alhajas, y más tarde acusa a mi mujer de habérselas robado. Ahora dice que le hemos robado sus cubiertos de plata. Lo peor de to-

do es que no parece estar enferma sino que está haciendo todo esto deliberadamente".

En las etapas finales de un padecimiento demencial progresivo, el cerebro está tan dañado que la persona cae en cama, no controla esfínteres y es incapaz de expresarse. Finalmente podría requerir atención especializada de enfermería.

Es importante dejar en claro que no siempre se presentan todos los síntomas que acabamos de mencionar. Quizá su familiar enfermo nunca tenga varios de ellos y sí otros que no mencionamos aquí. El curso de la enfermedad y su pronóstico varían según el trastorno específico y el individuo en cuestión.

¿QUÉ SE PUEDE HACER?

¿Qué puede usted hacer si sabe o sospecha que alguien de su familia tiene una enfermedad demencial? Lo primero es evaluar el estado del enfermo y después identificar las necesidades que hay que satisfacerle para que la enfermedad sea soportable tanto para él como para usted. Hay muchas interrogantes que usted necesitará que le aclaren y este libro empezará a contestárselas.

Antes que nada necesita saber la causa y el pronóstico del padecimiento pues cada enfermedad demencial es diferente. Tal vez ya le han dado varios diagnósticos, o quizá no sepa aún qué le está sucediendo a su familiar. Sin embargo, es imperativo diagnosticar la enfermedad para que tanto usted como el médico puedan afrontar de manera correcta los problemas que día a día surgirán así como para hacer planes para el futuro. Siempre es mejor saber qué esperar. La comprensión y la información de la enfermedad puede ayudar a disipar temores y preocupaciones y a planear la mejor manera de auxiliar al enfermo.

El médico debe ser una persona dispuesta y capaz de dedicar al paciente el tiempo e interés necesarios. En el Capítulo 2 describimos la manera de realizar una evaluación diagnóstica así como de encontrar al médico idóneo.

Aunque el padecimiento en sí no puede detenerse, *sí es mucho lo que se puede hacer para mejorar la calidad de la vida de la persona que la sufre y de la familia.* En los Capítulos del 3 al 9 abordamos muchos de los problemas que afligen a los familiares que tienen a su cuidado a una persona con una enfermedad demencial, y ofrecemos algunas sugerencias para hacer frente a esas situaciones. Le servirá mucho hojearlos y concentrarse en aquellos que sean pertinentes para su caso en especial. Hay que enfrentar los problemas con sentido común y con imaginación. En ocasiones la familia está demasiado cerca de los problemas para ver claramente la forma de manejarlos; sin embargo, las más de las veces sólo los miembros de la familia tienen la inventiva necesaria para resolverlos. Y precisamente han sido ellos los que oralmente o por escrito nos han sugerido muchas de estas ideas para compartirlas aquí y que son excelentes para empezar a trabajar.

Llegará el momento en que usted requiera ayuda adicional para cuidar a su enfermo. En el Capítulo 10 abordamos los tipos de asistencia que puede conseguir y la manera de localizarlos.

Tanto usted como el enfermo pertenecen a una familia y necesitan trabajar juntos para salir avante. El Capítulo 11 versa precisamente sobre la participación de la familia y los conflictos que pueden surgir. El Capítulo 12 trata sobre las repercusiones emocionales de la enfermedad en los familiares.

Es importante que tanto por su bien como por el del paciente, usted le brinde atención a su propia persona y esto es el objeto del Capítulo 13.

El Capítulo 14 está dedicado a los lectores jóvenes que están cerca de alguien que sufre una enfermedad demencial. Tal vez usted, como padre de familia, quiera leerlo y comentarlo con sus hijos. El libro en su totalidad está escrito para que puedan entenderlo los jóvenes.

El Capítulo 15 trata sobre temas legales y financieros. Por más doloroso que sea anticiparse a los acontecimientos, es importante hacerlo cuanto antes y quizá ahora sea el momento de empezar a resolver asuntos que ha estado posponiendo.

En el Capítulo 16 tratamos del momento en que el paciente ya no puede seguir viviendo solo. Abordamos los arreglos que pueden hacerse para el cambio de residencia del enfermo.

El Capítulo 17 está dedicado a explicar los diferentes padecimientos que causan demencia y la manera de diferenciarlos de otras enfermedades cerebrales. Su propósito es ofrecer una explicación general de términos y condiciones y no una guía para el diagnóstico.

En el Capítulo 18 revisamos suscintamente el estado actual de la investigación que se está realizando sobre la enfermedad de Alzheimer y la demencia por infartos múltiples. En el Apéndice 1 anotamos una bibliografía para que usted pueda documentarse más detalladamente al respecto.

Las enfermedades demenciales afectan a muchas personas, pero ni los profesionales de la medicina ni la comunidad comprenden cómo afectan éstas a los familiares y qué hacer por ellos. Las experiencias de usted y su familia al lado del enfermo los capacitan para dar información efectiva y de primera mano a otras personas, entre ellas a los médicos mismos y demás personal de los servicios asistenciales. Use sus conocimientos y sírvase de este manual, con ello contribuirá a la educación de los que le rodean y beneficiará a otras familias que han estado luchando en soledad. La enseñanza no necesariamente debe provenir de los profesionales. La transmisión de información de persona a persona contribuirá también a sacar la demencia a la luz de la investigación. Todo lo anterior dará por resultado que mejoren la atención, los apoyos tanto económicos como de tipo emocional y la investigación para buscar su curación y medidas preventivas.

Hacerse cargo de una persona con una enfermedad demencial no es fácil. Esperamos que la información que aquí presentamos sea útil, aunque estamos conscientes de que aún no hay soluciones simples.

A lo largo del libro hablamos sobre los problemas, pero es importante recalcar que tanto el enfermo como sus familiares siguen sintiendo alegría y felicidad. En virtud del lento desarrollo de este tipo de padecimientos, las personas que los sufren conservan intacta su capacidad de disfrutar la vida y a sus seres queridos. Cuando las cosas parezcan ir mal, recuerde que por más disminuida que esté la memoria del enfermo, o por más extraña que sea su conducta, sigue siendo una persona única y especial. Seguimos amando a las personas después de que cambien en forma drástica y a pesar de lo abatidos que estemos por su condición actual.

2

Cómo buscar atención médica para el enfermo

Este libro se escribió para usted como familiar del enfermo. Para empezar suponemos que tanto él como usted ya están recibiendo atención médica profesional. Ahora bien, los familiares y los profesionales de la medicina deben trabajar juntos al atender a la persona desvalida. Por lo tanto, este libro no pretende sustituir la atención médica profesional, aunque reconocemos que en el momento de escribirlo muchas personas están teniendo dificultad para encontrar el tipo de atención médica que se necesita. Muchos profesionales de la medicina tienen conceptos erróneos de lo que es la demencia pues no todos tienen el tiempo, el interés ni la capacidad para diagnosticar o atender a una persona con una enfermedad demencial. A medida que el público se informe más, esta ignorancia vendrá a ser cosa del pasado.

¿Qué esperamos del médico y de otros profesionales afines? Primero un diagnóstico preciso, y una vez establecido éste, seguir contando con asistencia médica y tal vez con otros especialistas para manejar la enfermedad demencial, tratar los padecimientos concurrentes y orientar a la familia para conseguir los apoyos que se irán necesitando. En este capítulo lo guiaremos para que encuentre la mejor atención médica posible en su comunidad.

Es probable que durante el curso de la enfermedad usted tenga que consultar a un médico especialista, a una trabajadora social o a una enfermera, todos ellos debidamente capacitados y cuya labor complementen entre sí. Al principio evaluarán juntos a la persona afectada y posteriormente lo orientarán para atender a su enfermo. Muy probablemente ellos a su vez necesitarán consultar a otros especialistas.

LA EVALUACIÓN DE UNA PERSONA EN LA QUE SE SOSPECHA DEMENCIA

Es importante realizar una evaluación completa siempre que una persona tenga dificultad para pensar, recordar y aprender o muestre cambios de la personalidad. Tal evaluación aclarará tanto a su médico como a usted entre otras cosas las siguientes:

1. La naturaleza exacta de la enfermedad del paciente.
2. Si tal enfermedad puede o no tratarse y curarse.
3. La naturaleza y extensión de su incapacidad.
4. Las áreas en las cuales aún puede funcionar bien.
5. Si padece otros trastornos de la salud que hay que tratar y que pueden estar empeorando su condición mental.
6. Las necesidades sociales y psicológicas así como los recursos del enfermo y la familia o persona que lo está cuidando y
7. Los cambios que sobrevendrán en el futuro.

Los procedimientos varían según el médico y el hospital. Sin embargo, una evaluación correcta incluirá un examen médico minucioso; el médico hará una *historia detallada* referida por alguien que conozca bien a la persona y por el enfermo mismo cuando sea posible. La historia le dirá al médico los cambios que ha sufrido la persona, los síntomas que ha tenido así como sus antecedentes patológicos. El médico le hará también un *examen físico* que podría revelar otros problemas de salud. El *examen neurológico* (que consiste en pedirle al paciente que guarde el equilibrio teniendo los ojos cerrados, probar sus reflejos dando ligeros golpes en sus rodillas y tobillos con un martillo de hule y otras pruebas) hará visibles las alteraciones del funcionamiento de las células nerviosas del cerebro y la médula espinal.

El médico hará también un *examen de la condición mental* del paciente, en el cual le hará preguntas respecto al día, mes y año en el que están, probará su capacidad para recordar y concentrarse, para el razonamiento abstracto, para las operaciones matemáticas simples y para copiar diseños sencillos. Cada una de estas pruebas revela si existe un mal funcionamiento de las diferentes partes del cerebro. Al llevar a cabo este examen deberá tomar en cuenta la educación del paciente y el hecho de que puede ponerse nervioso.

También pedirá que le hagan algunas *pruebas de laboratorio*, entre ellas varios exámenes de sangre. La biometría hemática detecta si hay anemia y evidencia de infección, ya que cualquiera de éstas puede causar o complicar una enfermedad demencial. Las *pruebas de química sanguínea* sirven para determinar si hay o no trastornos de hígado y riñones, diabetes así como otras afecciones más. Las pruebas de nivel de vitamina B-12 y folato dan luz sobre posibles deficiencias de vitaminas que pueden ser causantes de demencia. Los *estudios de tiroides* evalúan el funcionamiento de esa glándula pues sus afecciones están dentro de las causas más comúnes de demencia reversible. La prueba de VDRL puede detectar una infección sifilítica (la sífilis fue una causa común de demencia antes del descubrimiento de la penicilina); sin embargo, un VDRL positivo no indica necesariamente que una persona ha padecido sífilis. Para sacar la muestra de sangre hay que insertar una aguja, lo cual no es más desagradable que un piquete de alfiler.

La *punción lumbar* (PL), o punción raquídea, se lleva a cabo para descartar una infección en el sistema nervioso central (por ejemplo, tuberculosis) y puede revelar otras anormalidades. Para realizarla se aplica primero un anestésico local y aunque tiene pocas complicaciones, no hay necesidad de practicarla a menos que existan razones para sospechar estas afecciones.

El *EEG* (electroencefalograma) registra la actividad eléctrica presente en el cerebro. Para tomarlo se fijan unos alambres delgados a la cabeza mediante una crema conductora. Este examen es indoloro, pero puede causar confusión a una persona que sufre fallas de la memoria. El EEG es un auxiliar para el diagnóstico del delirio y a menudo puede dar evidencias de un funcionamiento cerebral anormal, aunque a veces resulta normal en una persona con demencia.

Las TAC (tomografía axial computada) es un estudio detallado de rayos-X que proporciona una imagen del cerebro. (Por lo general las radiografías de cráneo muestran ante todo los huesos y no el cerebro en sí). Los cambios compatibles con la enfermedad de Alzheimer pueden observarse en estos estudios de TAC, pero el diagnóstico no debe hacerse basándose solamente en el resultado de la TAC. Este estudio puede descubrir si hay evidencia de enfermedad cerebrovascular, una demencia por infartos múltiples, tumores, cambios en el flujo del líquido que baña al cerebro, o si hay acumulaciones de sangre presionando dentro del cerebro.

Para hacer la TAC el paciente yace sobre una mesa con la cabeza dentro de un objeto que semeja un gran secador de pelo. Es indoloro, pero puede confundir a una persona trastornada. En este último caso conviene prescribir un sedante ligero para que el enfermo se relaje. No todos los pacientes requieren una TAC y, por lo tanto, sólo debe hacerse cuando haya indicaciones.

La TAC ha remplazado al *pneumoencefalograma* que consiste en inyectar aire dentro del saco que rodea a la médula espinal. El pneumoencefalograma era un examen incómodo y a veces empeoraba temporalmente al enfermo.

Para exámenes tales como la punción lumbar, y para los que debe inyectarse un medio de contraste como es el caso de la TAC, los hospitales piden que los familiares lo autoricen firmando un papel en el que se especifican todos los posibles efectos colaterales del procedimiento en cuestión. Al leerlos uno puede alarmarse, pues parecen peligrosos, pero en verdad se trata de procedimientos seguros. Si a usted le preocupan los posibles efectos colaterales, pídale a su médico que se los aclare.

En conjunto, la historia clínica, los exámenes físicos y neurológicos así como las pruebas de laboratorio, identifican o descartan las causas conocidas de demencia. Otras pruebas, además de la médica, sirven para evaluar la capacidad de la persona y planear lo que se hará en el futuro.

La *evaluación psiquiátrica y psicosocial* se lleva a cabo a través de consultas con la persona enferma y su familia. Esta evaluación es muy importante porque establece las bases para poner en práctica un plan específico para el cuidado del enfermo. La puede realizar el médico, la enfermera, o la trabajadora social del equipo médico. También incluye el análisis de los recursos emocionales, físicos y económicos de la familia, el tipo de casa en la que vive el enfermo, los recursos de la comunidad y la capacidad del paciente para aceptar o participar en los planes.

La *evaluación de terapia ocupacional* determina hasta dónde puede valerse por sí mismo el enfermo y la forma en que podría compensar sus limitaciones. La realiza un terapeuta ocupacional, de rehabilitación o de medicina física. Estos terapeutas son miembros importantes del equipo de atención médica. A veces se les menosprecia porque antiguamente sólo se les consultaba en los casos en los que había una posibilidad de rehabilitación física. Sin embargo, ellos pueden identificar lo que una persona puede seguir realizando e idean maneras de ayudarla a que siga tan independiente como le sea posible. Parte de esta *evaluación* está dirigida a detectar la capacidad del enfermo para *realizar actividades cotidianas*; determinan esto observando al enfermo en una situación controlada y de esta manera comprueban si puede seguir manejando dinero, si todavía puede preparar sus alimentos (sencillos), si se puede vestir solo y llevar a cabo otras tareas rutinarias. Además estos terapeutas están familiarizados con una variedad de aparatos que pueden ayudar a rehabilitar a algunos pacientes.

La *evaluación neuropsicológica* (también llamada prueba del funcionamiento cortical, o psicométrica) se practica para determinar las áreas de la función mental que la persona tiene dañadas y aquellas en que todavía es independiente. Esta evaluación requiere varias horas pues se prueba la memoria, el razonamiento, la coordinación, la escritura y la habilidad de expresarse y entender instrucciones. El psicólogo que la realiza debe tener experiencia en hacer que la gente se sienta a gusto y tomará en cuenta la educación e intereses del enfermo.

La parte final de la evaluación es la *reunión con el médico* y tal vez también con algunos de los otros especialistas que hicieron la evaluación, y usted y el paciente aunque sólo sea capaz de comprender parcialmente. Es entonces cuando el médico explicará sus hallazgos sobre lo que está aconteciendo, le dará a usted un diagnóstico específico (tal vez le diga que no puede tener la certeza), una idea general del pronóstico de la enfermedad (aquí también cabe la posibilidad de que no pueda decirle exactamente el curso que seguirá) y le explicará los resultados de las otras pruebas. Esa es la ocasión para que usted haga al médico todas las preguntas que necesite que le aclare, a fin de comprender cabalmente los hallazgos de la evaluación. El médico probablemente le hará algunas recomendaciones respecto al empleo de medicamentos, le remitirá a los servicios de apoyo que pueden conseguirse en su comunidad o lo pondrá en contacto con alguna persona que lo auxilie en este sentido. De la misma manera juntos él, usted y el enfermo podrán identificar algunos problemas específicos y formular un plan para enfrentarlos.

La evaluación completa requiere más de un día y conviene que así sea para que el enfermo no se fatigue. En cuanto a los resultados, a menudo se necesitan varios días para que los diferentes laboratorios los remitan al médico tratante y otros más para que éste los estudie, los interprete y organice su informe.

La evaluación puede hacerse ya sea con el paciente hospitalizado o en el consultorio, dependiendo entre otros factores, de la salud general del enfermo, de lo que sea más conveniente para el familiar encargado de atenderlo, y de si puede afrontarlo económicamente o es beneficiario de alguna institución o seguro médico.

A veces, los familiares e incluso los profesionales están en contra de "someter al enfermo confuso a todas las molestias de una evaluación médica". Nosotros somos de la opinión de que toda persona con trastornos de la memoria y del razonamiento debe ser examinada minuciosamente. Un examen médico no es un suplicio y el personal que está habituado a tratar con personas dementes es afable y bondadoso. Es importante que el enfermo se sienta lo más a gusto posible de modo que puedan evaluarse cabalmente sus facultades.

Tal y como lo hemos mencionado, puede haber muchas razones por las que una persona presente síntomas de demencia, algunas de ellas curables. Si el problema es curable, pero no se le detecta por no practicársele una evaluación, el enfermo y su familia sufrirán innecesariamente durante años. Ciertos padecimientos pueden tratarse si se descubren a tiempo; en caso contrario podrían causar daños irreversibles.

Aun cuando el diagnóstico sea demencia irreversible, la evaluación ofrecerá la información necesaria para dar al enfermo la atención más apropiada y manejar mejor los síntomas. También proporciona la base sobre la cual planear el futuro y, por último, es importante para la persona que tiene a su cargo al enfermo saber que ha hecho todo cuanto estuvo de su parte.

EL TIPO DE MÉDICO QUE DEBE HACER LA EVALUACIÓN

En algunos lugares aún es difícil encontrar un médico interesado en practicar la evaluación exhaustiva que requiere una persona en la que se ha sospechado una demencia; afortunadamente esta actitud está cambiando. El médico de la familia es el más indicado para hacerla o para enviarlos con el especialista apropiado. También pueden informarle sobre los médicos que practican este tipo de evaluaciones o tienen interés especial en este campo, en los hospitales de su localidad y en los afiliados a alguna universidad así como en las escuelas de medicina. También puede obtener información en la Asociación de la Enfermedad de Alzheimer y Trastornos Relacionados (ver Apéndice 2).

Antes de programar la evaluación, averigüe con el médico que la realizará cuáles son los procedimientos que va a utilizar y por qué los ha elegido. Con esta conversación preliminar usted puede darse cuenta si en verdad tiene interés en este tipo de enfermos y en caso contrario mejor busque otro.

¿Cómo puede saber que el diagnóstico que le han hecho a su enfermo es preciso? Para la opinión definitiva tendrá que elegir un médico de su confianza y quedar usted convencido de que éste hizo todo cuanto había que hacer; luego confíe en ese diagnóstico. Para que usted pueda estar seguro de que se ha hecho un buen diagnóstico, lo cual es sumamente importante, deberá entender un poco la terminología, los procedimientos diagnósticos y estar enterado de lo que hasta ahora se sabe respecto a las demencias. Si otros médicos le han dado ya diagnósticos diferentes, discuta esto francamente con su médico.

Tal vez oiga hablar de personas que tenían síntomas similares y se curaron "milagrosamente", o quizá alguien le diga que la "senilidad puede curarse''. Hay mucha confusión respecto a esto porque, como ya hemos dicho, algunas causas de demencia son reversibles y por otra parte, a veces se confunden delirio y demencia. Por otro lado, hay también individuos sin escrúpulos que ofrecen curar estas terribles enfermedades. Insistimos, sólo un diagnóstico preciso y un médico en el que usted pueda confiar le darán la certeza de que se está haciendo todo cuanto es posible.

EL TRATAMIENTO MÉDICO Y EL MANEJO DE LA DEMENCIA

Los padecimientos que causan demencia requieren atención médica continua. La disponibilidad de servicios profesionales es variable. Usted, como encargado del enfermo, tendrá que coordinar la mayor parte de esta atención. Sin embargo, habrá ocasiones, en que necesitará el auxilio de profesionales.

El médico

El médico que se encargará en forma permanente del enfermo no necesariamente debe ser el especialista que realizó la evaluación inicial. Podría hacerse cargo de él ya sea el médico de la familia, algún geriatra que trabaje en equipo con otros especialistas, o alguien con un interés especial en la medicina geriátrica. Tampoco es necesario que sea un especialista, aunque si se requiere deberá trabajar en equipo con un neurólogo o un psiquiatra. El médico de cabecera será el encargado de prescribir y vigilar la acción de los medicamentos que recete, tratar las enfermedades agregadas que se presenten y aclarar sus dudas. Los requisitos que debe reunir son los siguientes:

1. Querer y poder dedicar el tiempo que sea necesario al enfermo y a usted.

2. Saber mucho de las enfermedades demenciales y sobre la especial susceptibilidad que tienen estos enfermos a sufrir otros padecimientos asociados, a presentar reacciones a los medicamentos y a caer en delirio.

3. Que se le pueda localizar fácilmente.

4. De ser posible, que tenga manera de referir al enfermo a fisioterapeutas, trabajadoras sociales u otros profesionales.

No todos los médicos llenan estos requisitos. Algunos tienen tantos pacientes que no disponen de tiempo para ver con detenimiento los problemas que presenta cada uno. Por otra parte, es imposible mantenerse al día en los avances de todas las áreas de la medicina y algunos médicos no tienen experiencia en el cuidado especializado que requiere una persona con demencia. Por último, hay médicos a quienes les incomoda tratar pacientes con padecimientos crónicos e incurables. Usted tendrá que hablar con más de un médico para decidir quién es el más apropiado. Dígale francamente lo que espera y exponga todas sus necesidades; también pregúntele cuál es la mejor forma de colaborar con él. Por otra parte, el médico que se encargó del diagnóstico del enfermo jamás deberá ponerlo en manos de otros profesionales que no estén en posibilidades de darle la atención y la revisión periódica que necesitará.

La enfermera

Además de los conocimientos y la experiencia del médico usted va a necesitar los servicios expertos de una enfermera titulada. Debe ser una persona a la que se pueda localizar en todo momento. Su labor será coordinar la labor de usted, el médico, y los demás especialistas en lo referente al cuidado del enfermo pues conoce bien las dificultades que entraña cuidar a un enfermo en el hogar. Ella podrá advertir sin demora los cambios que presente el enfermo, descubrir los que ameritan consultarse al médico, aconsejar y dar apoyo. Sabrá escucharlo a usted, será sensible para captar las dificultades que se le presenten y para las cuales podrá proponer soluciones. Otra de sus funciones es la de adiestrarlo en cuestiones prácticas, por ejemplo, la manera de manejar las reacciones catastróficas del enfermo, su alimentación, aseo y movilización. Puede enseñarle también a administrar los medicamentos y a vigilar que estén actuando correctamente. La enfermera podría encargarse de visitar periódicamente al enfermo para evaluar su estado general, ofrecer sugerencias para que el entorno del paciente sea lo más simple posible y para minimizar el esfuerzo de usted.

Su propio médico podrá recomendarle a la enfermera más apropiada o en su defecto, puede usted recurrir al centro de salud, la escuela de enfermería o a una agencia de empleos. Algunos seguros médicos absorben los gastos por servicios de enfermería cuando los autoriza un médico. (Ver Capítulo 10).

En algunas localidades se pueden conseguir terapeutas ocupacionales y fisioterapeutas.

El trabajador social

Los trabajadores sociales reúnen una combinación única de habilidades: conocen los recursos y servicios que existen en la localidad y saben evaluar la situación y necesidades de las familias para encaminarlas a los servicios apropiados. A veces se piensa que los trabajadores sociales "sólo sirven para la gente pobre", pero esto no es cierto; en realidad son profesionales cuya capacidad para orientar en la obtención de servicios prácticos llega a ser invaluable y además están preparados para aconsejar, facilitar la labor de la familia por medio de planes de trabajo y para orientar a sus miembros cuando surgen desacuerdos respecto a la atención del enfermo.

Su médico puede recomendarle a un trabajador social, o si el enfermo está hospitalizado, el mismo del hospital podría ayudarlos. Las instituciones para la atención a la senectud, si existen en su localidad, cuentan con trabajadores sociales encargados de auxiliar a toda persona mayor de 60 años.

Casi todas las comunidades cuentan también con centros de asistencia a la familia, atendidos por trabajadores sociales. Para localizar las oficinas de servicio social búsquelas en la sección amarilla del directorio telefónico bajo el nombre de las diferentes organizaciones municipales, estatales o federales de salubridad y asistencia social.

Los trabajadores sociales laboran en una variedad de instituciones tales como oficinas de servicio social público, estancias y centros para la atención de los ancianos, en albergues públicos, en los servicios nacionales de salud, etc. Algunas de estas instituciones tienen unidades especiales para atender a los ancianos. Los trabajadores sociales reciben entrenamiento profesional y en muchos lugares se les exige la licenciatura. Indague usted la preparación de la persona que vaya a seleccionar.

Los honorarios de los trabajadores sociales varían según el tipo de servicios que presten y muchos los ajustan a los ingresos de las personas que los consultan.

Por último, es importante que al seleccionar a un trabajador social se tenga presente que debe ser una persona informada sobre las enfermedades demenciales y que las entienda.

3

Problemas característicos de la demencia

A partir de este capítulo y hasta el noveno, inclusive, abordaremos muchos de los problemas que afrontan las familias al atender a una persona con una enfermedad demencial. Es muy importante recordar que si bien aún no hay nada para curar algunos de estos padecimientos, *sí es mucho lo que puede hacerse para facilitar la vida tanto de las personas encargadas de atender al enfermo, como del enfermo mismo*. Las sugerencias que ofrecemos parten de nuestra propia experiencia clínica así como de la experiencia que han compartido con nosotros los familiares de estos enfermos.

Cada enfermo y cada familia son diferentes. Tal vez usted nunca se encuentre con muchos de los problemas que aquí se exponen pues cada uno depende de la naturaleza del padecimiento en cuestión, la personalidad del enfermo y de las personas que lo cuidan, así como de otros factores como el lugar de residencia. No queremos que aborde la lectura de estos capítulos como si se tratara de una relación de lo que le espera. Es sólo una lista general de las áreas que llegan a constituir problemas y para usarse como material de consulta sobre dificultades específicas.

Por su propia naturaleza las lesiones cerebrales son difíciles de sobrellevar. El cerebro es un órgano misterioso, vasto y complejo; es el asiento de nuestros pensamientos, emociones y personalidad, por lo que una lesión cerebral puede ocasionar cambios emocionales, de la personalidad y de la capacidad de razonar. La mayoría de los padecimientos demenciales progresan gradualmente por lo que sus efectos no se aprecian súbitamente como los de una enfermedad cerebrovascular grave o los de un traumatismo en la cabeza. Consecuentemente, la conducta de una persona con una enfermedad demencial a menudo resulta enigmática comparada con la conducta de otro tipo de enfermos. No siempre es evidente que muchos de los síntomas palpables (como los cambios de la personalidad) son resultado de una enfermedad. Como casi siempre la persona enferma se ve bien, la gente interpreta su comportamiento como "extraño" o "excéntrico" y no se da cuenta de las dificultades que usted encara. Una mayor información a nivel masivo está contribuyendo a modificar esta actitud.

ALGUNAS SUGERENCIAS GENERALES

Manténgase bien informado. Entre más sepa de la naturaleza de las enfermedades demenciales más efectivo será al planear estrategias para manejar la conducta de su enfermo.

Platique con el paciente. Si su trastorno es ligero podrá participar en el manejo de sus propios problemas. Así ambos compartirán sus sufrimientos y preocupaciones, idearán formas de apoyar la memoria del enfermo para que pueda continuar viviendo de manera independiente. Cuando las personas tienen trastornos ligeros una asesoría profesional que les ayude a aceptarse y a ajustarse a sus limitaciones les beneficia mucho.

Trate de solucionar una por una las dificultades que le estén causando mayor frustración. Para los familiares, los problemas cotidianos son los que parecen más infranqueables. Hacer por ejemplo que la mamá se bañe y se arregle, que tome sus alimentos, se convierte en una lucha cotidiana. *Si está al borde de la desesperación, seleccione algo que pueda cambiar para hacer más fácil su vida y trabaje hasta conseguirlo.* A veces, cambiar algo muy simple significa una gran diferencia.

Descanse lo suficiente. Uno de los dilemas que enfrentan más a menudo muchas familias es que el encargado del enfermo no descansa como es debido, o no tiene oportunidad de alejarse de esta responsabilidad. Esta sobrecarga hace que pierda la paciencia y disminuya su tolerancia al comportamiento irritante del enfermo. Si las cosas parecen salirse de control, cerciórese de que no sea por sobrecarga de trabajo. En caso afirmativo, sería conveniente que se dedicara a buscar la manera de descansar más y despegarse más a menudo de sus responsabilidades como cuidador del enfermo. Reconocemos que esto es difícil de lograr y lo abordaremos en el Capítulo 10.

Eche mano de su sentido común y de su imaginación, pues son sus mejores herramientas. La clave del éxito es adaptarse. Si algo no puede hacerse de cierta manera, pregúntese si realmente es necesario hacerlo. Por ejemplo, si una persona ya no puede manejar los cubiertos, pero come bien con los dedos, no luche con ella; por el contrario, prepárele los platillos que se presten para comer con los dedos. Acepte los cambios. Si el enfermo insiste en dormir con el sombrero puesto, déjelo, no le va a hacer ningún daño.

Conserve su buen humor pues le servirá para salir bien librado de muchas situaciones de crisis. El enfermo sigue siendo una persona y también puede disfrutar de la risa. Comparta sus experiencias con otras familias en iguales circunstancias. Curiosamente, al escuchar sus relatos las familias los encuentran a la vez patéticos y chistosos.

Trate de crear un ambiente que permita toda la libertad que sea posible, pero que a la vez ofrezca la estructura que necesita la mayoría de las personas afectadas de confusión mental. Implante una rutina regular, predecible y simple para los alimentos, medicamentos, ejercicio, sueño y otras actividades. Todos los días haga estas cosas del mismo modo y a la misma hora. Con el establecimiento de rutinas regulares la persona gradualmente sabrá qué esperar. Cambie las rutinas sólo cuando vea que no funcionan. Mantenga el entorno del paciente a la vez confiable y simple; no cambie de lugar los muebles y no tenga cosas desordenadas.

Platique con el enfermo. Hágalo pausada y amablemente. Ponga especial cuidado en comunicarle lo que está haciendo y por qué. Permítale que participe en las decisiones tanto como sea posible. Evite hablar *de él* en su presencia y vigile que otras personas no lo hagan.

Es conveniente que el enfermo use una pulsera o un collar de identificación. Escriba en él la naturaleza de su padecimiento (por ejemplo, "pérdida de la memoria") y su número de teléfono. Esta es una de las cosas más importantes que usted puede hacer ya que muchas personas con este tipo de trastornos se extravían o vagan sin rumbo más de una vez, y la identificación ahorra horas de preocupación.

Mantenga al enfermo activo, pero no lo abrume. Una de las preguntas más comunes que hacen los familiares es si se puede retardar o detener el curso de la enfermedad manteniendo activo al paciente, con reentrenamiento y orientación de la realidad, lo cual equivale también a que si el hecho de estar desocupado le apresura el proceso de la demencia. Algunas personas enfermas caen en la depresión, se tornan inquietas o apáticas y sus familiares a menudo se preguntan si animarlas a que hagan cosas les servirá para funcionar mejor.

No se conoce aún la relación que puede tener la actividad con el curso de un padecimiento demencial y se sigue investigando en esta área. Sin embargo, puede afirmarse que la actividad contribuye a conservar el bienestar físico y podría evitar otras enfermedades e infecciones agregadas. Si se mantiene activo, el enfermo sentirá que es parte de la familia y su vida seguirá teniendo significado.

Es obvio que las personas con enfermedades demenciales no pueden seguir aprendiendo tan bien como antes ya que el tejido cerebral se ha deteriorado o destruido. Sería poco realista esperar que aprendieran cosas nuevas. Sin embargo, algunos individuos sí pueden aprender tareas sencillas y aun hechos si se les repiten con la frecuencia suficiente. Algunos enfermos que se pierden en un lugar nuevo, tarde o temprano "aprenden" a moverse en él.

Por otra parte, el exceso de estímulos, de actividades y de presión para que aprenda, agobiarán al enfermo, lo irritarán a usted y no se logrará nada. La clave es la moderación:

1. Acepte que las habilidades perdidas se han ido para siempre (la mujer que ha perdido la facultad de cocinar no podrá aprender a preparar una comida). Pero sepa que el enfermo funcionará más cómodamente si se le da información repetida y amablemente de acuerdo con su capacidad (una persona que está durante el día en un centro de cuidado diurno estará mejor que si se le dice repetidamente dónde está).

2. Tenga presente que cualquier agitación, por pequeña que sea (visitas, risas, cambios) trastorna a una persona con confusión mental. Planee actividades interesantes y estimulantes de acuerdo con la capacidad del enfermo, tales como caminatas, ir a visitar a algún familiar o amigo, etc.

3. Para que el paciente siga participando dentro del límite de sus capacidades, encuentre maneras de simplificar las actividades. Por ejemplo, si una mujer ya no puede cocinar seguirá participando si pela las papas.

4. Detecte las actividades que el enfermo todavía puede realizar y aténgase a ellas. Las facultades intelectuales no se pierden de repente. Es muy conveniente tanto para el enfermo como para quien lo cuida darse cuenta de lo que aún es capaz de realizar y hacer uso óptimo de tales habilidades. Por ejemplo:

La señora Cuevas no puede recordar las palabras para las cosas que quiere, pero se puede dar a entender con ademanes. Su hija facilita las cosas pidiéndole que le señale lo que desea.

PROBLEMAS DE LA MEMORIA

Las personas con enfermedades demenciales olvidan rápidamente las cosas. La vida para una persona con trastornos de la memoria es como entrar constantemente a ver una película ya comenzada en la que uno no tiene ni idea de lo que acaba de suceder. Una persona en estas circunstancias puede decir que va a visitar a un amigo y olvidar a dónde se dirige; empezar a preparar una comida y olvidarse de apagar la estufa; olvidar la hora que es o el sitio en que se encuentra. Esta incapacidad de recordar los hechos recientes puede parecer incomprensible pues la persona parece recordar con toda claridad lo acontecido mucho tiempo atrás. A lo largo del libro damos algunas sugerencias específicas para auxiliar a la memoria y usted podrá idear otras que juzgue idóneas.

Las personas con fallas de la memoria recuerdan con más facilidad los hechos pasados que los recientes y ciertas cosas más que otras. Esto se debe a la manera en que el cerebro recibe y almacena la información *y no a un acto deliberado de la persona.* El éxito de los apoyos a la memoria depende de la severidad de la demencia. Si es ligera, el enfermo puede diseñar él mismo los recordatorios que necesita, pero si es severa, sólo se frustrará más con su inhabilidad para usar los auxiliares de la memoria. Si la persona aún puede leer, se le pueden dar instrucciones por escrito para pequeñas tareas. Es muy útil que el enfermo escriba con frecuencia los nombres y los números telefónicos más usuales. Cuando salga usted de la casa déjele escrito el lugar a donde se dirige; si va a estar fuera a la hora de comer, recuérdele por escrito que coma solo. Tenga a la vista relojes y calendarios para que el enfermo recuerde el día y la hora. En el calendario vaya tachando los días a medida que transcurren. Es bueno hacer una lista de las actividades del día y colgarla en un lugar donde el enfermo pueda verla fácilmente. Tenga presente que una rutina diaria regular sin grandes cambios le ahorrará confusión.

Deje los objetos familiares (retratos, revistas, televisor, radio) siempre en el mismo lugar y donde el enfermo los vea fácilmente. Un entorno ordenado y bien organizado causará menos trastornos al enfermo y también podrán encontrarse fácilmente los objetos que estén fuera de su lugar. En algunas familias ha funcionado bien poner letreros en las cosas, por ejemplo, en los cajones: "Calcetines de María", "Camisones de María", etc.

En el caso de enfermedades demenciales progresivas, la persona afectada perderá tarde o temprano la capacidad de leer o no encontrará sentido en lo que lee. Podrá leer las palabras pero será incapaz de ver su significado. Algunas familias en tales circunstancias pasan de los letreros a las imágenes; por ejemplo, ponen el dibujo de un WC en la puerta del baño si el enfermo está en un lugar poco familiar o tiene dificultad para recordar dónde está el baño.

En la noche es cuando se exacerba la confusión de los enfermos y llegan a perderse al ir al baño. Por esto conviene dejar luces tenues para que vea el camino y poner tiras de cinta reflectora para guiarle de la recámara al baño.

En ocasiones hojear un álbum de fotos con un enfermo le sirve a éste para recordar a los amigos y a los miembros de su familia. Llevar álbumes a los enfermos cuando se les visita en el asilo o casa de descanso puede propiciar momentos de recuerdos placenteros en su mente confusa.

LAS REACCIONES EXAGERADAS O CATASTRÓFICAS

La señora Ramírez se resistió a subirse al coche en el que su hermana la llevaría a consulta con el médico, a pesar de que le dijo una y otra vez que esa tarde tenían que ir. Con la ayuda de los vecinos la metieron al auto y durante todo el trayecto se dedicó a pedir auxilio a gritos. Cuando finalmente llegaron trató de escaparse.

El señor López rompió a llorar súbitamente cuando luchaba por amarrarse las agujetas. Arrojó los zapatos al basurero y se encerró con llave en el baño.

La señora Moreno describió varios incidentes similares al siguiente, cada vez que su esposo extraviaba sus anteojos.
"¡Echaste mis anteojos a la basura! —dijo él.
Yo no he tocado tus anteojos —replicó ella.
¡Eso dices siempre! —exclamó él— ¡Cómo explicas que hayan desaparecido!
Siempre que los pierdes me culpas a mí —repuso ella.
¡Yo no los perdí, tú los echaste a la basura!
Al reflexionar sobre estos incidentes la señora Moreno se dio cuenta que su esposo ya no era el mismo. Antes solamente le habría preguntado si había visto sus anteojos en vez de acusarla y empezar a discutir.

Las personas con enfermedades cerebrales suelen ponerse excesivamente irritables y cambian de humor de un momento a otro. Las situaciones extrañas, el desorden, los grupos de gente, los ruidos, el que se les hagan varias preguntas a la vez, que se les pida realizar una tarea difícil para ellas, todas estas cosas pueden precipitar reacciones catastróficas. La persona llora, o se sonroja, se pone nerviosa, se enoja o se obstina. Tal vez se ponga agresiva con quien esté tratando de ayudarle. Quizá encubra su angustia negando lo que está haciendo o inculpando a otras personas.

Cuando una situación la agobia porque rebasa su capacidad de raciocinio, la persona con lesión cerebral reacciona de una manera exagerada. Las personas normales a veces hacen lo mismo cuando se les bombardea al mismo tiempo con más cosas de las que pueden manejar, pero los enfermos lo hacen por cosas simples y cotidianas. Por ejemplo:

Todas las mañanas el señor Cañedo se enoja y rehúsa bañarse. Cuando su hija le insiste en que lo haga, él discute a gritos y pone tensa a toda la familia. Todos le tienen pavor a la rutina diaria.

Para el señor Cañedo bañarse significa tener que pensar en varias cosas a la vez: encontrar el baño, desabrocharse la ropa, desvestirse, regular las llaves del agua y meterse a la tina. Además se siente inseguro cuando está desnudo y siente que ha perdido su privacía e independencia. Esta es una situación abrumadora para una persona que no recuerda cómo hacer todo eso y cuya mente es incapaz de procesar todas estas actividades al mismo tiempo. Una forma de reaccionar a esto es negándose a bañarse.

Empleamos el término *reacción catastrófica* para describir este tipo de conducta. (Usamos la palabra *catastrófica* en un sentido especial; no significa que estas situaciones sean muy dramáticas o violentas). *Con frecuencia la reacción catastrófica no parece ser una conducta causada por una enfermedad cerebral. Más bien parece que la persona ha adoptado una actitud hipercrítica, obstinada o extremadamente emotiva.* Reaccionar así por cosas tan insignificantes a los ojos de uno está fuera de proporción.

Las reacciones catastróficas son extenuantes y exasperantes tanto para el enfermo como para el que lo cuida. Son especialmente frustrantes cuando parece que la persona a quien estamos tratando de ayudar está en actitud obstinada y crítica. El enfermo llega a enfurecer tanto que no acepta la atención que necesita. La clave para manejar las reacciones catastróficas es aprender a evitarlas y a no darles mucha importancia.

A veces las reacciones catastróficas y la pérdida de la memoria son las primeras conductas que hacen que los familiares empiecen a darse cuenta de que algo anda mal. A una persona que tiene un daño muy ligero le beneficia mucho sentir que comprendemos sus temores y que no está sola.

Las cosas que contribuyen a evitar o a reducir las reacciones catastróficas dependen del enfermo, del grado de sus limitaciones y del que lo cuida. Uno aprende gradualmente a evitarlas o a atenuarlas. *Primero hay que aceptar que estas conductas no son por terquedad o por maldad, sino reacciones que la persona enferma no puede controlar.* Si usted lo duda, considere la posibilidad de que esa conducta rebasa la capacidad de control del enfermo.

El seguir rutinas fijas, poner las cosas en su lugar, dejar instrucciones escritas, etc. reducen las posibilidades de que surjan reacciones catastróficas. Como lo que las precipita es la presión que siente el enfermo de tener que pensar en varias cosas a la vez, simplifique todo lo que la persona enferma debe pensar. Aborde las cosas paso a paso al igual que la información y las instrucciones que le dé. Por ejemplo, al ayudarle a bañarse dígale cosa por cosa lo que usted va a hacer: "voy a desabrocharte la blusa... Ya está. Ahora te la voy a sacar... muy bien, me ayudas mucho. Ahora da un paso para meterte a la tina, yo te estoy sosteniendo..."

Déle tiempo para actuar. Tal vez reaccione con lentitud y enfurecerá si usted lo apresura. Espérelo. Si una persona presenta reacciones catastróficas frecuentemente, trate de reducir el desorden que exista a su alrededor y procure, por ejemplo, que no haya mucha gente en la casa, disminuir el ruido, apagar el televisor y evitar que se acumulen muchas cosas en el cuarto. El secreto es simplificar y reducir el número de signos que la persona deteriorada deba descifrar.

Planee las cosas que el enfermo puede realizar sin resultar afectado. Si los lugares extraños le alteran, no lo lleve de viaje. Si se cansa pronto y tiende a enojarse repentinamente, haga visitas más cortas a los amigos.

Usted puede prevenir las reacciones catastróficas simplificando las tareas que la persona deba hacer. La familia del señor Quintero se percató de que éste luchaba mucho para amarrarse los zapatos, pero necesitaba seguir tan independiente como fuera posible; resolvieron el problema dándole zapatos que no requerían agujetas. Como el señor Moreno perdía las cosas porque no recordaba dónde las dejaba, la esposa optó por ayudarle a buscarlos en vez de prestar oídos a sus acusaciones y sentirse ofendida.

Cuando el enfermo se torne irascible o renuente, conserve la calma y apártelo de la situación con tranquilidad. La tormenta emocional casi siempre termina tan súbitamente como se inició y el mismo enfermo se siente mejor cuando cesa la pelea. Además su falta de memoria le dará a usted la ventaja de que pronto se le olvidará lo ocurrido.

Trate de no expresarle su frustración o exasperación. Si lo hace lo confundirá aún más, pues no entenderá por qué reacciona usted así. Háblele con calma. Aborde las cosas paso a paso. Muévase despacio y sin hacer ruido. Recuerde que la persona *no* está actuando con obstinación ni intencionalmente. Evite razonar o discutir con ella pues sólo aumentará su confusión y contribuirá a que presente una reacción exagerada.

Tomarlo de la mano con suavidad o darle unas palmaditas afectuosas lo calmará. Algunas personas se tranquilizan cuando se les mece suavemente. Pruebe a abrazarlo y mecerlo, pero tenga presente que hay enfermos que interpretan esta medida como una sujeción y se enfurecen más. Cuando una persona se siente sujetada se asusta, sujete a la persona sólo si es absolutamente necesario y ninguna otra medida está funcionando.

Las reacciones catastróficas o la incapacidad del enfermo para efectuar una tarea simple pueden hacer que usted pierda los estribos. Si esto sucede, la conducta del enfermo empeorará. Desesperarse de vez en cuando no es una calamidad; respire profundamente y trate de abordar el problema con calma. Seguramente el enfermo olvidará el enojo antes que usted.

Lo más importante en esta y otras situaciones es no frustrarse ni descorazonarse, sino tratar de examinar concienzudamente lo que está sucediendo. Trate de identificar exactamente lo que está alterando al enfermo y vea la manera de evitarlo.

TRASTORNOS DEL HABLA Y DE LA COMUNICACIÓN

Una persona con deterioro de la memoria puede tener dos problemas de comunicación: uno para expresarse y otro para entender lo que le dicen.

Los problemas del enfermo para darse a entender

No dé por hecho que las cosas van a empeorar, pues la naturaleza y la evolución de los problemas de la comunicación dependen de la enfermedad de que se trate.

Algunas personas sólo ocasionalmente tienen dificultad para encontrar palabras, recordar los nombres de objetos de uso común y de personas cercanas. A veces sustituyen una palabra por otra que suena de manera semejante; por ejemplo, dicen tinta por tina, o corre por torre. Llegan a sustituir una palabra por otra relacionada, como nopal por tuna o cosa que hace música por piano. Suelen describir el objeto que no pueden nombrar, como sería "eso que sujeta el cabello" por broche, o "eso para verse bien vestido" por corbata. Por lo general, problemas de este tipo no les impiden darse a entender.

Sin embargo, hay personas que tienen dificultad para comunicar sus pensamientos:

El señor Zamudio estaba tratando de decir que nunca antes le habían hecho un examen neurológico, pero lo único que lograba decir era: *"Realmente nunca he... no precisamente, nunca me han hecho, nunca he..."*.

Otro caso es el de la persona que no puede comunicar su idea completa, pero sí puede expresar algunas de las palabras que hay en tal idea:

El señor Dorantes quería decir que le preocupaba perder el autobús para regresar a su casa; sólo podía decir: "Autobús, casa".

Hay otros que divagan con bastante fluidez y dan la impresión de hablar mucho. Usan por lo general frases de uso común, pero cuando el oyente escucha con atención descubre que no está muy seguro de entender lo que oye:

La señora Suárez dijo: "Si me permite, puede que me tenga que detener a la mitad y... Sabrá realmente lo que he hecho... dije... eso. Con recuerdos antiguos... puedo estar muchísimo más segura de lo... Cuando otra vez logro hilar mi idea simplemente prosigo como si nada hubiera sucedido. Pensábamos que ya era hora de empezar a recordar. A mí simplemente me encanta... tengo que... hablar".

En estos ejemplos se puede entender lo que la persona está diciendo si conocemos el contexto.

Cuando las limitaciones de la capacidad de comunicarse frustran a la persona perturbada, y también al encargado de atenderla, pueden desencadenar una serie de reacciones catastróficas. Por ejemplo, el enfermo se da cuenta de que nadie le entiende y rompe en llanto o sale furioso del cuarto.

Algunas veces el enfermo puede ocultar los problemas de lenguaje. Cuando el doctor señala el reloj de pulsera y le pregunta si sabe qué es, el enfermo le contesta: "¡Claro que lo sé, por qué me lo pregunta! ¡No quiero hablar de eso! ¡Por qué me molesta!", cuando la verdad es que no puede recordar la palabra.

Si tiene trastornos severos de lenguaje, la persona sólo recuerda palabras claves tales como "No" y las emplea vengan o no al caso. Con el tiempo quizá esta persona será incapaz de hablar. Intermitentemente repite una frase y llora, o masculla frases ininteligibles. En algunos problemas de lenguaje parece no haber significado en las palabras embarulladas que produce el enfermo. Los familiares y personas que le atienden sufren cuando esto sucede ya que no pueden seguir comunicándose verbalmente con su ser querido. En algunas familias el enfermo continúa siendo —aunque olvidadizo— un amigo y compañía durante mucho tiempo; pero cuando ya no puede comunicarse sienten que lo han perdido como compañero y les preocupa que no pueda avisarles si se siente mal o le duele algo.

La manera de ayudar a comunicarse a una persona impedida depende del tipo de dificultad que presente. Si se le diagnosticó una enfermedad cerebrovascular que ha dañado la función del lenguaje, debe revisarlo un equipo de rehabilitación tan pronto como se recupere de la fase aguda, pues se puede hacer mucho en este campo por las personas que son víctimas de estas enfermedades.

Si una persona tiene dificultad para encontrar la palabra precisa, le resultará menos frustrante que se le diga en vez de dejarlo luchar por encontrarla él mismo. Cuando usa una palabra equivocada y usted sabe a lo que se refiere, es conveniente darle la correcta; sin embargo, si usted ve que esto le molesta, no lo haga. Cuando usted no sepa lo que le está tratando de decir, pídale que se lo describa o señale. Por ejemplo, la enfermera no sabía lo que la señora Díaz quería al decir, "Me gusta su mal". Si la enfermera hubiera dicho ¿mi qué? la Sra. Díaz se habría frustrado al tratar de darse a entender. En vez de esto, la enfermera le dijo, "¿Qué es un mal..? Enséñemelo. "Es eso que va alrededor" y le señaló el anillo. "Ah sí, mi anillo", contestó la enfermera.

Cuando una persona tiene dificultad para expresar una idea, uno se puede imaginar a veces lo que quiere decir. *Pregúntele* si es lo que usted se imagina pues si actúa basándose en una suposición incorrecta aumentará la frustración del enfermo. Dígale: "¿Le preocupa perder el autobús para regresar a casa?", o "¿Quiere usted decir que no le han hecho antes un examen médico como éste"?

Cuando el enfermo no se puede comunicar de otra manera, podemos imaginar a veces lo que está tratando de decir. Tenga presente que casi siempre su manera de sentir es precisa aunque puede resultar exagerada o inapropiada para la situación real, y que la confusión está en su manera de explicar por qué se siente así. Si el señor Dorantes dice, "Autobús, casa", y usted le dice "Hoy no va a regresar en autobús", no habrá captado los sentimientos del enfermo. Pero si logra adivinar que lo que le preocupa es su regreso a casa, puede darle seguridad diciéndole, "Su hija vendrá por usted a las tres de la tarde".

Si la persona es todavía capaz de decir unas cuantas palabras, o de mover la cabeza para indicar sí o no, válgase usted de preguntas simplificadas. Dígale, por ejemplo, "¿Te duele algo?", o "¿Te duele aquí?", señalándole la parte del cuerpo en vez de nombrarla.

Una rutina regular sirve también para detectar si el enfermo está tranquilo o no cuando ya no puede comunicarse. Vigile que la ropa que use sea cómoda, que el cuarto esté tibio, que no tenga erupciones o escaras en la piel, que sea llevado al baño regularmente, y que no tenga hambre o sueño.

Los problemas del enfermo para entender a los demás

Muchas veces la gente que sufre daños cerebrales tiene dificultad para comprender lo que se le dice, deficiencia que los familiares a menudo malinterpretan como una conducta de nula cooperación. Por ejemplo, una mujer le dice a su madre: "Voy a la tienda; regreso en media hora. ¿Entendiste?" Y la madre contesta, "Sí, claro", pero en realidad no comprendió nada y en cuanto la hija desaparece empieza a preocuparse.

Las personas con enfermedades demenciales también olvidan fácilmente lo que sí entendieron. Cuando termina uno de darles una explicación detallada ya olvidaron lo que se les dijo al principio. Para estos enfermos también es difícil comprender la información escrita aun cuando todavía pueden leer las palabras. Por ejemplo: para determinar con exactitud lo que una persona aún puede realizar, primero se le da un periódico y se le pide que lea en voz alta el encabezado, cosa que tal vez pueda hacer correctamente. Luego se le dan instrucciones por escrito, como "cierre los ojos". Leerá correctamente el mensaje en voz alta, pero no cerrará los ojos. Si en su casa se le deja una nota sobre la puerta del refrigerador diciéndole "tu comida está en la cacerola roja", leerá la nota, pero no comerá.

Esto podrá ser desesperante hasta que usted considere que leer y comprender son dos habilidades diferentes, una de las cuales puede desaparecer sin perderse la otra. No conviene dar por sentado que una persona puede comprender y ejecutar los mensajes que oye o lee. Habrá que observarla para saber si *en realidad* los lleva a cabo.

El enfermo que entiende lo que se le dice en persona puede no ser capaz de entender lo que se le dice por el teléfono. Cuando una persona con una enfermedad demencial no comprende lo que se le dice, no se debe a falta de atención o a testarudez, sino a una incapacidad del cerebro que al funcionar mal no logra dar sentido a las palabras que oye.

Hay varias maneras de mejorar la comunicación verbal con una persona que sufre una enfermedad demencial:

1. Primero compruebe que efectivamente lo está oyendo. La agudeza auditiva declina con la edad y muchos viejos tienen defectos de audición.

2. Baje el tono de su voz pues un tono alto es una señal no verbal de que uno está molesto. Además, una persona con daño auditivo oye más fácilmente los tonos bajos.

3. Elimine todos los ruidos y actividades que pudieran distraer al enfermo. Esto tanto por si no oye bien como porque no podrá comprenderlo si hay otros ruidos o actividades a su alrededor.

4. Emplee palabras cortas y frases simples también cortas. Evite los mensajes complejos. En vez de decir, "Creo que llevaré el coche al taller esta noche, en vez de mañana en la mañana, porque a esa hora hay mucho tránsito", dígale simplemente, "voy a llevar ahora el coche al taller".

5. No le haga más de una pregunta simple a la vez. Repítasela exactamente igual si tiene que hacerlo. No le haga preguntas como la siguiente: "¿Quieres manzana o tartaleta, o prefieres comer el postre después?". Las preguntas complejas aturden su capacidad de decisión.

6. Pídale una sola cosa a la vez. Si le pide todas juntas seguramente no recordará o no podrá darle ningún sentido al mensaje. La mayoría de las cosas que le pedimos hacer a alguien, como meterse a la regadera, prepararse para ir a la cama, ponerse un abrigo para ir a la tienda, implican varias tareas. El enfermo no puede ordenarlas por lo que la manera de ayudarle es separándoselas e indicándoselas paso a paso.

7. Háblele pausadamente y espere a que responda. La respuesta de un enfermo puede ser mucho más lenta de lo que para nosotros es natural. Tenga paciencia.

Es posible mejorar la comunicación con el enfermo y comprender sus necesidades sin las formas usuales de conversación. Las personas se comunican tanto con palabras como con gestos de la cara, los ojos, las manos y el cuerpo. Todo el mundo utiliza sin pensarlo la forma no verbal de comunicación. Decimos, por ejemplo, que alguien "tiene cara de enojado", "por la manera de mirarse se sabe que están enamorados", "sé que no me estás escuchando", "se sabe muy bien quién es el jefe por su manera de caminar", etc., y todo esto lo comunicamos sin palabras. Las personas que sufren un deterioro cerebral pueden seguir sensibles a estos mensajes no verbales cuando ya han perdido la capacidad de comprender bien el lenguaje hablado, y muy frecuentemente conservan su capacidad para expresarse sin palabras.

Por lo tanto, si uno está enojado o cansado puede mandar mensajes no verbales al enfermo que lo alteran y lo inquietan. Entonces él se irrita, y usted se desespera, lo cual irrita aún más al enfermo. Si usted no está consciente de la importancia del lenguaje corporal se romperá la cabeza preguntándose qué pudo haber sucedido que molestó al enfermo. De hecho hacemos esto todo el tiempo. "No estoy enojada", le decimos a nuestro cónyuge; "sé que sí estás enojada" nos responde. Lo sabe por la postura de nuestros hombros.

Si usted convive con una persona que sufre alguna forma de demencia ya habrá aprendido a identificar muchas de las señales no verbales que emite para expresar sus necesidades. A continuación mencionamos otras formas de comunicarse sin palabras:

1. Manténgase afable, tranquilo y dispuesto a dar apoyo. Aunque (esté molesto, la calma que irradie su cuerpo contribuirá a que la persona confusa no se altere).

2. Sonría, tome una mano del enfermo, abrácele por la cintura, o exprésele afecto de alguna otra manera.

3. Mírelo directamente tratando de averiguar si la persona le está prestando atención. Si con su lenguaje corporal el enfermo da señales de no estar atendiéndolo, inténtelo nuevamente unos minutos después.

4. Use otros medios además de las palabras: señale, toque, tome con la mano las cosas de la persona enferma. Demuestre una acción o descríbala por medio de las manos (por ejemplo, cepillarse los dientes). A veces si usted inicia al paciente en la acción él continuará por sí mismo la tarea.

5. Evite explicarse con razones complejas la conducta del enfermo. Como el cerebro de la persona ya no puede procesar correctamente la información, experimenta el mundo que le rodea y su mundo interior de manera diferente de como usted ve las cosas. Como la comunicación no verbal depende de un conjunto de habilidades del todo diferente del de la comunicación verbal, se puede comprender mejor al enfermo considerando lo que uno *intuye* que está diciendo más que lo que uno *piensa* que está diciendo, sea con acciones o con palabras.

Aun cuando una persona padezca una confusión severa y no sea capaz de comunicarse, continúa necesitando y disfrutando las demostraciones de afecto. Tomarle la mano, abrazarla, o simplemente sentarse a su lado haciéndole compañía son maneras importantes de continuar la comunicación. Los cuidados físicos que usted le brinde le transmiten al enfermo la preocupación y protección de que es objeto.

PÉRDIDA DE LA COORDINACIÓN

Debido a que las enfermedades demenciales afectan muchas partes del cerebro, la persona con algún tipo de demencia puede perder la capacidad de hacer que sus manos y dedos realicen ciertas tareas familiares. Es posible que sepa lo que desea hacer y aunque sus manos y dedos no están tiesos ni débiles, el mensaje simplemente no pasa de la mente a los dedos. Los médicos utilizan la palabra *apraxia* para describir esto. Un signo precoz de apraxia es un cambio en la letra del enfermo. Otro indicador posterior, es un cambio en su manera de caminar. Las apraxias pueden progresar gradualmente o cambiar de manera abrupta, dependiendo de la enfermedad. Por ejemplo, al principio la persona parecerá sólo ligeramente insegura al caminar e irá cambiando gradualmente hasta adoptar un paso lento y arrastrar los pies.

Puede ser difícil, para alguien que no sabe evaluar las enfermedades demenciales, distinguir los problemas de la memoria (el paciente no recuerda aquello que se supone que debería hacer) de los de apraxia (el paciente no logra hacer que sus músculos ejecuten lo que se supone que deberían hacer). Ambos problemas ocurren cuando el cerebro está dañado por la enfermedad. No siempre es necesario distinguirlos para poder ayudar al enfermo a seguir tan independiente como le sea posible.

Cuando la apraxia empieza a afectar el caminar de la persona, éste se vuelve inestable. Esté pendiente de este indicio; ponga un pasamano en la escalera y vea que siempre haya quien sostenga al enfermo al subir y bajar el escalón de la banqueta.

La pérdida de coordinación de las manos suele ocasionar trastornos en la vida diaria, como por ejemplo, al bañarse, abotonarse, abrir y cerrar cierres, vestirse, servirse un vaso de agua y comer. Se necesita buena coordinación para poder marcar un número telefónico y aunque no parezca tener ningún impedimento motor, una persona podría ser incapaz de marcar un número de teléfono para pedir auxilio. Un teléfono de botones podría servirle, aunque tal vez podría resultarle difícil aprender a usarlo si no lo conoce desde antes.

Algunas cosas que implican dificultad para la persona enferma tendrán que desecharse y modificarse otras a fin de que continúe siendo hasta cierto punto independiente. Debido al menoscabo intelectual que sufre podría ser incapaz de aprender una tarea nueva más simple. Por esto considere siempre la naturaleza de cada tarea y pregúntese si podría realizarla si se la simplificara. Por ejemplo, usar mocasines y no zapatos con agujetas; beber la sopa de una taza es más fácil que tomarla de un plato y con cuchara; el alimento que puede tomarse con los dedos es más fácil de manejar que el que debe cortarse con cubiertos. Pregúntese también si el enfermo podría ejecutar parte de la tarea si usted le resolviera las dificultades. Tal vez el enfermo podría vestirse si usted le ayudara con los botones y broches. Tenga presente que al hablar de modificar una tarea se trata de simplificarla, no de cambiarla.

Al percatarse de su torpeza el enfermo podría sentirse tenso, avergonzado y preocupado, y para tratar de ocultar su creciente incapacidad se rehusará a participar en actividades. Un ejemplo:

A la señora Flores le gustaba tejer y cuando súbitamente abandonó esta actividad su hija no pudo explicarlo. Su madre le dijo simplemente que ya no quería tejer. La verdad era que su apraxia iba empeorando y sentía vergüenza de su ineptitud.

Una atmósfera relajada a menudo contribuye a hacer menos evidente la torpeza de un enfermo pues es común que tenga más dificultad para realizar una tarea cuando se siente tenso.

A veces la persona puede hacer algo una vez, pero no puede repetirlo. Esto puede ser característico de daño cerebral y no de flojera. Tal y como sucede a las personas normales, cuando el enfermo se siente apresurado y observado, o está enojado o cansado, disminuye su capacidad para realizar cualquier tarea. El daño cerebral hace que estas fluctuaciones naturales sean más dramáticas. Hay veces que un enfermo puede realizar una tarea sin dificultad, pero es incapaz de hacer otra similar —por ejemplo, subir el cierre de los pantalones pero no el de la chamarra— y a primera vista parece que sólo se está poniendo difícil; sin embargo podría serle imposible realizarla porque de alguna manera la segunda tarea es diferente.

Otras veces un enfermo puede hacer una tarea si se le presenta en una sucesión de pasos simples a realizar y se le dice que haga una cosa después de otra. Cepillarse los dientes implica tomar el cepillo, ponerle pasta, llevarlo a la boca, cepillarse, enjuagarse, etc. Con paciencia guíelo paso a paso. Hacerle una demostración podría ayudar y para estos tendrá usted que repetir cada paso varias veces. Empezar el movimiento de la acción de peinarse o de cepillarse, o simplemente poner el instrumento en la mano del paciente (por ejemplo una cuchara o un peine) y suavemente iniciar el movimiento en la dirección apropiada, parece recordarle al cerebro cómo hacer la tarea.

El terapeuta ocupacional está entrenado para evaluar las habilidades motrices que conserva el enfermo y la manera de hacer uso óptimo de ellas. Si un terapeuta ocupacional realiza la evaluación, la información que obtenga puede servirle a usted para darle al enfermo los cuidados que necesita sin mermar su independencia.

En las últimas etapas de algunas de las enfermedades demenciales tiene lugar una pérdida extensa del control muscular y la persona puede chocar con las cosas y caerse. Esto lo veremos en el Capítulo 5.

Las personas con padecimientos demenciales pueden sufrir otras enfermedades agregadas que interfieren con su capacidad para realizar actividades cotidianas. Parte del problema puede residir en los músculos y articulaciones y parte en el cerebro dañado. Entre las condiciones que vienen a complicar el mal del paciente están el temblor, la debilidad muscular, padecimientos de huesos y articulaciones como artritis, o falta de flexibilidad causada por medicamentos.

Hay muchas técnicas y medios para que las personas con limitaciones físicas conserven su independencia. Cuando considere estas técnicas tenga presente que la mayoría de éstas requieren que el enfermo tenga cierta capacidad para aprender a hacer algo de una nueva manera o aprender a usar un nuevo artefacto. Las personas con padecimientos demenciales pueden no ser capaces de aprender las habilidades necesarias.

Algunas personas tienen temblores que se manifiestan en manos o cuerpo y que dificultan las actividades que deben realizar. Un terapeuta ocupacional o fisioterapeuta puede enseñarle a usted la mejor manera de minimizar los efectos de los temblores.

Con ciertos padecimientos neurológicos, especialmente la enfermedad de Parkinson, los pacientes tienen dificultad para comenzar un movimiento, o pueden "trabarse" en la mitad del mismo. Esto llega a ser frustrante tanto para el enfermo como para el que lo cuida. Si usted encara un problema así, podrían servirle de guía las siguientes recomendaciones:

1. Si la persona se "queda pegada" al piso al andar, dígale que se mueva hacia una meta u objeto. Esto puede ayudarle a iniciar nuevamente el movimiento.

2. Es más fácil levantarse de una silla que tenga brazos. Eleve el centro de gravedad de la persona sentada levantando el asiento de la silla unos 5 a 10 cm. El asiento debe ser firme. Emplee un cojín duro, o una silla más alta como las de comedor. Evite las sillas bajas con cojines blandos. Indíquele al enfermo que se mueva hacia el borde de la silla y sepárele ambos pies unos 25 cm para que tenga una base más ancha para ponerse de pie. Dígale que apoye las manos sobre los brazos de la silla y que se mezca hacia adelante y atrás para impulsarse, y que al contar 3 se levante rápidamente. Déle unos momentos para que se equilibre y empiece a caminar.

3. Para sentarse en una silla es más fácil que la persona ponga sus manos sobre los brazos de la misma, se doble hacia adelante todo lo que pueda y se siente lentamente.

Cuando la persona no se mueve mucho puede presentar debilidad o rigidez. El ejercicio es muy importante para las personas con memoria deteriorada.

En ocasiones las personas que están tomando tranquilizantes mayores o drogas neurolépticas se pondrán tiesas y rígidas, o inquietas. Tal vez esto sea un efecto secundario del medicamento. Notifique al médico para que cambie la dosificación o le recete algo que anule tales efectos.

PÉRDIDA DEL SENTIDO DEL TIEMPO

Una de las habilidades que primero pierden las personas con demencia es la misteriosa capacidad que tenemos para juzgar el paso del tiempo: constantemente preguntan qué hora es, piensan que se les abandona mucho tiempo si los dejamos unos cuantos minutos o nos salimos de su campo de visión, quieren salir de un lugar cuando apenas acaban de llegar, etc. No es difícil comprender esta conducta si consideramos que para saber cuánto tiempo ha transcurrido hay que ser capaz de recordar lo que hemos estado haciendo en el pasado inmediato. Una persona que olvida rápidamente no tiene manera de medir el paso del tiempo.

Además de este defecto de la memoria, parece que las enfermedades demenciales, estropean el reloj interno que nos mantiene en un horario razonablemente regular para dormir, estar despiertos y comer. Sería bueno para usted reconocer que esta conducta no es deliberada (aunque para usted sea irritante) sino que es el resultado de la pérdida de la función cerebral.

En los inicios de la enfermedad la persona puede perder la capacidad de leer el reloj, y aún cuando lo mire y diga, por ejemplo, "son las tres y cuarto" no podrá explicarse el significado de tal información.

La incapacidad de saber en qué ha empleado el tiempo suele preocupar a la persona desmemoriada. A lo largo de nuestra vida, muchos de nosotros dependemos de un horario regular. Cuando no sabemos la hora que es nos preocupamos porque tememos llegar tarde a algún lado, perder el autobús, el almuerzo o el aventón de regreso a casa, o estar más del tiempo debido cuando alguien nos invita a su casa. Una persona con confusión mental ni siquiera sabe por qué está preocupada, sólo tiene un sentimiento general de angustia que lo mueve a preguntar la hora que es. Y desde luego, pronto olvidará toda la conversación y preguntará de nuevo.

A veces la persona siente que la hemos abandonado cuando nos pierde de vista, porque no puede recordar. Para tranquilizarlo cuando usted tenga que salir, intente dejarle un reloj antiguo de arena o un despertador. Tal vez a usted se le ocurran otras maneras de manejar la impaciencia del enfermo. La familia Jiménez la resolvía en parte de la siguiente manera:

> *Cuando el señor y la señora Jiménez iban a comer a la casa de su hija, casi al acabar de llegar él se ponía el abrigo y el sombrero e insistía en que era hora de regresar a casa. Cuando lograban persuadirlo de que se quedara a comer, él hacía hincapié en que se irían tan pronto terminaran. Su hija creía que se portaba así por descortés.*

Las cosas fueron menos conflictivas cuando la familia comprendió que estar en una casa extraña, además de la confusión y la pérdida del sentido del tiempo, lo trastornaban. Los familiares revisaron las costumbres anteriores del señor Jiménez y recordaron un hábito social que vino en su auxilio: como él solía disfrutar mucho al ver los partidos de futbol por televisión los domingos después de comer, su hijo encendía la televisión al terminar la comida. Como se trataba de un hábito muy arraigado, el señor Jiménez se quedaba a ver el partido antes de ponerse inquieto y querer regresar a casa. Con esto le daba tiempo a su esposa de disfrutar la visita.

4

La vida independiente y sus problemas

A medida que una persona empieza a presentar síntomas de una enfermedad demencial encara dificultades para vivir en forma independiente. Los familiares sospechan que no hace buen uso de su dinero, se preocupan porque sigue manejando el automóvil y se preguntan si debiera o no seguir viviendo sola. Las personas con enfermedades demenciales a menudo dan la impresión de que se saben cuidar bien e insisten en que están perfectamente bien y que sus familiares los están obstaculizando. Puede ser difícil decidir cuándo hay que asumir el control del enfermo y hasta qué punto hacerlo. También puede ser doloroso arrebatar los signos externos de independencia de una persona, o tal vez el enfermo no quiera mudarse de casa, dejar de manejar o renunciar a sus responsabilidades financieras.

Hacer estos cambios es tan difícil en parte porque simbolizan la renuncia a la independencia y la responsabilidad, y por tanto, la familia entera tiene sentimientos encontrados al respecto. (En el Capítulo 11 hablabamos de estos cambios). Será mas fácil hacer los cambios necesarios si comprendemos los sentimientos que éstos suscitan.

El primer paso para decidir si es hora de introducir modificaciones en la vida independiente de una persona es hacerle una evaluación. Ésta indicará qué cosas puede hacer todavía y qué cosas ya no puede hacer, y le dará la autoridad para insistir en que se hagan los cambios necesarios. Cuando no es posible una evaluación profesional, usted y los demás miembros de la familia serán los encargados de analizar cada tarea, tan exhaustiva y objetivamente como sea posible, para decidir si la persona puede aún realizar cada una de ellas de manera *total, segura* y *sin trastornarse.*

Un padecimiento demencial suscita en el enfermo muchos tipos de pérdidas. Significa perder el control sobre las actividades cotidianas, perder la independencia, perder facultades, y perder la capacidad de hacer esas cosas que le hacen sentir a uno que es útil e importante. Una enfermedad demencial limita las posibilidades que puede traer el futuro. Mientras otros aspiran a que las cosas lleguen a mejorar, el enfermo debe reconocer gradualmente que su futuro es limitado. Quizá la mayor pérdida de todas es la de la memoria. Perder los recuerdos significa perder las conexiones de un día a otro tanto con los demás como con el pasado. El pasado lejano puede parecer el presente. Sin el recuerdo de hoy, o sin la noción de que el pasado ha pasado, el futuro deja de tener significado.

A medida que las pérdidas se van acumulando en la vida de una persona, es natural que ésta se aferre aún más firmemente a lo que todavía tiene. Es comprensible que una persona confusa responda a tales cambios oponiendo resistencia, negándolos o con ira. La necesidad que tiene la persona de su ambiente familiar, además de la determinación que casi todos tenemos de no llegar a ser una carga para nadie, explica el porqué una persona incapacitada no quiera ceder. Aceptar su nueva situación sería enfrentar la magnitud y fatalidad de su enfermedad, cosa que quizá no puede hacer.

Además, tal vez la persona no pueda darle sentido a lo que está aconteciendo. Si no es consciente de sus propias limitaciones, quizá sienta como si injustamente le estuvieran quitando sus cosas y que su familia la está "desplazando". Cuando uno reconoce todos estos sentimientos del enfermo, puede idear modos de ayudarle a hacer los cambios necesarios sin que deje de sentirse dueño de sus actos.

EL MOMENTO DE DEJAR EL EMPLEO

El momento en que un enfermo debe dejar su empleo depende del tipo de trabajo que realiza y de si tiene que manejar. Tal vez el patrón le dirá a usted o al propio empleado, que es hora de retirarse. Algunos patrones aceptan que siga trabajando, siempre y cuando su puesto no exija mucho. En ocasiones es la familia la que debe tomar la decisión. Tal vez usted se dé cuenta de que la hora ha llegado.

Si la persona debe dejar su empleo, hay dos áreas que hay que considerar: por un lado el ajuste emocional y psicológico que conlleva un cambio de tal magnitud, y por el otro, los cambios financieros inherentes. La ocupación de una persona es una parte clave de su sentido de identidad. La hace sentirse un miembro valioso de la sociedad. El enfermo puede resistirse a dejar de trabajar o negar que algo anda mal. Su ajuste al retiro puede ser un periodo doloroso. Si esto ocurriera sería conveniente solicitar los servicios de un terapeuta o trabajador social, que podrían resultar invaluables.

Es importante que usted considere el futuro financiero de la persona enferma. Esto lo trataremos en el Capítulo 15. El retiro puede acarrear problemas especiales. Los individuos que se ven forzados a retirarse antes de tiempo a causa de un padecimiento demencial deben recibir los mismos beneficios de invalidez y jubilación que cualquier otro con una *enfermedad* incapacitante. Ha habido enfermos a los que se les han negado los beneficios de invalidez argumentando equivocadamente que la "senilidad" no es una enfermedad, y se les ha forzado a renunciar o a pedir una jubilación extemporánea lo cual reduce sustancialmente sus ingresos. Como lo más seguro es que una persona con un padecimiento demencial no pueda aprender un nuevo trabajo aun cuando conserve muchas facultades, si le niegan el seguro por invalidez y la jubilación debido a esta razón, busque asesoría legal.

CUANDO UNA PERSONA NO PUEDE SEGUIR MANEJANDO DINERO

Un persona con un menoscabo mental podría ya no ser capaz de llevar el saldo de su chequera, no saber dar y recibir cambios, o volverse irresponsable con el dinero. En ocasiones, cuando una persona ya no puede seguir haciéndose cargo de su dinero, se vuelve desconfiada y culpa a todo el mundo de estárselo robando. Por ejemplo, el señor Franco decía:

Durante muchos años mi esposa se hizo cargo de las cuentas de la familia. Supe que algo andaba mal cuando el contador me dijo que los libros de cuentas estaban hechos un lío.

Otro ejemplo es el del señor Ríos, que comentaba:

Mi esposa estaba regalando dinero a los vecinos, escondiéndolo en el basurero y perdiendo su cartera. De modo que le quité la cartera y el dinero. Entonces me empezó a acusar de habérselo robado.

Como el dinero muchas veces significa independencia, las personas no están dispuestas a renunciar al control de sus finanzas.

Una manera de hacerse cargo de las finanzas del hogar sería simplemente revisando y corrigiendo el trabajo de la persona enferma. Si debe quitarle la chequera contra su voluntad, a veces sirve de ayuda ponerle un recordatorio donde la persona pueda verlo, que diga por ejemplo, "Mi hijo Juan se encarga ahora de mi chequera".

Es desesperante que una persona acuse a otros de estarla robando, pero uno deja de sentirse ofendido cuando comprende la naturaleza humana. Desde niños nos enseñaron a tener mucho cuidado con el dinero, y cuando éste desaparece, enseguida pensamos que nos lo han robado. A medida que el cerebro de una persona va perdiendo la capacidad de recordar lo que en realidad está sucediendo, no es de sorprender que se angustie y piense que le han robado su dinero. Evite discutir el asunto pues sólo conseguirá que se trastorne más.

Algunas familias han encontrado que el enfermo se tranquiliza cuando le dan una pequeña cantidad de dinero para sus gastos (monedas y billetes de baja denominación). Si lo pierde o lo regala, no será mucho; además, casi todos necesitamos sentir que tenemos algo de efectivo en el bolsillo y esta es una manera de ahorrarse conflictos por el dinero. Una particularidad de las enfermedades demenciales es que la persona pierde la capacidad de dar cambios antes que la noción de que necesita dinero:

La señora Huerta siempre había sido tenazmente independiente en relación con su dinero por lo que su esposo le dio una cartera con algo de cambio. Le puso su nombre y dirección por si la perdía. Ella insistía en pagar en el salón de belleza con cheque cuando desde hace mucho tiempo ya no maneja la chequera. Entonces su esposo le dio varios cheques sellados como nulos por el banco, y ella paga con uno cada semana a la peinadora quien estuvo de acuerdo con el señor Huerta de recibirlo y de que él pasaría a pagar la cuenta.

Esto puede parecer un caso extremo. También puede parecer injusto engañar a la persona de esta manera. Sin embargo esto permite que la mujer enferma se siga sintiendo independiente y de no exponer la paz por motivos de dinero.

El dinero puede originar serios conflictos, especialmente cuando el enfermo se ha vuelto suspicaz o cuando otros miembros de la familia están en desacuerdo. (Convendría que ahora leyera los Capítulos 8 y 11). Seguramente usted podrá idear otras maneras de hacer que los asuntos de dinero sean menos problemáticos.

EL MOMENTO DE DEJAR DE CONDUCIR EL AUTOMÓVIL

Tal vez llegue el momento en que veamos que nuestro padre, madre o cónyuge no debe seguir conduciendo el auto. Algunas personas saben reconocer sus limitaciones, pero hay otras que se obstinan en no dejar de conducir.

Para quienes tienen experiencia, conducir es una habilidad tan bien aprendida que es en parte "automática". Pueden recorrer su ruta de ida y vuelta al trabajo pensando en otras cosas: platicando, oyendo música, dictando. No se concentran mucho en conducir; sin embargo, si la circulación cambia de repente, reaccionan a tiempo y tranquilamente. Y por la misma razón de que conducir es una habilidad muy bien aprendida, una persona confusa puede seguir dando *la impresión* de que lo hace bien cuando en realidad ya es peligroso que lo siga haciendo. Para conducir tiene que darse una interacción muy compleja de ojos, cerebro y músculos, así como la capacidad de resolver con rapidez situaciones complicadas. Una persona que aparentemente sigue conduciendo bien, puede haber perdido ya la habilidad de resolver correctamente los casos imprevistos y puede atenerse tanto al hábito de manejar que será incapaz de cambiar rápidamente de un respuesta habitual a otra distinta cuando la situación lo demande.

Hay personas que deciden por sí mismas dejar de conducir cuando se dan cuenta de que "sus reacciones ya no son las de antes". Pero si no lo hacen uno tendrá la responsabilidad de verificar concienzudamente si pueden seguir conduciendo sin peligro e intervenir en caso contrario. Ésta quizá sea una de las primeras cosas en las que usted tendrá que asumir la responsabilidad de decidir por la persona enferma. Tal vez usted dude si debe hacerlo, pero probablemente se sentirá aliviado cuando logre que la persona enferma deje de manejar. Para decidir si ha llegado el momento, vea las habilidades que se requieren para manejar con seguridad y evalúe si la persona confusa aún las tiene, tanto en el auto como en otras situaciones:

1. *Buena visión.* La persona debe tener buena visión, o visión corregida con anteojos, y deberá ver claramente tanto al frente como de lado (visión periférica) para captar las cosas que vengan hacia ella por los lados.

2. *Buen oído.* Debe oír bien o usar un aparato para la sordera a fin de que pueda percibir los sonidos de los automóviles que se le aproximen, cláxones, etc.

3. *Reacciones rápidas.* Un conductor debe poder reaccionar rápidamente para virar, enfrenar y evitar accidentes. Al evaluar debidamente el tiempo que tarda en reaccionar una persona mayor se ha encontrado que tarda más que una persona joven; sin embargo, los viejos que gozan de buena salud no lo hacen tan lentamente como para interferir con el acto de conducir. Si usted ve que la persona parece tardar en reaccionar, o lo hace con lentitud o de manera incorrecta ante cambios súbitos dentro de la casa, esto lo debe alertar de que pueda tener las mismas limitaciones cuando esté conduciendo.

4. *Habilidad para tomar decisiones.* Un automovilista debe ser capaz de tomar decisiones inmediatas y *correctas,* con rapidez y serenidad. Para decidir correctamente cuando un niño se atraviesa, suena un cláxon y se acerca un camión al mismo tiempo, se requiere ser capaz de resolver problemas rápidamente y sin pánico. La persona con enfermedades demenciales tienden a confiarse en sus respuestas habituales que pueden no ser las apropiadas para conducir. Algunas personas también se confunden y perturban cuando suceden varias cosas al mismo tiempo. Si están ocurriendo estos problemas, usted los apreciará tanto en el hogar como en el automóvil.

5. *Buena coordinación.* Ojos, manos y pies deben seguir trabajando juntos y eficientemente para manejar con seguridad. Si una persona se está volviendo torpe o si ha cambiado su manera de caminar, considérelo como un aviso de que también podría tener dificultad para poner el pie en el freno.

6. *Estar alerta a todo cuanto sucede a su alrededor.* Un conductor debe estar siempre alerta a todo cuanto está sucediendo, sin alterarse ni confundirse. Si parece "andar en las nubes", ha dejado de ser un conductor seguro.

A veces, el comportamiento de la persona al volante le puede indicar que tiene problemas. Por ejemplo, alguien con fallas de la memoria se pierde en un rumbo que antes nunca lo confundía. Al sentirse perdida la persona se distrae, lo cual interfiere con su capacidad de reaccionar acertada e inmediatamente. A veces, manejar muy despacio es muestra de que el conductor está inseguro de su pericia aunque esto no significa que todo conductor precavido es una persona en decadencia.

Algunas personas con confusión mental se enojan y se vuelven agresivas al conducir, o creen que los otros conductores están contra ellos. Esto es peligroso. Algunas veces las personas con una enfermedad demencial también empiezan a abusar del alcohol. El alcohol, aun en pequeñísimas cantidades, afecta la capacidad de conducir de una persona con daño cerebral. Así pues, esta es una combinación peligrosa y usted debe intervenir.

Si le preocupa la capacidad de conducir de su familiar, tal vez pueda abordar el problema hablando con él francamente. Aunque cognoscitivamente sufra un menoscabo, aún puede participar en decisiones que le competen. La respuesta que obtenga de esta conversación depende mucho de la manera en que plantee el asunto. Las personas con daño cerebral a veces se vuelven muy susceptibles a las críticas, así es que hágalo con tacto. Si le dice: "Estás manejando terriblemente; te pierdes a cada rato y no eres seguro al volante", la persona sentirá la necesidad de defenderse y de discutir. Si en lugar de esto le dice con gentileza: "Te estás pasando lo altos; no te fijas en ellos", le estará dando una "salida".

Dejar de conducir puede significar admitir que nuestras limitaciones van en aumento. Al mismo tiempo que usted interviene por el peligro que implica, hágalo de manera que la persona conserve su dignidad y la imagen que tiene de sí misma. Tal vez pueda ofrecer alternativas, por ejemplo: "Ahora yo conduciré para que tú vayas mirando el paisaje". Hay familias que, como último recurso, llegan a desconectar el acumulador o la marcha del coche y le dicen al enfermo que no hay manera de arreglarlo.

Hay enfermos que se niegan rotundamente a dejar de conducir por más tacto que uno tenga para impedirlo. Es el momento entonces de pedir el apoyo del médico o del abogado de la familia pues muchas veces el enfermo coopera cuando las instrucciones vienen de una autoridad y no lo toma sólo como una necedad de usted. De ser necesario, esconda las llaves del coche, y si no lo puede hacer, quítele la tapa o el cable del distribuidor para que no lo pueda echar a andar y usted pueda restituirlo de inmediato cuando necesite usar el coche. En la gasolinería o en un taller mecánico le pueden enseñar a hacer esto.

Cada país tiene sus propios criterios para otorgar la licencia de conducir, sin embargo, investigarán y llegarán a suspender una licencia si reciben un parte médico declarando que por motivos de salud la persona se ha convertido en un conductor peligroso. Al expedir las licencias de conducir y de acuerdo con el examen reglamentario de la vista, sólo se autoriza al automovilista a conducir siempre y cuando se ajuste a ciertas restricciones, por ejemplo, "sólo durante el día", "usa anteojos", etc.

CUANDO LA PERSONA YA NO PUEDE VIVIR SOLA

Si el enfermo ha vivido siempre solo pero ya no puede seguir haciéndolo, el cambio a la casa de otra persona suele ser difícil para todos. Algunas personas aprecian la sensación de seguridad que da el vivir con compañía, pero hay otras que se resisten vehementemente a renunciar a su independencia.

Con frecuencia los pacientes pasan por una serie de etapas, desde la independencia total hasta vivir con alguien. Si es posible una transición gradual, será más fácil que la persona se ajuste y se podrá posponer el momento en que tenga que ir a vivir con alguien. Por ejemplo, al principio tal vez baste con la ayuda de los vecinos; después un familiar o alguien contratado para cuidarla puede ir a pasar parte del día con la persona confusa. Si aún es bastante independiente, tal vez sólo sea necesario que alguien vaya a darle sus medicamentos o a prepararle el alimento y no se requiera una supervisión constante.

Tarde o temprano, sin embargo, llegará el momento en que la familia encargada del enfermo decida que ya no puede seguir viviendo solo. Será necesario estar alerta a la posibilidad de que la capacidad que tiene el paciente para funcionar solo puede cambiar repentinamente: una situación estresante o un simple resfriado pueden empeorarla. Tal vez usted no advierta la decadencia insidiosa y gradual hasta que algo suceda. Las siguientes preguntas le servirán para decidir si ha llegado o no el momento del cambio.

¿Está tomando bien sus alimentos y sus medicamentos? Alguien que padece trastornos de la memoria suele dejar de comer o sólo ingiere golosinas aunque se le proporcione su alimento caliente y listo para tomarlo. Puede darse el caso de que tome demasiada medicina, o que la olvide por completo con lo cual empeorará su confusión mental y pondrá en peligro su salud física. Si la persona es segura en otros aspectos puede seguir viviendo sola si alguien la ayuda todos los días con la comida y las medicinas, aunque sabemos por experiencia que cuando se olvidan de comer ya están sufriendo un trastorno cognoscitivo importante y no es recomendable que siga viviendo sola.

¿Sigue haciéndose cargo de su cuidado y su aseo personal? Algunas personas con daño cerebral no se cambian de ropa, se olvidan de bañarse y cepillarse los dientes o no desean hacerlo; en otras palabras, no se cuidan.

¿Suele salirse de la casa e irse a vagabundear? Podría extraviarse o exponerse a ser asaltada. *¿Se sale de la casa en la noche?* Esta conducta no es rara y resulta muy peligrosa.

¿Se le olvida apagar la estufa o se le quema seguido la comida? Las personas que parecen estar bien solas a menudo olvidan apagar la estufa. *¿Está empleando velas o cerillos?* Tal vez sea difícil creer que alguien es realmente un peligro para sí mismo cuando parece estar muy bien, pero el fuego es un riesgo real y muy serio. No son raros los casos de quemaduras accidentales severas y aun fatales. Intervenga si sospecha que la persona no suele apagar la estufa.

¿Mantiene su casa arreglada, razonablemente limpia y libre de peligros? Las personas con fallas de memoria podrían olvidar secar el agua que derramaron en la cocina o el baño, dejar ahí el charco y más tarde resbalarse y caerse en el piso mojado. Hay personas que olvidan lavar los trastes o echarle agua al W.C. Si la casa está llena de cosas podrían tropezar y caer, y si amontonan periódicos o trapos dan lugar a que se produzca un incendio.

¿Se abriga bien? Una persona con problemas de la memoria puede dejar que su casa se enfríe o vestirse sin tomar en cuenta el clima. Si no se abriga, su temperatura corporal puede descender peligrosamente. En climas calientes la persona confusa puede arroparse demasiado y no

ventilar adecuadamente su casa por temor a abrirla. Esto puede causarle una insolación.

¿Actúa en respuesta a ideas "paranoides" o con suspicacia injustificada? Con una conducta de este tipo puede meterse en aprietos en su comunidad. El miedo lleva a estos enfermos al extremo de llamar a la policía y enojar así a los vecinos. Por otra parte, a veces se convierten en blanco de adolescentes malintencionados. Estos problemas se ven tanto en los suburbios como en el centro de las ciudades.

¿Muestra buen criterio? Algunas personas trastornadas no actúan con buen juicio, a veces invitan a su casa a gente que más tarde las roba. Otras reparten su dinero o hacen cosas desquiciadas.

El cambio de residencia

Si están sucediendo algunas de estas cosas, usted sabrá que la persona enferma ya no puede seguir viviendo sola y que hay que hacer los arreglos necesarios. Entre éstos tal vez sea posible contratar a un ayudante de tiempo completo, o hacer que el enfermo vaya a vivir a la casa de otra persona, a alguna residencia o a un asilo. (Describimos las diferentes posibilidades en el Capítulo 16).

El señor González nos cuenta lo siguiente:

Mi madre simplemente ya no puede seguir viviendo sola. Contratamos a una ama de llaves y mi madre la despidió. Llamé a la agencia, pero me dijeron que no podían enviar a alguien más. Hablé con mi madre, le dije que quería que viniera a vivir conmigo, pero se opuso rotundamente. Me dijo que estaba muy bien y que yo sólo quería robarle su dinero. No admite que no está comiendo y dice que ya se cambió de ropa cuando todos sabemos que no es cierto. Ya no sé qué hacer.

Si una persona confusa se niega a renunciar a su autonomía para residir en un sitio más seguro, hay que tratar de entender lo que le está pasando y lo que siente; con esto el traslado puede ser más fácil. Además de renunciar a la propia independencia, el ir a vivir a la casa de alguien también significa admitir el deterioro. Mudarse significa asimismo otras pérdidas como dejar un lugar familiar y casi siempre muchas pertenencias, símbolos tangibles de un pasado, que sirven como recordatorios cuando la memoria empieza a fallar y que posibilitan la vida independiente.

Es difícil, o imposible, aprender a moverse en un lugar nuevo. Es muy probable que el enfermo olvide los planes que hicieron con él sus familiares, o tal vez ni siquiera los pueda comprender. Usted podrá asegurarle a su madre que va a vivir en casa de usted —que es un lugar familiar para ella— sin embargo, lo único que captará su mente dañada es que va a perder muchas cosas.

Al planear el cambio de residencia del enfermo a la casa de alguno de sus familiares, hay que considerar varias cosas:

1. Considere con mucho cuidado los cambios que esto acarreará en su vida, y antes de movilizar al enfermo haga una estimación de los recursos económicos, de los apoyos con que cuenta así como de los desahogos emocionales para usted.

Si la persona enferma va a mudarse a la casa de usted, piense cómo afectará esto a su economía. No olvide registrarla como dependiente suyo para el renglón de deducibles de sus impuestos. ¿Qué piensa el resto de la familia del cambio? Si hay niños o adolescentes en su familia, ¿Fatigarán al enfermo o la conducta de éste perturbará a los niños? ¿Qué opina su cónyuge al respecto? ¿Está su matrimonio sometido a mucha tensión? Una persona demente en casa crea sobrecargas y tensiones aun en las mejores circunstancias. Si el enfermo se va a mudar junto con su cónyuge, también tome en cuenta la manera cómo interactuará éste con el resto de la familia. Todas las personas que convivirán con el enfermo deben involucrarse en la decisión y necesitan la oportunidad de expresar sus preocupaciones.

Asumir la atención de una persona con trastornos de la memoria también puede acarrear cambios en otras cosas como por ejemplo, el *tiempo libre* (tal vez no podrá salir si no hay quien se quede a cuidar al enfermo); la *paz de su hogar* (tal vez no podrá conversar con su cónyuge, o leer el periódico tranquilamente porque su madre estará yendo de un lado a otro en la casa); *dinero* (seguramente tendrá que pagar las cuentas médicas o gastar en adaptarle una recámara); *descanso* (quizá el enfermo se despierte en la noche); *visitas* (dejarán de visitarlos porque el comportamiento del enfermo incomoda a los amigos). Estas son las cosas que hacen tolerable la vida y que contribuyen a reducir el estrés. Es importante que usted y su familia planeen maneras de relajarse y de alejarse de los problemas que implica el cuidado de una persona enferma. Y tenga presente también que todo lo anterior coexistirá con las cuestiones y contratiempos normales, como llegar a casa exhausto del trabajo, preocupaciones por los chicos, descompostura del automóvil, etc.

¿Podrá usted convivir con la persona enferma? Si nunca se llevó bien con su madre y su carácter ha empeorado con la enfermedad, podrá ser desastroso llevarla a vivir con usted. Si durante mucho tiempo su relación ha sido muy pobre todo será más difícil.

2. Involucre al enfermo tanto como sea posible en los planes para la mudanza, aunque persista en su oposición al cambio. El paciente es todavía una persona y es muy importante que participe en las decisiones y proyectos para su futuro, a menos que su estado sea tal que no pueda com-

prender ya lo que está sucediendo. Los enfermos a los que se moviliza con engaños se enojan y desconfían mucho más, con lo cual su adaptación al cambio es muchísimo más difícil. En general la participación del enfermo en los planes para la mudanza dependerá de su estado mental así como de su actitud hacia el cambio.

Recuerde que hay una gran diferencia entre tomar la decisión —que recaerá en usted— y participar en los planes para el cambio —en lo que se puede alentar al enfermo a intervenir—. La historia del señor González seguramente prosiguió así:

> *Después de planteárselo a mi madre, ella siguió oponiéndose por completo a la idea de mudarse, así es que yo proseguí con los arreglos. Lo que le dije fue que tenía que venir a vivir con nosotros porque se le estaban olvidando las cosas. Sabía yo que si la forzaba a decidir varias cuestiones al mismo tiempo la trastornaría, de modo que le fue preguntando poco a poco: ¿Quieres llevarte todos tus cuadros a tu nuevo hogar? ¿Qué tal si nos llevamos tu cama para tu nueva recámara, con esa colcha que le queda tan bien? Desde luego que muchas cosas las decidimos sin tomarle su parecer, por ejemplo, respecto a la estufa, la lavadora y los demás cachivaches del desván. Y claro que siguió diciendo que no iba a ninguna parte y que yo la estaba robando. A pesar de todo creo que comprendía las cosas y estaba 'ayudándonos' a alistarnos para la mudanza. A veces levantaba por ejemplo un florero y decía, 'quiero darle esto a Carolina'. Tratamos de cumplirle sus deseos y así después del cambio podríamos decirle que nadie le robó el florero, que ella se lo obsequió a Carolina.*

Cuando la persona está afectada y no puede comprender lo que está aconteciendo a su alrededor, conviene hacer la mudanza sin la sobrecarga de la tensión que implica tratar de involucrarla a ella.

3. Esté preparado para un periodo de ajuste. Con frecuencia los cambios desconciertan a los enfermos. Independientemente de lo cuidadoso y amable que haya sido al planear todo, una mudanza es un cambio importante, y la persona estará desconcertada durante una temporada. Es fácil comprender que toma tiempo superar las pérdidas que implica una mudanza. Una persona olvidadiza también necesita tiempo para aprender a moverse en un lugar nuevo.

Repítase a usted mismo que después de un periodo de ajuste la persona se asentará en el nuevo ambiente. Los letreros en las puertas pueden ayudarle a moverse en una casa desconocida. Un sedante le ayudará a dormir. Trate de posponer otras actividades o cambios hasta que todos se hayan ajustado a la mudanza.

Puede suceder que el enfermo nunca se adapte realmente al cambio, pero no se culpe usted por ello. Usted hizo cuanto estuvo de su parte por el bienestar de su ser querido y tendrá que aceptar que la incapacidad del enfermo para ajustarse es también producto de su padecimiento.

5

Problemas que surgen en la atención cotidiana

PELIGROS QUE HAY QUE PREVER

Una persona con un enfermedad demencial es menos capaz de responsabilizarse de su propia seguridad pues ya no mide las consecuencias de lo que hace, y como se olvida de las cosas rápidamente, es común que sufra accidentes. Puede intentar hacer actividades que le son familiares, sin darse cuenta que hace tiempo que ya no puede hacerlas. Por ejemplo, la enfermedad puede afectar aquellas porciones de su cerebro que recuerdan cómo hacer cosas tan simples como cortar la carne o abotonarse la camisa. Esta incapacidad de realizar tareas manuales con frecuencia pasa inadvertida y es causa de accidentes. Como la persona ya no puede aprender, hay que tomar providencias especiales para prever los accidentes. El enfermo muchas veces da la impresión de que puede responsabilizarse de sí mismo y los familiares no se dan cuenta de que ha perdido el buen juicio que se necesita para evitar accidentes. Hay veces en que aun cuando la persona sólo tenga una afección mental ligera los familiares deben asumir la responsabilidad de la seguridad del enfermo.

Los accidentes suceden más fácilmente cuando uno está cansado o disgustado, cuando todo el mundo tiene prisa, cuando se discute acaloradamente, o cuando alguien de la familia está enfermo. En tales ocasiones uno está menos alerta a la posibilidad de un percance y la persona con daño cerebral puede malinterpretar o reaccionar catastróficamente ante la más mínima contrariedad.

Haga todo lo posible por reducir la confusión o la tensión cuando surja, aunque es difícil al cuidar a una persona con una enfermedad demencial. Si al ir con él usted va apresurado para no perder una cita, o para que le hagan algún tratamiento, *deténgase* sin importar que esto signifique llegar tarde o dejar de hacer algo. Respire hondo, descanse unos instantes y deje que la persona se tranquilice.

Tenga presente que los pequeños percances suelen ser avisos de accidentes inminentes: si usted se golpea la espinilla en el filo de la cama, o tira y rompe una taza y la persona se empieza a irritar. Este es el momento de corregir su paso antes de que ocurra un accidente serio.

Advierta al resto de los miembros de la familia respecto a la relación que hay entre un aumento de la tensión y los accidentes, y cuando la situación esté tensa, todo el mundo debe abrir bien los ojos para cuidar a la persona con daño cerebral.

Conozca bien los límites de la capacidad del enfermo. No se fíe si le asegura que podrá calentarse la cena o meterse él solo a la tina de baño. Un terapeuta ocupacional puede darle un cuadro justo de lo que la persona aún puede hacer sin peligro. Si no cuenta con este recurso, observe cuidadosamente cómo el enfermo realiza diferentes tareas y básese en esto.

Tenga listo un plan de emergencia por si llegara a ocurrir algo, por ejemplo, ¿a quién recurrir si alguien se lastima? ¿de qué manera podría usted sacar al enfermo en caso de suscitarse un incendio? No olvide que la persona enferma puede malinterpretar lo que está sucediendo y resistirse a cualquier tipo de auxilio.

Modifique el lugar todo cuanto sea necesario para que resulte seguro. Esta es una de las principales maneras de evitar accidentes. Los hospitales y otras instituciones cuentan con expertos en seguridad que periódicamente inspeccionan los inmuebles para detectar todo lo que pudiera implicar algún peligro. Uno debe hacer lo mismo tanto en el propio hogar como en los sitios próximos a éste, en el automóvil, etc., recorriéndolos palmo a palmo en busca de todo aquello que el enfermo pudiera malusar o malinterpretar y dar origen a un accidente.

Dentro del hogar

Una casa con pocas cosas y bien ordenadas ofrece mayor seguridad que una atiborrada de objetos que estorban el paso, hacen tropezar, distraen y confunden. Quite todo cuanto signifique riesgos. Si el enfermo suele usar la plancha y la deja conectada con peligro de ocasionar un incendio, póngala totalmente fuera de su alcance, procurando siempre que sea posible que al implantar medidas de seguridad no cause conflictos. Si el enfermo suele querer utilizar herramientas eléctricas, la podadora de césped, cuchillos, secador de cabello, estufa, máquina de coser, cuando ya no pueda usarlos sin peligro, enciérrelos bajo llave en un armario. Haga lo mismo con las llaves del auto.

No deje medicamentos al alcance de una persona con problemas de la memoria pues podría olvidar que ya tomó su dosis. Consiga una gaveta metálica con chapa para guardarlos.

Las cosas amontonadas y desordenadas también son peligrosas para una persona confusa, tanto porque puede malinterpretar lo que ve, como porque se ha vuelto torpe para caminar. No deje ni guarde objetos en la escalera. Otra fuente de peligro son los cables de extensión atravesados en el piso que pueden hacer tropezar al enfermo.

Regule la temperatura del agua del calentador para que el enfermo no se queme si abriera accidentalmente la llave del agua caliente. Las personas con un enfermedad demencial no se dan cuenta que el agua puede calentarse mucho y quemar. Como recordatorio, pinte de rojo las llaves del agua caliente y aísle todos los tubos del agua caliente que estén sobrepuestos en la pared.

Si el enfermo suele manejar el calentador de agua o la caldera, póngalos fuera de su alcance.

Si tiene escaleras contrólelas mediante una puerta barandal con chapa en su extremo superior, e instale una puerta para cerrar el acceso a la azotea. En ocasiones, especialmente en la noche, el enfermo quiere "dar un paseo" y podría caerse de la escalera o la azotea. Ponga pasamanos en la escalera, y si ya existe, revise que esté fijo y bien anclado al muro y no sobre el recubrimiento de yeso o los ladrillos de la pared que no resistirán el peso de una persona. Si la persona tiene un andar inseguro es necesario el pasamanos. Quite tapetes y alfombras que podrían hacerle caer y, si las escaleras están alfombradas, revise que no tengan partes rotas o levantadas.

Quite los muebles que tengan filos o esquinas peligrosas y los adornos con prominencias cortantes. Aísle o tape el acceso a áreas y ventanales de vidrio pues un enfermo puede caer contra ellos y lastimarse seriamente. Descarte las mecedoras que se vuelcan fácilmente y guarde las mesitas de café y las antigüedades frágiles.

Use sillas estables de las que uno se puede levantar fácilmente. Revise que los sillones reclinables no tengan partes que puedan atrapar y prensar los dedos de manos o pies. La tapicería de los muebles debe ser de materiales fáciles de lavar pues habrá que limpiar lo que el enfermo derrame sobre ellos y deberá ser, al igual que las telas de cortinas y cojines, de materiales resistentes al fuego.

No es raro que las personas con daño cerebral tengan mermada también la visión y se les dificulte distinguir colores similares. Suele ser útil poner cinta reflectora de color brillante sobre el pasamanos, los marcos de las puertas y las esquinas de las repisas cuando una persona choca contra ellos frecuentemente. (Ver también el Capítulo 6).

Ponga candados seguros en las ventanas pues una persona confusa podría caerse de una de ellas. También existen maneras baratas de trabar las ventanas para que el enfermo siga recibiendo aire fresco sin peligro de abrirla y caer.

Obstaculice el acceso a los radiadores calientes; una silla pesada podría ser suficiente. Para evitar el paso del enfermo a la caldera o a algún horno, póngale una reja de fierro.

El enfermo podría encerrarse con llave e impedirle el paso a usted; para preverlo, quite la chapa, saque el volcador de la cerradura y recoloque la perilla en su lugar.

Deje siempre en sus envases originales sustancias tales como insecticidas, gasolina, pintura, solventes, limpiadores, etc. y asegúrese de que las etiquetas tengan los rótulos bien claros. Almacénelas en un lugar seguro, fuera del alcance del enfermo. En las ferreterías se consiguen picaportes para muebles a prueba de niños (y de enfermos). Las personas con una confusión ligera podrían tratar de usar tales sustancias de manera incorrecta.

Las personas trastornadas olvidan lo que se puede y lo que no se puede ingerir, por lo que podrían beber solventes por error o comer otras cosas peligrosas. No deje a su alcance cosas pequeñas como botones o alfileres; deshágase de plantas que sean venenosas. Hay enfermos que se comen la pintura que se descascara de las paredes o de los muebles. Observe si suele llevarse objetos a la boca.

La mayoría de los accidentes tienen lugar en la cocina y el baño. Algunos enfermos tratan de encender la estufa olvidando que lo acaban de hacer y se queman, o tratan de cocinar poniendo trastes vacíos sobre la flama. *Esto es un grave riesgo de incendio*. Prevéngalo de inmediato. Las personas que se levantan de noche o que se quedan solas en casa son especialmente susceptibles.

Si hay la posibilidad de que el enfermo encienda la estufa, quítele las perillas. Si la estufa es eléctrica, haga que le instalen un interruptor en la parte de atrás para interrumpir la corriente cuando no la esté usando. Si la estufa es de gas, busque a un plomero que le ayude a instalar algún tipo de dispositivo de seguridad.

Las personas confusas con frecuencia tiran agua en la cocina o el baño y olvidan secar el piso. Es fácil resbalar en el piso mojado, de modo que sea cuidadoso y mantenga seco el piso. También es buena idea dejar de encerar los pisos. Un piso encerado es más resbaloso.

Instale pasamanos y barras de sostén en el baño. Los puede conseguir en tiendas de equipo médico. En el piso de la tina o regadera ponga un tapete o calcomanías antirresbalantes, y en vez de tapete o de toalla, instale una alfombra de baño que es fácil de limpiar y absorbe el agua que de otra manera se encharcaría y propiciaría un resbalón.

Exteriores

Las puertas de vidrio fijas o corredizas son un peligro no sólo para los niños sino también para los adultos pues es fácil chocar y atravesar el vidrio con una mano. Hay que ponerles una malla de fierro. A las corredizas hay que pegarles calcomanías sobre el vidrio.

Inspeccione muy bien la terraza y la azotea. Si representan peligro para el enfermo, cierre su acceso con llave. Si hay escalones, píntelos de colores contrastantes y brillantes y póngales en el borde algún tipo de material antirresbalante e instale un barandal.

Vea el estado del piso; si tiene desniveles o grietas, si hay hoyos en el pasto, ramas caídas, matorrales con espinas o montículos de topo que pudieran hacer tropezar al enfermo.

Quite los cordones para tender la ropa. Vigile que en la parrilla para asar no queden brasas, y si es de gas, cerciórese de que el enfermo no pueda encenderla.

Guarde bajo llave las herramientas de jardinería.

Compruebe que los muebles del jardín sean estables, que no se van a ladear, o a plegarse de repente, y que no tengan astillas o pintura levantada.

Aísle o deshágase de flores que sean venenosas.

Las albercas —y algibes— son muy peligrosos. Vigile que tanto la suya como la del vecino no estén al alcance del enfermo. Tal vez sea necesario controlar su acceso mediante una barda y puerta con llave, o ponerle una tapa de lona o cubierta de plástico. Debe explicarle a los dueños de la alberca la condición de su enfermo para que no den por hecho que es responsable de sí mismo cuando ande cerca de ella. Aun cuando siempre haya sido un buen nadador, podría haber perdido el juicio o su capacidad para moverse dentro del agua.

En el automóvil

Los problemas relativos al manejo del automóvil se abordan en el Capítulo 4. Nunca deje al enfermo solo en el carro, podría ponerlo en marcha e irse; jugar con la marcha, con las luces, soltar el freno de mano, o ser acosado por extraños. Las ventanillas automáticas son peligrosas para una persona enferma y para los niños pues podrían accionar su mecanismo y atraparse una mano o la cabeza.

Las personas que sufren confusión mental pueden abrir la portezuela del coche con éste en marcha para intentar salirse. A veces sirve poner el seguro de la portezuela, pero si sigue siendo problema, habrá que conseguir una tercera persona que maneje mientras usted tranquiliza al enfermo. Es conveniente también quitar las perillitas de los seguros, o las manijas de las portezuelas para que no las pueda abrir por dentro mientras usted maneja.

Fumar

Si el enfermo fuma, tarde o temprano dejará cigarrillos encendidos aquí y allá pues se olvidará de apagarlos. Esto es *sumamente peligroso*. Si está ocurriendo, usted debe intervenir y tratar de evitar que fume. Muchas familias optan por quitarle de su alcance los cigarrillos y aunque durante los primeros días o semanas es un situación muy difícil, a la larga es lo más conveniente.

Otros dejan que fume sólo cuando está bajo su supervisión. Hay que quitar del alcance del enfermo cerillos y todo lo que le invite a fumar como serían pipas, cigarrillos, etc. Un enfermo que tiene cigarrillos y no encuentra los cerillos usará la estufa de gas para encenderlos y la dejará prendida.

LA NUTRICION Y LAS HORAS DE COMER

Tanto el enfermo como usted necesitan una buena nutrición. Si usted no está comiendo debidamente, se pondrá más tenso y se enojará más fácilmente. No se sabe hasta qué punto una dieta balanceada influye sobre el desarrollo de una enfermedad demencial, pero sí sabemos que las personas con trastornos de la memoria con frecuencia tienden a comer mal y llegan a sufrir deficiencias nutricionales importantes que hacen que los síntomas empeoren.

La dieta diaria balanceada que recomienda el Consejo de Alimentos y Nutrición de la Asociación Médica Norteamericana incluye: dos o más vasos de leche (helado, queso o queso cottage); dos o más raciones de carne, pescado, aves, huevos, queso o nueces; cuatro o más raciones de verduras y fruta que incluirán verduras de hoja verde oscuro o amarillo y frutas cítricas o tomates; y cuatro o más raciones de pan de grano enriquecido o entero y cereales. Tanto usted como el enfermo necesitan ingerir una dieta balanceada para prevenir otras afecciones y para hacer frente a la tensión que implica una enfermedad crónica. Si su médico le ha recomendado una dieta especial debido a otros padecimientos como diabetes o enfermedad cardiaca, es importante que obtenga de él una lista de los alimentos que debe comer para mantener una dieta balanceada. Tal vez lo remita a una dietista o a una enfermera para que lo oriente sobre el manejo de una dieta especial.

No existe una relación entre la alimentación y la enfermedad de Alzheimer, ni hay tampoco dietas especiales que hayan probado ser efectivas para mejorar los problemas de la memoria.

Preparación de los alimentos

Si uno tiene que cocinar, además de todas las responsabilidades del cuidado del enfermo, fácilmente cae en aquello que signifique menos esfuerzo como preparar café y pan tostado para uno y el enfermo. Si tuvo que empezar a cocinar por primera vez en su vida cuando su cónyuge cayó enfermo, probablemente no sepa preparar rápida y fácilmente comidas nutritivas y buenas, ni tenga ganas de aprender a hacerlo. Como alternativas le sugerimos que planee varias maneras de obtener alimentos buenos con el mínimo esfuerzo.

En muchas ciudades grandes existen programas de Comedores Familiares para personas mayores de sesenta años y también servicio de comidas a domicilio. Ambos programas proveen comida caliente y nutritiva una vez al día. Una trabajadora social, o las oficinas encargadas de la atención a la senectud, podrán informarle sobre los servicios de comedor que existen en su localidad. Los Comedores Familiares proveen la comida de mediodía y muchas veces tienen servicio de transporte.

En casi todos los restaurantes se puede obtener alimento para llevar, lo cual es muy conveniente cuando el enfermo no puede ya comer en público.

Hay en el mercado numerosos libros baratos de recetas de cocina que explican los pasos básicos en la preparación de platillos fáciles. Varios están dirigidos al hombre "soltero", y también los hay en caracteres grandes. Una ama de casa con experiencia puede enseñarle a preparar alimentos fácil y rápidamente. Alguna ecónoma o enfermera del centro de salud también podría orientarlo en cuanto a la elaboración de alimentos buenos y sencillos para dos personas, así como darle información valiosa para que haga un buen uso de su presupuesto, para que compre en los mejores lugares, para planear menús normales y menús para dietas especiales, y sobre nutrición en general.

No utilice comida procesada enlatada más que en casos de emergencia pues no es adecuada para formar parte de una dieta regular por ser baja en vitaminas, alta en sal y no tener la fibra que necesitan las personas mayores para evitar una constipación.

Conductas problemáticas a la hora de comer

Las personas con problemas de la memoria que siguen tomando solas algunos alimentos podrían olvidar comer, a pesar de que se les deje el alimento a la vista. Llegan a esconder la comida, a tirarla o a comerla cuando ya se echó a perder, signos todos de que ya no pueden hacerse cargo de sí mismas y de que es hora de hacer otros arreglos. Durante algún tiempo, usted podría llamar a su enfermo por teléfono a mediodía para recordarle que tome su comida, pero sólo será una solución temporal. Las personas con confusión mental que viven solas casi siempre están desnutridas, y aunque estén sobradas de peso, no están obteniendo los nutrientes apropiados.

Muchos de los problemas que surgen a la hora de comer llegan a convertirse en reacciones catastróficas. La hora de comer debe ser una rutina regular y con la mínima confusión posible. Cuando el ambiente es tranquilo, el enfermo que generalmente se enoja y riega la comida se maneja mucho mejor.

Si el enfermo usa dentadura postiza revise que esté bien fija y en caso contrario, es mucho más seguro que coma sin ella hasta que se la ajusten bien.

Pruebe la temperatura de los alimentos especialmente si los calienta en el horno de microondas. Las personas con este tipo de problemas carecen de criterio para evitar quemarse.

Es común que estos enfermos desarrollen gustos rígidos y se nieguen a comer ciertos alimentos. Sus preferencias podrían reducirse a determinados platillos preparados siempre de la misma manera. Si a una persona nunca le gustó algo en particular, no le va a gustar ahora. Los alimentos nuevos la confundirán. Si insiste en sólo comer una o dos cosas, y si fallan todos los intentos de disuadirlo, o de disfrazar otros alimentos, pregúntele al médico acerca de los suplementos dietéticos y vitamínicos que tendrán que darle.

Si la persona tiene además otra enfermedad, como sería una diabetes, requerirá una dieta especial y será necesario poner lejos de su alcance alimentos que tenga prohibido comer. Recuerde que el enfermo no puede tener la capacidad para decidir responsablemente entre sus gustos y su salud. El responsable de que no coma todo aquello que le perjudica es usted, aun cuando él se oponga vehementemente. Un cerrajero puede ponerle chapa con llave al refrigerador en caso necesario. Los gabinetes de la alacena pueden protegerse con cerrojos contra niños, pero antes de invertir dinero en todos estos arreglos vea si realmente necesita tener golosinas en la casa. Recuerde guardar siempre fuera de su alcance la sal, las grasas, el vinagre, las salsas, etc., todo cuanto podría enfermarlo si come demasiado.

Comida a deshoras

Hay personas que olvidan que ya han comido y piden más, casi inmediatamente después de terminar de comer. Hay veces que quieren estar comiendo todo el tiempo. Para tales casos ponga una charolita con alimento que él pueda picar pero que lo nutra, como cubitos de queso. A menudo se sacian con sólo un bocado. Si tiene problemas de peso, ponga una charolita con apio o tiras de zanahoria.

Si derrama el alimento al comer

Si la persona tiene mala coordinación podría perder la habilidad para hacer tareas que siempre hizo. Cuando esto sucede no puede evitar derramar la comida y usará los dedos en vez de los cubiertos. Es más fácil adaptarse a esto que luchar contra las circunstancias.

Ponga en la mesa un mantel o mantelitos individuales de plástico, o bien un mantel de tela bajo una cubierta de plástico transparente. Póngale al enfermo una batita corta atractiva, en vez del babero, si se le cae la comida. Doble la parte de abajo de la bata a manera de bolsa para que allí se queden las migajas. En el mercado hay una gran variedad de batas de plástico como las que usan los peluqueros y que funcionan como excelentes delantales.

En su lugar póngale sólo el cubierto que va a utilizar (tenedor o cuchara) y recuerde que las personas con mala coordinación manejan mejor los utensilios que tienen mangos grandes, que no son difíciles de conseguir, pero que en un caso dado se podrían hacer de hule. Si la cuchara o el tenedor son pesados la persona no olvidará que los tiene en la mano; hay personas con problemas de la memoria que se olvidan de que están usando un cubierto y a veces lo mordisquean.

En general es más fácil comer de un tazón que de un plato extendido. Use tazones pesados de plástico grueso en vez de los de vidrio o de cerámica; deben ser de un color diferente del color del mantel. El vidrio es difícil de ver. Para que el plato no se resbale póngalo sobre un pedazo de nylon velcro que se puede conseguir en las casas de material médico, o bien unas ventosas de hule en la base. Los puede uno comprar en las tiendas de artículos médicos pues generalmente los usan los niños. Si no puede conseguirlos, una servilleta de tela húmeda bajo el plato evitará que se deslice. Para que no empuje la comida fuera del plato, se le puede poner un reborde o usar un plato profundo. Estos también se pueden adquirir en las tiendas de equipo médico.

Hay enfermos que pierden la habilidad de juzgar la cantidad de líquido que cabe en un vaso y lo llenan hasta desbordarlo. Usted tendrá que ayudarle. Si el agua se le derrama por las comisuras de los labios consiga una taza para enfermos convalecientes que tienen una tapa de plástico con una boquilla, muy similar a las llamadas tazas entrenadoras que usan los niños. Para evitar que derrame líquidos no le llene los vasos ni las tazas.

A medida que comer se vuelve más difícil para el enfermo, vaya limitando el número de platillos que tenga frente a sus ojos. Por ejemplo, póngale sólo su ración de ensalada, después sólo su ración de carne. Si tiene que elegir es probable que empiece a jugar con la comida. No le deje el salero, la salsa, etc., a su alcance pues podría poner demasiado en su comida; sazónesela usted. Ofrézcale la comida cortada en pedazos lo suficientemente pequeños y suaves para que pueda comerlos sin peligro. Muchas personas con problemas de demencia olvidan masticar o cortar la carne en pedazos pequeños pues sus manos y su cerebro ya han dejado de trabajar juntos.

Si le da de comer en la boca, ofrézcale cucharadas con poco alimento y espere pacientemente a que lo trague antes de volverle a ofrecer más. Si lo cree necesario, recuérdele verbalmente que debe tragar el bocado.

Líquidos

Vigile que la persona ingiera suficientes líquidos diariamente. Aun las personas con un trastorno ligero llegan a olvidar beber la cantidad suficiente de agua y esto les acarrea problemas físicos agregados.

No le ofrezca bebidas demasiado calientes. El enfermo puede llegar a perder la capacidad de juzgar la temperatura y se quemará.

Papillas

Si el enfermo está a dieta de papillas, use un molino de comida para bebé. Se puede hacer puré de alimentos que han sido preparados normalmente con lo que usted se ahorra tiempo y dinero. Los alimentos hechos en casa son más apetitosos que los alimentos industrializados para bebé.

Si babea y tiene trastornos respiratorios

Si babea o tiene trastornos respiratorios, la leche y los jugos de cítricos le producirán más mucosidades y empeorarán las cosas. Llame al médico para que determine la naturaleza del problema. En vez de jugo o leche puede ofrecerle néctar de frutas o jugo de verduras.

Pérdida de peso

Una persona con una demencia severa puede dejar de comer, situación por demás frustrante y difícil. Si su enfermo, se rehúsa a comer o empieza a perder peso, avísele al médico pues podría ser señal de un padecimiento agregado. Es importante investigar con cuidado todo padecimiento físico que pudiera complicarse. ¿Se ve deprimido el enfermo? ¿Presenta alguna enfermedad aguda? ¿Ha sufrido una enfermedad vascular cerebral? Revísele los dientes y las encías; podría tener afecciones o la dentadura mal ajustada.

A veces un allegado logra animarlo a comer. Ofrézcale sus platillos favoritos. Si hay que dárselos en forma de puré, procure que sigan siendo sabrosos. Ponga en el plato sólo un alimento a la vez. Es frecuente que una persona enferma coma muy despacio, de modo que no lo apresure. El entorno debe ser agradable, tranquilo, sin distracciones. Una de nuestras enfermas respondía favorablemente cuando se le acariciaba la espalda mientras comía. Otro respondía bien cuando se le administraba una dosis muy baja de un neuroléptico una hora antes de las comidas.

A una persona que no está comiendo bien se le puede dar un suplemento dietético hipercalórico líquido. Se pueden conseguir en cualquier farmacia y contienen las vitaminas, minerales y proteínas que necesita una persona. Vienen en varios sabores, pruébelos pues tal vez el enfermo prefiere unos más que otros. Puede dárselos como bebida durante las comidas o como malteada entre comidas. Consúltelo antes con el médico.

Si fracasan todos los esfuerzos y la persona continúa negándose a comer, usted y su médico se enfrentarán a un problema ético. ¿Deberán alimentar al paciente a través de una sonda nasogástrica (un tubo que va al estómago a través de la nariz)?, ¿deberán instalarle un tubo directamente al estómago?, ¿o deberán dejar que el enfermo muera? Sólo usted podrá elegir.

Atragantamiento

A veces las personas con problemas de coordinación tienen problemas para tragar. Si un enfermo tiene dificultad para cambiar su expresión facial también podría tener dificultad para masticar o para tragar. Cuando esto sucede es importante tomar precauciones contra un atragantamiento. No le dé alimentos que pudiera olvidar masticar completamente como nueces, zanahorias, palomitas de maíz, ni chicles o caramelos. La comida suave y espesa es más segura. Entre los alimentos que puede ingerir fácilmente están la carne suave picada, los huevos tibios, la fruta en almíbar y el yogurt congelado. Los alimentos se pueden licuar y un buen sazón los hará más apetitosos.

Si tiene problemas al tragar, cuide que para comer se siente derecho con la cabeza ligeramente hacia adelante —nunca echada hacia atrás—. Debe estar sentado en la posición en la que uno normalmente come y quedarse sentado durante unos quince minutos después de terminar de comer.

No le dé de comer si está agitado o somnoliento.

Los alimentos como el cereal con leche pueden causar que se atragante. Las dos texturas —líquido con sólidos— lo confundirán y no sabrá si tragar o masticar.

Algunos líquidos son más fáciles de tragar que otros; si el agua tiende a ahogarlo, déle un líquido más espeso. Una enfermera podrá orientarlo respecto a esto.

Primeros auxilios en caso de atragantamiento

Una enfermera o en la Cruz Roja la pueden enseñar una técnica muy simple que puede salvar la vida de una persona que se está atragantando. Esta maniobra, que todos debiéramos conocer, la aprenderá en unos cuantos minutos.

Si la persona habla, tose o respira, *no interfiera*; pero si no puede hablar, toser o respirar (sólo señalará que tiene algo en la garganta y empezará a ponerse morado) *usted debe actuar*. Si la persona está sentada o de pie, póngase detrás de ella, abrácela por la espalda colocando las manos de usted en la boca del estómago de ella y apriete. Esto impulsará el aire con fuerza a través de la garganta e impelirá hacia afuera, como un corcho que sale de una botella, el tapón de comida. Si la persona está acostada, voltéela para que quede boca arriba, ponga las dos manos de usted en la mitad de su vientre y apriete. (Practique el sitio en el que hay que colocar las manos, pero sin apretar fuerte, en una persona que está respirando).

EJERCICIO

La buena condición física es parte importante de la salud. Es importante que tanto usted como el enfermo hagan suficiente ejercicio. A usted, una sesión de ejercicio podría refrescarlo después de varias horas de cumplir con la pesada tarea que es cuidar a una persona crónicamente enferma. No conocemos la relación que hay entre la tensión y el ejercicio, pero muchas personas que llevan una vida intensa y exigente han comprobado que el ejercicio físico las capacita para manejar mejor las presiones. La demencia no es causada por una circulación inadecuada por lo que mejorar la circulación con ejercicio no evita ni corrige los trastornos de la memoria; sin embargo, sí tiene otros efectos benéficos.

Algunos facultativos han observado que los pacientes con enfermedades demenciales que hacen ejercicio regularmente parecen estar más tranquilos. También han visto que las habilidades motrices se conservan durante más tiempo si el enfermo las usa regularmente. El ejercicio es una buena forma de entretener al enfermo, pues para él es más fácil usar su cuerpo que pensar y recordar. Tal vez lo más importante para usted es el hecho de que el ejercicio parece contribuir a que una persona confusa duerma mejor de noche y a que se regularicen sus movimientos intestinales.

Tal vez tenga que hacer ejercicio junto con el enfermo. El tipo de ejercicio dependerá de lo que ambos disfruten. Considere lo que solía hacer la persona antes de enfermarse y busque la forma de modificar lo necesario tal actividad para que pueda seguir realizándola. En ocasiones un proyecto de ejercicio se convierte en una oportunidad para que usted y el enfermo estén juntos compartiendo afecto, sin necesidad de hablar.

¿Cuánto ejercicio puede hacer una persona mayor? Si usted o el enfermo tienen presión sanguínea alta o una enfermedad cardiaca, consulte a su médico antes de empezar a hacer ejercicio. Si ambos pueden caminar normalmente dentro de la casa, subir escaleras e ir de compras, también podrán hacer un programa de ejercicios moderados. Siempre hay que empezar una actividad en forma gradual, e ir avanzando lentamente. Si un ejercicio le deja adolorido, inflamado o envarado, disminuya la cantidad o cambie a otra actividad más suave. Si optan por la caminata, vea que el enfermo no tenga ampollas ni escoriaciones en los pies.

Ejercicios simples

Caminar es un excelente ejercicio. A menos que llueva o neve, salga con el enfermo diariamente a dar una caminata corta. El movimiento y el aire fresco contribuirán a que duerma mejor. Si el clima es muy lluvioso o frío, vayan en el auto a un centro comercial techado y caminen viendo escaparates. Póngase ambos zapatos cómodos, sin tacón, y calcetines suaves de algodón absorbente. Gradualmente irán aumentando la distancia que caminen, pero evite subir colinas muy empinadas. Para una persona con problemas de la memoria es más fácil caminar por una ruta acostumbrada. Al ir caminando hágale notar el panorama, la gente, los aromas, etc. que encuentren a su paso.

El baile es un buen ejercicio y si a la persona le gustaba bailar antes de enfermarse, anímelo a seguir haciéndolo.

Si solía jugar al futbol, golf o tenis, tal vez siga disfrutando con la pelota mucho tiempo después de que ya no pueda jugar un partido en forma.

A veces estos enfermos disfrutan mucho la calistenia como parte de un grupo, por ejemplo, en un centro de cuidados diversos para ancianos. Cuando usted haga ejercicio en casa, aliéntelo a que imite sus movimientos, y si tiene dificultad con alguno en particular, ayúdelo suavemente a realizarlo.

Es mejor para el enfermo practicar los ejercicio de pie si puede guardar el equilibrio; si no, que los haga sentado en una silla.

Incluso las personas confinadas en cama pueden seguir haciendo ejercicio. Sin embargo, si es un enfermo crónico grave, el fisioterapeuta deberá planear los ejercicios para no agravar las cosas. No es peligroso que una persona con mala coordinación o falta de equilibrio haga ejercicio.

Deben realizar su ejercicio todos los días a la misma hora, de manera tranquila y ordenada para no crear confusión que se sumaría a la agitación de la persona. Siga la misma secuencia de ejercicios empezando por la cabeza hasta terminar con los pies. Procure hacerlos divertidos y anime al enfermo a recordarlos. Si la persona sufre una reacción catastrófica, suspenda la actividad y vuelva a intentarla más tarde.

La persona puede tener otros problemas físicos agregados que interfieran con su capacidad de hacer ejercicio. Notifique de inmediato a su médico en caso de que note algún problema físico nuevo o cambios apreciables en los ya existentes.

Una persona que ha estado enferma e inactiva tenderá a la debilidad, el cansancio y al endurecimiento de las articulaciones. El ejercicio moderado y regular contribuirá a que sus músculos y articulaciones se mantengan en buenas condiciones. Cuando otras enfermedades como la artritis o lesiones son causantes de rigidez o debilidad, el fisioterapeuta o el terapeuta ocupacional pueden planear un programa de ejercicios que evitarán mayores males musculoesqueléticos.

RECREACIÓN

Todos necesitamos el esparciamiento, la diversión y disfruta de la vida. Una enfermedad demencial no significa el fin de la alegría de la vida. Puede significar que será necesario hacer un esfuerzo especial para hallar actividades que le den placer al enfermo. Las actividades que antes disfrutaba pueden seguir siendo importantes y disfrutables incluso a las personas con trastornos muy severos. Sin embargo, algunas actividades que solía disfrutar, como ciertos pasatiempos, recibir amigos en casa, ir a conciertos, cenar fuera, etc., podrían tornarse muy complicadas para alguien que con facilidad cae en confusión mental; habrá que remplazarlas por cosas más simples, aunque a la familia le cueste trabajo comprender que disfruta de cosas tan sencillas.

La música es un recurso muy agradable para muchas personas confusas. Hay quienes, incluso con trastornos severos parecen conservar la capacidad para disfrutar de viejas canciones. El enfermo podría manejar un tocacintas simple, o un radio con perillas grandes. Hemos visto que hay personas con un daño cerebral grave que, sin embargo, siguen siendo capaces de tocar el piano o de cantar si sabían hacerlo antes de enfermar.

Algunos enfermos disfrutan los programas de la televisión, pero hay otros que se desesperan al no poder seguir el hilo de la historia, o que presentan reacciones catastróficas con los cambios de escena repentinos.

La mayoría de los enfermos disfrutan también la presencia de sus viejos amigos, pero a veces las visitas los trastornan. Si su enfermo es de estos últimos, trate de que sólo lo visiten una o dos personas a la vez y no en grupo pues lo que los trastorna es el ruido y el movimiento de varias personas juntas. Pídale a los visitantes que se queden con él sólo un momento y hágales ver la razón de la falta de memoria del enfermo así como de otras de las conductas que presenta.

Algunas familias disfrutan comer fuera de casa y muchas personas con enfermedades demenciales conservan sus modales en la mesa. Sin embargo, hay otros que avergüenzan a sus familiares con su forma de comer. Conviene que usted elija la comida del enfermo seleccionando alimentos que él pueda comer fácilmente sin derramarlos. Quite de su alcance los vasos y cubiertos que no sean necesarios. Algunas familias han encontrado que es útil explicarle al mesero discretamente que la persona está confundida y que no puede ordenar su comida él mismo.

Tome en consideración los pasatiempos e intereses que la persona tenía antes de enfermarse y busque la manera de que pueda seguir disfrutándolos. Por ejemplo, las personas que solían leer, parecen disfrutar al hojear revistas y lo hacen mucho tiempo después de que han dejado de entender el texto. A veces una persona abandona por completo una actividad que disfrutaba mucho antes de enfermarse y se rehúsa a retomarla. Esto ocurre con frecuencia cuando realizaba muy bien esa actividad y ha perdido la destreza. En ese caso es mejor encontrar otro tipo de actividades recreativas para el enfermo.

Todos disfrutamos las cosas a través de los sentidos; gozamos al contemplar una puesta de sol, al percibir el aroma de una flor, al paladear un platillo favorito. Las personas con demencia casi siempre están más aisladas y no pueden salir a buscar experiencias que estimulen sus sentidos. Hágale notar una imagen bonita, un pájaro que canta, un olor o un sabor familiar. No olvide el sentido del tacto; tal vez al enfermo le guste acariciar el pelo de un animal, tocar un pedazo de madera pulida, o poner la mano en una corriente de agua, y al igual que usted, disfrutará algunas sensaciones más que otras.

Si al enfermo le gustan los animales, responderá alegremente frente a un animal doméstico; por su parte, los gatos y perros parecen ser particularmente sensibles con las personas con deterioro cerebral.

A medida que la enfermedad progresa y la persona presenta problemas de coordinación y de lenguaje, es fácil olvidar su necesidad de experimentar cosas agradables y de divertirse.

Nunca pase por alto la importancia de tomarle la mano, tocarlo, abrazarlo y quererlo. A menudo, cuando no hay otra manera de comunicarnos con una persona con demencia, el tacto la hace responder. Tocar es una parte muy importante de la comunicación humana. Usted y él disfrutarán simplemente el sentarse y tomarse de la mano. Es una excelente forma de compartir unos momentos cuando hablar se ha vuelto difícil, o imposible.

Una actividad significativa

Mucho de lo que las personas sanas hacemos durante el día tiene un propósito que le da sentido e importancia a la vida. Trabajamos para ganar dinero, para servir a otros, para sentirnos importantes. Le tejemos un suéter al nieto o hacemos un pastel para un amigo, nos lavamos el cabello y la ropa para vernos bien y estar limpios. Tales actividades provistas de un propósito son importantes para nosotros, nos hacen sentir útiles y necesitados.

Cuando una persona con una enfermedad demencial es incapaz de continuar con sus actividades acostumbradas, habrá que ayudarle a que realice cosas significativas de acuerdo a su capacidad. Un hombre podría por ejemplo arreglar su jardín y el de los vecinos; una mujer podría pelar las verduras y poner la mesa cuando ya es incapaz de preparar una comida completa. Una persona confusa puede enrollar una bola de estambre, sacudir, apilar revistas, mientras usted hace el quehacer de la casa. Anime al enfermo a hacer lo que pueda.

HIGIENE PERSONAL

La ayuda que necesita una persona con una enfermedad demencial para atender su cuidado personal varía según la extensión de su mal. Una persona con enfermedad de Alzheimer será capaz de arreglarse en las primeras etapas de la enfermedad, pero gradualmente irá olvidando la manera de hacerlo y tarde o temprano necesitará que le hagan todo.

Los problemas surgen por lo general al tratar de hacer que se cambie de ropa o que se bañe. "Ya me cambié hoy", dirá, o volteará las cosas para hacer ver que el que está mal es usted. "No logro hacer que se cambie de ropa —es un comentario que frecuentemente oímos— se la deja toda la semana, no se cambia ni para dormir. Cuando le pido que lo haga dice que ya se cambió o me dice a gritos '¡quién te estás creyendo que me vienes a decir que me cambie de ropa!' ".

Un familiar nos relató: "Todo el tiempo, mientras la baño, pide auxilio a gritos. A veces abre la ventana y grita, 'Socorro me roban'."

La enfermedad demencial lleva a la persona a la depresión, se vuelve apática y pierde todo deseo de asearse. Como pierde la capacidad de calcular el tiempo transcurrido no puede comprender que lleva una semana sin cambiarse de ropa. El que alguien le diga que debe cambiarse le abochorna (sólo imagine que a usted le dijeran que se cambie de ropa; seguramente se indignaría).

Vestirse y bañarse son actividades personales y cada uno tenemos nuestra manera de hacerlas; a unos nos gustan las duchas, a otros los baños de tina, a unos les gusta bañarse en la mañana, a otros cada tercer día, pero cada cual tiene una manera fija de hacer sus cosas. A veces, cuando en una familia uno de los miembros empieza a hacerse cargo de una persona con demencia, inadvertidamente se olvida que ésta tiene sus propios hábitos. El cambio de rutina puede trastornar al enfermo. No olvidemos que hace una generación la gente no se bañaba ni cambiaba de ropa con la frecuencia que ahora lo hacemos, y casi siempre en su niñez sólo se bañaba una vez a la semana.

Desde muy chicos nos hacemos cargo de nuestro aseo y arreglo y esto es un signo básico de nuestra independencia. Por otra parte, bañarse y vestirse son actividades privadas y hay mucha gente que jamás se ha bañado ni vestido en presencia de otro. Es una experiencia muy incómoda que alguien esté poniendo sus manos y sus ojos sobre nuestro cuerpo que está envejeciendo y perdiendo su hermosura. ¿Qué significa entonces que otro venga a hacerse cargo de algo que siempre hemos hecho solos y en privado? Es una declaración contundente de que ya no podemos seguir haciéndonos cargo de nosotros mismos, de que nos hemos vuelto como niños a quienes debe decírseles que tienen que cambiarse y a quienes hay que ayudar.

En cuanto a las actividades en sí, para cambiarse de ropa y bañarse hay que tomar varias decisiones. Un hombre debe seleccionar una camisa, una corbata y un par de calcetines para una indumentaria que concuerde. Cuando se da cuenta de que no puede hacerlo, cuando buscar dentro de un cajón calcetines azules, verdes y negros es abrumador lo más fácil es simplemente no cambiarse.

Algunos factores como los enunciados a menudo precipitan reacciones catastróficas; no obstante, debe encararse el aseo del enfermo. Empiece entendiendo sus sentimientos y necesidad de privacía e independencia. Tenga presente que su conducta es producto de su menoscabo mental y no de un deliberado afán de ofender. Simplifíquele las decisiones involucradas con bañarse y vestirse sin privarlo de su independencia.

El baño

Cuando una persona se rehúsa a bañarse parte del problema estriba en que el acto en sí se ha vuelto muy confuso y complicado. Trate de apegarse tanto como sea posible a la antigua rutina del enfermo y mientras dispone el baño simplifíquele la tarea. Si por ejemplo, la persona solía rasurarse primero, después se daba un regaderazo y al final se desayunaba, cooperará mejor si usted organiza su baño antes del desayuno. Prepárele su muda de ropa, sus toallas y el agua.

Tenga calma y sea cortés al ayudarle a bañarse. Evite discutir si necesita o no bañarse, más bien concéntrese en indicarle paso a paso los preparativos para el baño.

Intente:

"Papá, ya está lista el agua de tu baño". "No necesito bañarme". "Aquí está tu toalla. Desabróchate la camisa" (su mente se concentrará en los botones en lugar de en la discusión. Ayúdele a desabotonarse si ve que no lo puede hacer solo; hágalo con suavidad). "Ahora, de pie, desabróchate los pantalones". "No necesito bañarme". "Y ahora, adentro de la tina".

Evite decirle:

"Papá, quiero que te bañes inmediatamente después del desayuno" ("inmediatamente después del desayuno" implica que él tiene que recordar algo).

Evite:

"No necesito bañarme". "Claro que sí lo necesitas. Llevas una semana sin bañarte". (A usted no habría de gustarle que él le dijera lo mismo, especialmente si usted no puede recordar cuándo se bañó por última vez).

El baño debe ser una rutina regular; siempre igual y a la misma hora; así la persona lo esperará y opondrá menos resistencia. Tampoco es necesario que el enfermo se bañe todos los días si es muy problemático. Revise siempre la temperatura del agua de la regadera o tina aunque la persona lo haya estado haciendo bien; la capacidad para regular el agua a temperaturas seguras puede perderse súbitamente. No use burbujas de jabón ni aceites de baño pues hacen resbalosa la tina y propician infecciones vaginales.

Los baños de regadera son más peligrosos ue los de tina pues el enfermo puede caerse si no camina ya con seguridad. Si va a usar la regadera, póngale asideros o use un asiento de tina. Hay varios artículos que facilitan y hacen más seguro el baño; los puede comprar o rentar.

Nunca deje a la persona sola en la tina, la cual no deberá tener más de 7 cm de agua. Esto hace que la persona se sienta más segura y habrá menos problema si acaso se cae. Coloque un tapete de hule o calcomanías antirresbalantes en el fondo de la tina. El enfermo puede lavarse solo y únicamente necesitará que usted le vaya diciendo tranquilamente con qué área seguir.

A veces es embarazoso vigilar que el enfermo se lave bien el área genital pero es importante hacerlo para evitar erupciones. No olvide lavar muy bien —ya sea usted o el enfermo— los pliegues de la piel y abajo de los senos.

Use un tapete de baño que no se mueva para que la persona pise al salir del agua, y cuide que no existan charcos en el piso. Conviene remplazar los tapetes de baño por una alfombra fija que absorberá el agua y evitará que se formen charcos. Si la persona todavía puede usar la toalla para secarse, vigile que no se deje áreas húmedas, y si usted lo seca hágalo muy bien. Después póngale talco para bebé, o harina de maíz, bajo los pechos si es una mujer, y en los pliegues de la piel. La harina de maíz, por ser barata, inodora y no causar alergias, es buen sustituto del talco. Si el enfermo no quiere usar desodorante, el bicarbonato puede sustituirlo efectivamente.

Mientras seca a la persona vea si hay zonas enrojecidas en su piel, urticarias o escoriaciones, y si encuentra algo consulte al médico. Las personas que están mucho tiempo sentadas o acostadas desarrollan fácilmente escaras o presión o úlceras de decúbito. Si tiene reseca la piel, póngale crema; la puede conseguir sin aroma.

Vestirse

Si los calcetines del enfermo van bien con todos sus pantalones, no tendrá que decidir cuáles usar para cada atuendo.

Cuelgue las corbatas, las bufandas y los accesorios en el mismo gancho donde está la camisa o el vestido con el que hacen juego. Elimine bufandas, cinturones, suéteres, corbatas y otros accesorios que no vayan con los atuendos o que se presten a que el enfermo se los ponga mal. Almacene en otro sitio la ropa que no sea de la estación o que raras veces usa, todo esto para no agregar carga a las decisiones que el paciente debe tomar.

Es conveniente que para facilitarle las cosas, al prepararle la muda de ropa limpia ponga usted las prendas en el orden en que él las irá tomando para vestirse.

Si el enfermo se rehúsa a cambiarse de ropa, evite discutir con él; mejor vuelva a sugerírselo un poco más tarde.

A medida que la enfermedad avanza para el paciente es más difícil ponerse correctamente la ropa. Se volverá torpe para manejar botones, cierres, agujetas y hebillas. Cuando ya no pueda abotonarse, remplace los botones por cinta velcro que se consigue en los almacenes de telas. Para que el enfermo pueda seguir vistiéndose solo, se le puede comprar ropa reversible, playeras que no se ven mal si se las pone con lo de atrás para adelante, sin botones, pantalones con elástico en la cintura y calcetines de tubo que no tienen talón ni punta. Los mocasines son más ¿fáciles de poner? que los zapatos con agujetas.

Las mujeres se ven bien con blusas sueltas cerradas y reversibles, con faldas o pantalones con elástico en la cintura. La ropa floja en más fácil de manejar.

Seleccione prendas lavables, que no necesiten plancharse pues no hay razón para agregar una cosa más a los quehaceres que ya le sobran.

A veces los estampados brillantes e inquietantes confunden al enfermo. Pruebe dibujos simples y colores pastel. Elija colores contrastantes ya que así le será más fácil al enfermo distinguirlos.

A las mujeres con confusión mental se les dificulta ponerse la ropa íntima, y para los esposos la tarea es un verdadero misterio. Cómprele pantaletas flojas y suaves, que no importe que se las ponga con lo de atrás hacia adelante. Olvídese del fondo; no es necesario. Si necesita usar brassiere, dígale que se incline hacia adelante para que sus pechos entren en las copas; las pantimedias son difíciles de poner y los calcetines que llegan a la rodilla, así como los elásticos y ligas de las medias, son perjudiciales para las personas con mala circulación. Lo mejor para usar en la casa son los calcetines de algodón.

El arreglo personal

Procure que el cabello del enfermo se vea atractivo, con un corte que sea fácil de lavar y de cuidar. Las personas que acostumbraban ir al salón de belleza o a la peluquería podrían seguir disfrutándolo, o bien, podría contratar a una peinadora o peluquero que arregle a domicilio.

Para lavarle el cabello, si la tina no cuenta con una manguera para champú, es mejor hacerlo en el fregadero de la cocina (y más cómodo para la espalda de usted). Instalar una conexión para manguera en el fregadero es una buena inversión. El cabello debe quedar muy bien enjuagado, recuerde que debe rechinar al restregarlo con los dedos.

Usted tendrá que cortarle las uñas de pies y manos si él ya no puede hacerlo.

Anime a la persona a que se arregle y se vea bien. Andar todo el día en bata no le levantará la moral. Si una enferma siempre ha usado maquillaje le servirá que continúe haciéndolo en forma discreta. Al esposo no le será muy difícil aplicarle un poco de polvo y lápiz de labios. Si es una mujer mayor, use colores pastel y un poco de colorete; no le maquille los ojos.

Al terminar de bañarlo y vestirlo, pídale que vea lo bien que luce en el espejo (aun cuando usted acabe rendido y exasperado). Haga que el resto de la familia le diga el cumplido también. El estímulo y los elogios son importantes para que el enfermo continúe sintiéndose bien consigo mismo, aun cuando una tarea que siempre ha sido capaz de hacer —como vestirse— ahora sea demasiado para él.

Higiene oral

Con todas las tareas que existen al cuidar a un enfermo crónico es fácil que uno pase por alto lo que no salta a la vista; pero es importante que la persona tenga una buena higiene oral tanto para su comodidad como para su salud. Una persona que todavía es capaz de realizar sus deberes personales podría de hecho pasar por alto el cuidado de sus dientes o dentadura.

Las dentaduras son especialmente latosas. Si no tienen el ajuste perfecto, o si la persona no le está aplicando el pegamento en forma apropiada, no podrá masticar bien. La reacción natural es dejar de comer las cosas que no puede masticar, lo cual lleva a una nutrición inadecuada y a constipación. La dentadura debe estar bien puesta cuando la persona va a comer. Si no le ajusta debidamente o si le molesta, haga que el dentista se la arregle. Si el enfermo olvida sacarse la dentadura y lavarla, o si no acepta que usted lo haga por él, podría sufrir inflamaciones dolorosas en las encías que también le impedirán comer una dieta apropiada.

Como la idea es que la persona continúe siendo lo más independiente posible, asuma la responsabilidad de recordarle, pero deje que él haga todo el trabajo que le sea posible. Una razón por la que dejan de cepillarse los dientes o la dentadura es que ambas tareas son complicadas y hay que hacerlas siguiendo varios pasos que los confunden pues no recuerdan la rutina. La manera de ayudarles es separando la tarea en pasos simples y recordándole al enfermo cada uno por separado. Si se hace usted cargo totalmente de la dentadura del enfermo, tendrá que quitársela todos los días, lavársela y revisar que no tenga inflamaciones en las encías. El dentista le puede enseñar a hacerlo. Si la persona tiene sus dientes, podría ser necesario cepillárselos y ver que no tenga úlceras. Haga del cuidado de la boca parte de una rutina regular que él se acostumbre a esperar; sea amable, así tendrá menos resistencia de parte del enfermo. Escoja la hora del día en que la persona esté más dispuesta a colaborar, y si se enoja, suspenda el aseo e inténtelo más tarde.

La importancia de unos dientes sanos o de una dentadura bien ajustada es crítica. Las personas con enfermedades demenciales tienden a no masticar bien y se atragantan fácilmente. Unos dientes en mal estado empeoran todo. La confusión del enfermo puede empeorar hasta con la más ligera carencia nutricional causada por unos dientes inflamados, que también le causarán una constipación. Las úlceras bucales pueden llevar a otros problemas y a aumentar el menoscabo mental del enfermo.

Los artículos de baño

En las tiendas de equipo médico, farmacias y grandes almacenes existe una variedad de accesorios de baño con las barras de sostén, los asientos y las regaderas de manguera, de diferentes diseños para diferentes necesidades que hacen más seguro y más fácil el baño de una persona con trastorno mental. El asiento elevado para el W.C. le facilita al enfermo sentarse y levantarse. El asiento debe quedar fijo para que sea seguro y no se resbale al sentarse. Hay asientos acojinados, suaves y más cómodos para una persona propensa a presentar escaras por presión que tiene que estar sentada en el W.C. durante un tiempo. Por lo menos existe un fabricante de este tipo de asientos elevados y acojinados.

Se puede rentar un W.C. portátil para que el enfermo lo tenga cerca de la cama o en el mismo piso donde se localice su recámara y no tenga que subir y bajar escaleras. Hay también diferentes tipos de vasijas para orinar, patos para los varones, y cómodos que resuelven diferentes necesidades. Exponga la condición de su enfermo para que en la tienda puedan aconsejarle sobre el equipo más conveniente.

Los pasamanos, manijas y barras de sostén son importantes. Los hay que sirven para que el enfermo se sostenga al sentarse y levantarse de la taza del W.C., y para que entre y salga de la tina. Se pueden alquilar y la misma tienda se encargará de instalarlos. Hay barras de sostén que vienen con una abrazadera para fijarlas en la tina; éstas resultan muy convenientes si la casa que usted ocupa es rentada y no puede hacer agujeros en las paredes.

No se confíe de las barras de los toalleros ni de la jabonera pues por lo general sólo están pegados sobre la superficie de la pared y se desprenden fácilmente si una persona las usa como asideras para guardar el equilibrio o para incorporarse. Pregunte a alguien que sepa de carpintería o albañilería si las de su casa están bien ancladas en taquetes, por si al instalarlas hubieran tenido este propósito en mente. Podría también comprar o alquilar un asiento para la tina o la regadera; con él la persona está más segura y también queda más al alcance de quien la baña ya que no tendrá que pasar mucho tiempo agachado o estirado. Las regaderas de manguera son útiles para enjuagar bien a la persona y facilitan mucho el lavado del cabello.

INCONTINENCIA

Las personas con enfermedades demenciales pueden empezar a orinarse o a defecar sin darse cuenta. A este trastorno se le conoce respectivamente por incontinencia de los esfínteres de la vejiga y del ano. Los dos son en realidad problemas separados y a menudo se presenta uno sin el otro. Son muchas las causas de incontinencia por lo que es importante empezar por valorar el problema.

Desde niños nos enseñaron que vaciar la vejiga y los intestinos son actividades privadas y también que son sucias, detestables y socialmente inaceptables. Aunado a esto, la atención en privado de nuestras necesidades corporales la asociamos a nuestra independencia y dignidad personales. Cuando alguien tiene que ayudarnos es embarazoso tanto para uno como para el que ayuda. Para la mayoría de la gente es repugnante la orina y la materia fecal. Es importante que tanto los familiares como los encargados de cuidar al enfermo estén conscientes de sus reacciones sobre estas cuestiones.

Incontinencia de la vejiga

Son muchas sus causas, algunas de las cuales responden bien al tratamiento. Si se trata de mujeres, puede ser un "escurrimiento" de orina más que un vaciamiento completo, especialmente al reírse, toser, levantar algún objeto o hacer algún otro tipo de esfuerzo repentino. Averigüe qué es lo que le sucede a su enferma. ¿Ocurren los accidentes sólo a una hora determinada, por ejemplo en la noche? (Conviene anotar en un diario durante varios días las veces que la persona logra llegar al baño y las veces en que come o bebe). ¿Con qué frecuencia está orinando? ¿Tiene dolor al orinar? ¿Empezó la incontinencia de repente? ¿Se ha empeorado súbitamente la confusión que sufre? ¿Ocurre la incontinencia ocasional e intermitentemente? ¿Está residiendo el enfermo en un sitio nuevo? ¿Se está orinando en sitios inadecuados, como en el clóset o en los floreros? (Esto es diferente de la persona que se orina y moja su ropa en cualquier parte donde esté). ¿Ocurren los accidentes cuando el enfermo no puede llegar al baño a tiempo? ¿Suceden camino al baño?

En el momento en que empiece la incontinencia es importante consultar al médico. Usted puede ayudarle a hacer el diagnóstico respondiéndole las preguntas anteriores. Si la persona tiene fiebre, comuníquelo de inmediato al médico.

La incontinencia puede provenir de infecciones ya sean agudas o crónicas de la vejiga, o ser causada por una diabetes no controlada, una impactación fecal, una próstata crecida, por deshidratación, por medicamentos y por muchos otros problemas médicos (ver capítulo 6). No permita que el médico pase por alto la incontinencia sin explorar cuidadosamente todas sus posibles causas tratables.

El "escurrimiento" puede tener su origen en un debilitamiento muscular y en otras afecciones que son potencialmente tratables.

Si el problema estriba en que no puede llegar a tiempo al baño porque la persona se mueve muy lentamente, camina ayudándose con una andadera o su paso es torpe, se le puede acercar el baño. Por ejemplo, si debe subir escaleras para ir al cuarto de baño, se puede alquilar un W.C. portátil. Se puede improvisar una vasija que sirva de orinal portátil, que le servirá especialmente durante los viajes. También se le pueden simplificar las cosas dotándolo de ropa que pueda manejar más aprisa. Cambie los cierres y botones por cinta velcro. Si el enfermo está hundido en un sillón suave no le dará tiempo de llegar al baño porque tardará en levantarse del sillón.

A veces los enfermos no pueden encontrar el baño, especialmente en sitios nuevos para ellos. Lo puede guiar poniéndole un gran letrero a la puerta y pintar ésta de un color brillante. Las personas que orinan en los cestos de basura, clósets, floreros, etc., podrían ser incapaces de localizar el baño o de recordar el sitio apropiado. Algunas familias han facilitado las cosas poniéndole tapa a los cestos de basura, cerrando con llave los clósets y llevando al baño al enfermo a horarios regulares. Recuerde que las personas mayores se acostumbraron de niños a orinar fuera de la casa o en una bacinica que ponían cerca de su cama. Si es así, es más conveniente que la tenga, que estar lavando el bote de la basura.

Compre fundas lavables para los cojines de la sala y protéjalos metiéndolos en bolsas de plástico grandes, como las de la basura, antes de ponerles las fundas. Si tiene sillas o tapetes favoritos que se pudieran estropear, resuélvalo de la manera más sencilla: guárdelos en donde el enfermo no los pueda encontrar y usar.

En ocasiones los enfermos necesitan que les ayuden y no pueden o les da vergüenza pedirlo. A veces se valen de palabras que aprendieron de chicos, como por ejemplo, pipí, pí, hacer chis, etc., o de eufemismos oscuros como: "quiero salir a regar las flores", etc. Si tiene problemas de lenguaje puede tergiversar las palabras y decir sólo: "quiero ir al. . .", o "voy a hacer. . .", y si la persona encargada de cuidarlo, especialmente si no está habituada a atenderlo, no entiende lo que le pide, ocurrirá el accidente. Aprenda a entender lo que la persona pide y ponga sobre aviso a los que lo cuiden sólo de vez en cuando.

Si la incontinencia es nocturna, disminuya la cantidad de líquidos que tome después de la merienda, a menos que por razones médicas deba tomar líquidos adicionales. Durante el resto del día vea que ingiera líquidos suficientes. Levántelo a orinar una vez durante la noche a la bacinica, o pato si es hombre, especialmente si tiene dificultad para moverse. Si suele levantarse al baño, deje una luz encendida en la recámara, el pasillo y el baño; retire los tapetes y vea que sea fácil para el enfermo levantarse de la cama. No debe usar pantuflas resbalosas o flojas.

Llevar un diario, como lo señalamos anteriormente, le dará a usted la información que necesita para prevenir muchos accidentes. Si usted conoce las horas en que el paciente por lo general orina (inmediatamente al levantarse, una hora después de tomar su jugo, etc.) podrá llevarlo al baño justo antes de que ocurra el accidente. Esto es, de hecho, habituarse usted al horario natural del enfermo. Muchos familiares se dan cuenta de que el enfermo necesita ir al baño cuando da signos de intranquilidad, o porque se acomoda la ropa. Llévelo rutinariamente al baño cada dos o tres horas; un horario regular evita muchos "accidentes", evitará que le salgan erupciones en la piel y les hará más fácil la vida a ambos.

Ciertas señales no verbales que nos dicen si podemos o no soltar la vejiga suelen influenciar a algunas personas con demencia. Por ejemplo, bajarse los calzones, abrirse la bragueta, sentarse en el W.C. son signos de que podemos empezar a orinar. Por otra parte, la ropa seca, estar en la cama o en público son cosas que nos lo impiden. (Hay personas que no pueden orinar si están en la cama, si está presente otra persona, o si deben hacerlo en el cómodo). Bajarle las pantaletas a una mujer para cambiarla podría ser causa de que orinara. Uno puede echar mano de estos signos no verbales para que la persona llegue al baño a tiempo.

Había un enfermo que orinaba tan pronto como ponía los pies en el piso cada mañana y la persona que lo cuidaba estaba preparada para ponerle el pato a tiempo. El pato es un orinal portátil para hombres que se puede comprar en cualquier farmacia. Los orinales portátiles para mujeres son difíciles de encontrar. Si es una mujer que orina de pie, se le puede poner una bacinica de plástico.

Hay familiares que se quejan de que su enfermo no orina cuando lo llevan al baño pero inmediatamente después se orina en los pantalones, y concluyen que lo hace a propósito; sin embargo se debe precisamente a los mensajes involuntarios a los que nos hemos referido y que le indican "no soltar la vejiga porque hay alguien presente", o porque "están en la recámara y no en el baño".

Cuando una persona tiene dificultad para orinar se puede probar que sople por un popote en un vaso de agua y haga burbujas; con esto soltará la vejiga.

Hay enfermos que piden ir al baño muy a menudo. En tal caso conviene que el urólogo vea al enfermo para determinar si no tiene alguna afección que le esté haciendo sentir ganas de orinar cada cinco minutos. Podría tratarse de una infección en el tracto urinario, de una reacción a algún medicamento que le esté causando esa sensación o haciendo que no vacíe completamente la vejiga, por lo que pronto vuelve a tener ganas de orinar. Si se han descartado las afecciones urinarias descritas y otras también de carácter médico, y usted tiene la seguridad de que ha vaciado bien la vejiga, llévelo al baño cada dos o tres horas y trate de distraerlo en el interín.

Incontinencia fecal

Al igual que con la incontinencia de vejiga, debe consultarse al médico si hay incontinencia fecal. Si es temporal, puede deberse a una infección, a diarrea o a constipación (ver Capítulo 6).

Revise que la taza del W.C. sea cómoda y que el enfermo pueda sentarse todo el tiempo que necesite para que se le muevan los intestinos. Sus pies deben llegar y descansar en el piso y existir un lugar donde él pueda detenerse, que podría ser un palo de escoba sostenido por dos soportes debidamente instalados, que pase frente a la persona estando ésta sentada en la taza. Además de servirle como barra de sostén, ayudará también a que la persona se mantenga sentada si es inquieta. Mientras está sentada podría oír música o hacer otra cosa que usted le dé.

Fíjese a qué hora por lo general defeca y llévelo al baño a esa hora. Es conveniente que tome un ablandador de heces como por ejemplo el Metamucil.

Trate de no regañar a la persona que está teniendo estos accidentes.

El aseo

Si el enfermo se queda con la ropa mojada o sucia rápidamente desarrollará erupciones y llagas en la piel. Es muy importante evitarlas. Para que la piel no presente problemas hay que mantenerla limpia y seca. Hay que lavar bien la zona que haya estado en contacto con la orina o las heces cada vez que tenga un accidente de este tipo, secarla muy bien y ponerle un poco de talco. Debe evitarse en todo lo posible el uso de catéteres como medida continua para hacer frente a una incontinencia.

Limpiar a una persona con este tipo de problema es para ella degradante y para el encargado de hacerlo, algo desagradable y repugnante. Algunas familias abordan esto haciendo el esfuerzo deliberado de consagrar los momentos en que lo asean a expresarle su cariño y así esta tarea necesaria es menos desagradable.

Se pueden conseguir prendas y equipo en general para las personas con incontinencia. El médico o la enfermera pueden ayudarle a decidir el equipo que usted necesita para su paciente. En las farmacias se pueden conseguir calzones protectores de plástico y pañales desechables para adulto. Algunos pañales son cómodos y no se mueven si sobre ellos se ponen los calzoncillos o pantaletas regulares. Por el sentimiento negativo que despierta la palabra "pañal" algunos comerciantes los anuncian como "trusas absorbentes para adulto"; se consiguen de un solo tamaño y también de tallas según las medidas de las caderas o la cintura. El tipo de relleno del pañal determinará la cantidad de orina que absorberá; los que tienen polímeros super absorbentes o la propiedad de "cuajarse" detienen más que los que traen fibra como material de relleno.

Se les consigue desechables y también lavables. Dentro de estos últimos hay algunos que no traen un forro de material suave y la capa protectora es incómoda porque queda en contacto con la piel. Los desechables son los que tienen mayor aceptación porque absorben más cantidad de orina.

Otras prendas consisten en un calzón exterior lavable que detiene un cojincillo desechable. La idea es alejar la orina de la entrepierna mediante un cojín absorbente hecho de un material fresco y suave para que la piel se sienta seca. Son muy convenientes cuando el diseño permite quitar el cojincillo sin necesidad de quitar la prenda entera así como bajar fácilmente el calzón cuando la persona va a sentarse en el baño. Debe ajustar bien en las piernas para que no escurra la orina, pero no debe ceñirlas.

No espere que estas prendas tengan capacidad para más de una descarga de la vejiga; cuando se saturan la orina escurre. La experiencia le indicará cuánta orina pueden retener; una descarga llega a ser de unos 300 ml (una taza) de orina.

En algunas ciudades grandes existen servicios de lavandería de pañales para adulto que podrían auxiliarlos en su tarea.

Los pañales desechables tienen el propósito de proteger la ropa de cama y para esto también se pueden conseguir sábanas de franela con protección de hule, de las que se usan para los bebés, y son mucho mejores que los antiguos protectores de hule.

Use una sábana clínica en la cama. Ésta es una sábana común y corriente doblada a la mitad por el lado largo, que se pone atravesada aproximadamente en la cintura de la cama. Dentro del doblez se sostiene muy bien el protector de hule; de esta manera, si el enfermo tiene un accidente sólo habrá que sacar y cambiar esta sábana. Para proteger muy bien la cama se puede poner una combinación de sábana clínica, sabanita absorbente con protección de hule y poner al paciente el cojincillo o el pañal desechable. Busque los cojincillos que tienen el efecto de cuajar la orina y con ajuste anatómico en la parte de atrás para que no se muevan de su lugar. Siga las instrucciones del fabricante para lavarlos y secarlos.

PROBLEMAS PARA CAMINAR, EL EQUILIBRIO Y LAS CAÍDAS

A medida que la enfermedad progresa, el enfermo se vuelve torpe y se le entiesan las articulaciones. Se le dificulta levantarse de un sillón o de la cama, adopta una postura encorvada o de lado y un caminar pesado. Necesitará una vigilancia estrecha si corre el riesgo de caer.

Una persona nos escribe respecto a su enfermo: "Sus pasos ahora son muy lentos; al caminar levanta mucho los pies pues tiene poco sentido del espacio. Se afianza de los marcos de las puertas y de las sillas. A veces lo hace al aire. Su mirada está perdida como si estuviera ciego. Se detiene frente a los espejos y habla y se ríe con su imagen".

La esposa de otro enfermo relata: "A veces se cae, se tropieza con sus propios pies o sólo se desploma. Cuando intento ayudarle a levantarse —él es muy corpulento— me grita y me rechaza".

Estos síntomas *pueden* deberse a los medicamentos que reciben los pacientes. Hable con su médico en cuanto aprecie cualquier cambio en el andar, la postura y la flexibilidad del enfermo; igualmente si hace movimientos repetidos o se cae. Los cambios pueden deberse además de reacciones a medicamentos, a delirio o a un pequeño accidente cerebro-vascular que podrían ser tratables. Estos mismos síntomas ocurren cuando el proceso demencial ha dañado las áreas del cerebro que controlan los movimientos musculares; pero no dé por sentado esto mientras el médico no haya descartado otras causas.

Esté pendiente del momento en que la persona ya no pueda subir esca-leras con seguridad, se tropiece o presente otras dificultades al caminar. Si una persona está insegura sobre sus pies, en vez de sostenerlo por el brazo ofrézcale usted el suyo para que él se apoye en usted si así lo desea. Usted mantenga su brazo pegado al cuerpo pues así conservará al máximo su equilibrio. Otra manera de hacer que el paciente guarde el equilibrio es sos-teniéndolo del cinturón mientras usted camina detrás de él.

Arregle muy bien las alfombras que tengan rebordes levantados y quite las que se sobreponen, como pasillos para proteger la alfombra en los sitios de más circulación, pues se podría tropezar. Quite también los tapetes que pudieran deslizarse al pisarlos. Ponga pasamanos, especial-mente en el baño. Cubra los escalones con alfombra, para acojinarlos. Redondee o acojine con hule espuma las esquinas de los muebles. Los muebles que él generalmente use para apoyarse deben ser pesados y fir-mes, retire todo aquel que sea inestable o viejo. Simplifique el tránsito dentro de la casa; quite todos los estorbos de las zonas en las que el enfer-mo acostumbra deambular. Los pasamanos de las escaleras por lo gene-ral no están bien anclados y se aflojan cuando alguien se apoya en ellos con todo su peso; hágalos revisar por alguna persona que sepa del asunto.

Hay enfermos que pueden aprender a caminar con un bastón o con una andadera, pero hay otros que ya no pueden aprender esto. Un suje-tador de Posey sirve para que el enfermo pueda incorporarse fácilmente cuando está sentado en un sillón y no hay quien lo ayude.

Al ayudar al enfermo es importante que usted no se vaya a lastimar o a perder el equilibrio. Un fisioterapeuta puede enseñarle a movilizar a una persona con maniobras que no requieren gran esfuerzo. Al levantar al enfermo, evite agacharse o doblarse hacia adelante. Si debe agachar-se para levantar algo, flexione las rodillas, no se doble por la cintura. Haga las cosas con calma; los accidentes suceden cuando uno o el enfer-mo se apresura. Al levantar a una persona tómela por las axilas. No trate de levantarla de la cama jalándola de los brazos. No siente en el asiento trasero de un carro de dos puertas a un enfermo torpe o pesado.

¿Qué debe usted hacer si su enfermo se cae?
1. Mantenga la calma.
2. Deténgase un momento para ver si se ha lastimado o le duele algo.

3. Evite que se desencadene una reacción catastrófica, y

4. Observe si el enfermo tiene signos de dolor, inflamación, escoriaciones, agitación o si aumenta su angustia. Llame al médico si aparecen estos síntomas o si piensa que hay alguna probabilidad de que se haya golpeado la cabeza o lastimado.

Como ejemplo de una manera de encarar las caídas, referimos el caso de una mujer que en vez de tratar de levantar a su esposo, se acostumbró a sentarse con él en el suelo (obviamente también significó un esfuerzo de su parte para tranquilizar su propia angustia). Lo acariciaba suavemente y platicaba con él hasta que éste se tranquilizaba. Cuando por fin él se relajaba, ella podía alentarlo a levantarse dándole instrucciones paso a paso en vez de levantarlo ella sola.

Silla de ruedas

Si llega el momento en que el paciente necesita una silla de ruedas, su médico o una enfermera lo puede orientar para que seleccione la más apropiada para aprender a usarla.

6

Problemas médicos

Las personas con enfermedades demenciales pueden presentar otros padecimientos que van desde afecciones relativamente menores, como la gripe, hasta problemas severos. A veces no dicen cuando les duele algo (aunque puedan expresarse bien), o se desentienden de su cuerpo. Las heridas, magulladuras y hasta las fracturas de huesos llegan a pasar inadvertidas. Las personas que permanecen sentadas o acostadas durante largos períodos pueden presentar escaras en los puntos de presión. Su condición física puede ir declinando gradualmente y *en su bienestar general habrá una gran diferencia si se le atienden los problemas agregados que le aquejen, por insignificantes que parezcan.*

Tal vez usted haya tenido una sensación de "embotamiento" cuando se enferma. Este fenómeno puede ser peor en una persona que sufre demencia, pues su sistema parece ser especialmente vulnerable a cualquier malestar adicional. Podría caer en delirio como resultado de otras afecciones (por una gripe, un resfriado ligero, una neumonía, algún mal cardiaco, reacciones a medicamentos y por muchas otras causas) y dar la impresión de que la demencia ha empeorado repentinamente. Sin embargo, el delirio (y los síntomas) desaparece generalmente al tratarse el padecimiento que lo origina. Como rutina hay que buscar signo de alguna enfermedad o lesión y en su caso avisarle al médico.

Por lo anterior deben tomarse en serio todas las señales de dolor o enfermedad. Es importante encontrar un médico que sea amable, que entienda la condición del enfermo, y que preste atención a los problemas médicos generales. No acepte que un médico desatienda a un enfermo porque según él "está senil", o "viejo". Insista en que se debe tratar la infección que tiene y que se deben diagnosticar sus dolores y aliviárselos. Por la vulnerabilidad del paciente demenciado para caer en delirio, lo apropiado es consultar al médico aun para las dolencias más simples como podría parecer un resfriado.

Las señales de que hay un padecimiento agregado son, entre otras:

Fiebre. Al tomar la temperatura cuide que el enfermo no muerda el termómetro. Se puede usar un termómetro de papel que se coloca sobre la frente, u obtener una temperatura aproximada poniéndole el termómetro en la axila, de 3 a 5 minutos.

Enrojecimiento o palidez.

Un pulso acelerado mayor de 100 (obviamente no asociado a ejercicio). Lo normal es entre 60 y 100 pulsaciones por minuto. Una enfermera puede enseñarle a tomar el pulso en la muñeca. Cuente las pulsaciones durante 20 segundos y multiplique la cantidad por 3. Conviene saber cuál es el pulso normal del enfermo.

Vómito o diarrea.

Cambios en la piel. Puede perder su elasticidad, apreciarse seca o pálida.

Encías secas o pálidas, o úlceras en la boca.

Sed o que se niegue a beber o a comer.

Cambios en la personalidad, irritabilidad exacerbada o marcada somnolencia o lasitud.

Dolor de cabeza.

Un empeoramiento súbito en su comportamiento, rechazo a hacer ciertas cosas que antes disfrutaba (los cambios en el comportamiento son por lo general signos de un padecimiento).

Grita o se queja.

Repentinamente empieza a presentar convulsiones, alucinaciones o caídas.

Inflamación en alguna parte del cuerpo (revise especialmente manos y pies).

Tos, estornudos, signos de congestión respiratoria o dificultad para respirar.

Hágase usted las siguientes preguntas: ¿Ha sufrido el enfermo alguna caída por leve que haya sido? ¿Ha defecado regularmente en las últimas 72 horas? ¿Está recibiendo un medicamento nuevo? ¿Se siente mejor si toma un analgésico ligero del tipo de la aspirina? ¿Tiene otros problemas de salud tales como una cardiopatía, artritis o un resfriado?

Si una persona empieza a bajar de peso puede ser el inicio de un padecimiento grave. Es importante que su médico determine la causa de esta baja de peso. Una persona que ha perdido el 10% de su peso necesita que lo vea el médico cuanto antes.

Las personas que no se pueden expresar bien a menudo no pueden decir "no" o "sí" cuando se les hacen preguntas concretas tales como "¿te duele la cabeza?"

DOLOR

Los familiares de los enfermos a menudo preguntan si a consecuencia de la demencia éstos sufren algún dolor. Hasta donde ahora se sabe, la enfermedad de Alzheimer no causa dolor, y la demencia por infartos múltiples sólo a veces se acompaña de dolor. Sin embargo, las personas con demencia sí sufren dolor debido a otras causas, por ejemplo, por cólicos abdominales o intestinales; constipación; esguinces, luxaciones o fracturas de huesos; por estar sentados mucho tiempo en una misma postura; por catarro, artritis, por escaras por presión, contusiones o magulladuras; irritaciones o erupciones por falta de higiene; por problemas de dientes o encías; por ropa o zapatos apretados o que lastimen, por algún alfiler de seguridad abierto. Señales de dolor son: empeoramiento brusco de su conducta, se queja o grita, se niega a hacer ciertas cosas, presenta una inquietud exacerbada. Todos los signos de dolor deben tomarse seriamente. Si la persona no puede decirle si le duele algo, el médico tendrá que buscar la causa del dolor.

CAÍDAS Y LESIONES

Las personas con una enfermedad demencial se vuelven torpes y pueden caerse de la cama, chocar contra los muebles, tropezarse o cortarse. Es fácil no advertir que el paciente se ha lastimado debido a varias razones: 1) Las personas mayores son más propensas a que se les fracturen los huesos por causas aparentemente insignificantes; 2) pueden seguir usando como si nada un miembro fracturado; 3) pueden no decir que les duele algo; 4) una lesión en la cabeza, por leve que sea, puede causar una hemorragia intracraneana que debe ser tratada de inmediato para evitar mayores daños al cerebro.

Como rutina revise que su enfermo no tenga cortadas, raspones o ampollas que pudieran haber sido causados por algún accidente, caída, ropa incómoda o por estar yendo de un lado a otro. Los cambios de conducta podrían ser el único indicio de que existe una lesión.

ESCARAS POR PRESIÓN

Las escaras por presión (úlceras de decúbito) aparecen cuando una persona está sentada o acostada durante periodos prolongados, cuando usa ropa muy ajustada, tiene inflamada alguna zona, o no se está nutriendo adecuadamente. La piel de las personas mayores es muy sensible a todo esto. Las escaras empiezan como zonas enrojecidas y pueden convertirse en úlceras abiertas. Son más comunes en los puntos en donde sobresalen los huesos como son los talones, hombros, espina, codos, rodillas, caderas y tobillos. Hay que vigilar que no se formen incluso en los pacientes que caminan normalmente, ya que también pueden permanecer sentados o acostados muchas horas. El médico le explicará cómo tratar estas zonas enrojecidas y habrá que cuidarlas mucho para que no se conviertan en problemas serios.

Anime al enfermo a cambiar de postura; pídale que se levante a cambiar el canal de la TV, que camine un rato, que ponga la mesa, etc. Pídale que lo acompañe a la cocina a ver si el pastel se está cociendo bien, o que se acerque a la ventana para enseñarle algo interesante.

Si la persona no cambia de posición frecuentemente, hay maneras de protegerle estas zonas propensas a las escaras. En las tiendas de material y equipo médico se pueden comprar cojines de "flotación" sobre los cuales se sentará o acostará el enfermo (pueden ser cojines de aire, de agua, de hule espuma, o de una combinación de éstos). Elija uno que esté recubierto de un material suave y lavable con protección contra la humedad y los malos olores. También se pueden conseguir cojincillos para los talones y codos (están hechos de una especie de zalea sintética) para proteger estas áreas en las que sobresalen los huesos.

DESHIDRATACIÓN

Incluso los enfermos que pueden caminar y parecen bastarse a sí mismos pueden sufrir deshidratación. Como asumimos que se pueden cuidar, tal vez no notemos los signos de una deshidratación. Esté alerta a este problema, especialmente en las personas que tienen vómitos, diarrea o diabetes, o que están tomando diuréticos o medicina para el corazón. Los síntomas incluyen sed o rechazo a beber líquidos, fiebre, bochornos, pulso rápido, boca seca o pálida por dentro, o una piel reseca e inelástica; mareo o aturdimiento; confusión o alucinaciones.

La cantidad de líquido que una persona requiere varía de un individuo a otro y depende de la estación del año. La gente necesita más líquido en el verano. Si usted no está seguro de que la persona está tomando suficientes líquidos, pregúntele al médico qué cantidad debe beber el paciente.

NEUMONÍA

La neumonía es una infección de los pulmones causada por virus o bacterias y frecuentemente es una complicación de la demencia. A veces es difícil de diagnosticar debido a que los síntomas como la fiebre o la tos no siempre se presentan. En algunos pacientes el primer síntoma es el delirio, por lo que debe sospecharse una neumonía cuando una persona con demencia se empeora de repente.

CONSTIPACIÓN

Una persona con problemas de la memoria suele olvidar cuándo fue la última vez que defecó y tal vez no se dé cuenta de la incomodidad que causa la constipación. Algunas personas defecan con menos frecuencia que otras; sin embargo, deben obrar por lo menos cada dos o tres días.

La constipación causa incomodidad o dolor, lo que podría originar que empeorara la confusión de la persona. También podría dar origen a una impactación fecal con la cual el intestino se obstruye parcial o completamente y el organismo es incapaz de deshacerse de sus desechos. Si usted sospecha esto, debe consultar al médico o a la enfermera, y hay que tener en cuenta que una persona puede tener diarrea y al mismo tiempo sufrir una impactación parcial.

Son varios los factores que contribuyen al estreñimiento y uno de los más importantes es la dieta. En los países industrializados la gente consume muchos alimentos refinados y fáciles de preparar, y con poca o nula fibra, la cual es necesaria para promover la actividad intestinal. Frecuentemente las personas que tienen desajustada la dentadura, las que sufren dolores de dientes y muelas o que tienen una enfermedad demencial alteran todavía más su patrón alimentario, lo cual agrava el problema del estreñimiento. Los músculos del intestino que mueven el contenido fecal se supone que son menos activos a medida que envejecemos, o cuando nos volvemos menos activos físicamente, en especial esto último. Algunos medicamentos y suplementos dietéticos que se administran a las personas que no quieren comer tienden a aumentar el estreñimiento.

Si su enfermo le asegura que puede cuidarse a sí mismo, no dé usted por hecho que puede recordar cuándo fue la última vez que defecó, aunque sólo parezca tener una ligera alteración mental. Si la persona vive sola, probablemente ha dejado de comer alimentos cuya preparación requiere cierta habilidad y seguramente estará comiendo demasiados pasteles, galletas y otras cosas muy refinadas y con escasa fibra. Si no viven juntos será imposible averiguar qué tan regularmente defeca, pero si sospecha que está estreñida es necesario vigilarla. Hágalo sin entrometerse mucho, discretamente, para que no se dé cuenta que usted se está tomando esas atribuciones y encargándose del asunto.

Muchas personas son muy reservadas en lo tocante a sus funciones orgánicas y una persona confusa puede reaccionar con enojo a lo que ella considera una invasión de su privacía por parte de usted. Para muchos de nosotros es desagradable y tendemos a evitar estar al pendiente de los movimientos intestinales de otra persona.

Cuando la persona no puede hablar y parece estar molesta o con dolor de cabeza, piense en la posibilidad de un constipación. Dentro de todos los quehaceres que implica atender a un enfermo, es fácil olvidar llevar la pista de sus movimientos intestinales. Si sospecha que el enfermo podría estar constipado, comuníquese con su médico quien podrá determinar si los intestinos del enfermo están trabajando adecuadamente y, en caso contrario, le dirá cómo manejar la situación.

No es muy recomendable el uso regular o frecuente de laxantes. Conviene más aumentar la cantidad de fibra y de agua de la dieta, y procurar que el enfermo haga más ejercicio (una caminata diaria tal vez). La persona deberá ingerir por lo menos ocho vasos de agua o jugos al día. Aumente la cantidad de verduras en su dieta (póngalas a su alcance para que tome entre comidas); haga lo mismo con la fruta (ciruelas pasas, manzanas, también como colaciones o con cereales), los cereales de grano entero (o salvado y el pan integral), las ensaladas, los frijoles y las nueces. Los cereales integrales y la granola son también excelentes como colación.

Pregunte a su médico si debe agregar más fibra administrándole preparados de psyllium (se compra bajo diferentes nombres comerciales como el Metamucil), pero no se los dé sin supervisión médica.

MEDICAMENTOS

Los medicamentos son armas de dos filos. Pueden jugar un papel vital en lograr que el enfermo duerma, controle su agitación o se cure de otras afecciones; pero por otra parte, las personas con demencia (y muchas personas en general) tienden a excederse al tomar medicamentos y a las reacciones por mezclar fármacos. Podrían ser efectos colaterales de un medicamento y deberán someterse a la atención del médico: movimientos extraños de la boca y manos, aumento de la agitación, caídas, mareos, rigidez, incontinencia, irse de lado o caminar lentamente y encorvado. Usted y su médico deberán trabajar juntos hasta encontrar los medicamentos y las dosificaciones seguras.

Algunos farmacéuticos están enterados de los efectos e interacciones de los fármacos y de las drogas; muchos de ellos reciben inclusive un entrenamiento especial en farmacología geriátrica. Sin embargo, gran parte de la responsabilidad de los medicamentos recaerá en usted, y dentro de lo que puede hacer para velar por el enfermo está lo siguiente:

Tenga la certeza de que todos los médicos que intervienen en la atención del enfermo están enterados de todos los medicamentos que éste toma. A veces la combinación de varias drogas puede empeorar la confusión. Sería conveniente que usted llevara todas las recetas de las drogas y fármacos que le han sido prescritos al enfermo, a que las revise el médico encargado del enfermo y pregúntele si algunos de ellos deben inscribirse en la pulsera de identificación del enfermo.

Algunas medicinas deben tomarse antes de las comidas, otras después. Las hay que tienen un efecto acumulativo en el organismo (esto es, gradualmente logran su efectividad); hay otras que no. Los ancianos, así como aquellas personas con una enfermedad demencial son especialmente sensibles a cualquier dosis incorrecta; por consiguiente, es imperativo que usted vigile que su enfermo está recibiendo los medicamentos en la cantidad y a las horas especificadas por el médico.

Hay pacientes que no comprenden por qué insiste uno en que tomen una medicina, incluso llegan a presentar reacciones catastróficas. Evite discutir el asunto y sólo concrétese a darle indicaciones paso por paso, por ejemplo: "Esta es tu pastilla. Te la recetó el doctor Aguilar. Ponla en tu boca. Bebe un poco de agua". Si la persona se irrita, intente darle la medicina después de un rato. Algunas personas toman sus píldoras fácilmente si se lleva la rutina de poner cada dosis en una taza o en un vaso de papel en vez de darle el frasco para que la tomen.

Hay pacientes que no pueden tragar las pastillas (o que se rehúsan a hacerlo); detienen la pastilla dentro de la boca y luego la escupen. Uno se las encuentra más tarde rodando por el piso. Para evitarlo conviene que la persona beba algo al tomar la medicina. Si persiste el problema, pregúntele al médico si la medicina tiene alguna otra presentación. Las pastillas o las suspensiones son más fáciles de tragar que las cápsulas. A veces se pueden machacar las pastillas y luego mezclar el polvo con algo de comida; el puré de manzana es excelente para esto. Si usted no tiene la certeza de que el paciente ha tomado la medicina, pídale instrucciones al médico sobre lo que debe hacer. Si las pastillas andan rodando por el piso, vigile que no las ingieran los niños o los animales domésticos.

Nunca se fíe de que una persona con problemas de la memoria es capaz de hacerse cargo de tomar sus medicamentos. Si debe dejarla sola, ponga en un vaso la dosis que le corresponde y llévese el frasco. Las personas con trastornos ligeros de la memoria (y a veces hasta las normales) no recuerdan a ciencia cierta si tomaron o no su medicina.

Cuando uno anda cansado o preocupado, fácilmente se olvida de dar las medicinas al enfermo. En las farmacias se pueden comprar recipientes de plástico con compartimientos rotulados con los días de la semana; con sólo verlos uno puede saber si se le ha dado o no la medicina correspondiente a ese día (éste es un recordatorio para usted, no espere que el paciente lo use). Por último, guarde los medicamentos fuera del alcance del paciente.

PROBLEMAS DENTALES

Es importante que la persona reciba atención odontológica periódicamente. Es difícil que el enfermo pueda avisarle si tiene úlceras bucales o que usted las descubra, pues probablemente se rehusará a que le revise la boca. Aun con trastornos ligeros de la memoria, las personas se olvidan de que tienen dentadura postiza y pueden contraer infecciones orales. El enfermo no debe tener molestias en los dientes; si usa dentadura postiza, debe tenerla bien ajustada pues de lo contrario contribuirá a que tenga una alimentación deficiente que vendrá a agravar significativamente su estado.

PROBLEMAS DE LA VISIÓN

A veces la persona parece no ver bien, o dará la impresión que se está quedando ciega; se tropieza contra los muebles, levanta demasiado los pies para subir un escalón, batalla para levantar su comida con el tenedor, o se confunde o se pierde cuando hay poca luz. Lo que puede estar sucediendo es una de las siguientes cosas:

Podría tener algún trastorno de la visión del tipo de cataratas o presbicia. Haga que un oftalmólogo revise al enfermo. Un problema corregible de la visión deberá resolverse de inmediato para que su cerebro deteriorado pueda recibir de los ojos la mejor información posible. Si además de no ver bien tampoco interpreta bien lo que ve, no podrá darle sentido al medio que le rodea y su funcionamiento será más pobre. No permita que el médico menosprecie sus problemas de la visión pretextando que se debe a su "senilidad". Aunque el médico no pueda hacer nada al respecto, deberá explicarle a usted el problema del enfermo.

Las personas con daño cerebral pierden la capacidad de distinguir intensidades similares de color; de esta manera, el azul cielo, el verde pálido y el amarillo limón los percibirá como similares; le será difícil distinguir un pasamanos blanco que esté sobre una pared clara, o el punto en el que se unen una pared verde claro y una alfombra verde azul.

Algunos enfermos tienen dificultad para percibir los planos profundos. Así, los estampados y las formas los confunden; tal vez creerá que un piso con azulejos negros y blancos está lleno de hoyos. No saben si están lo suficientemente cerca de una silla para sentarse en ella; no pueden calcular la altura de un escalón o de la banqueta ni dónde poner el pie al subir escalones. El ojo de un viejo tarda más tiempo en adaptarse a los cambios bruscos de una luz intensa a la oscuridad y viceversa.

Cuando el cerebro no está trabajando bien, la persona será menos capaz de compensar estos problemas de la visión. El enfermo necesita ver lo mejor posible para poder funcionar a su nivel máximo. Para facilitarle las cosas, pinte de oscuro el pasamanos si la pared es clara; pinte los frisos inferiores de la pared de un color oscuro si la pared es clara para indicarle el punto en el que se separan pared y piso. Ponga una alfombra lavable en el baño, fijándola bien para que no se resbale. Delínee los bordes y el fondo de la tina con bandas de color, mediante una cinta a prueba de agua. Pinte de colores contrastantes los peldaños y contraescalones de la escalera para que el contraste le sirva de guía. Marque el contorno de puertas, repisas, etc., contra las que podría golpearse, utilizando cinta adhesiva de color brillante y contrastante (claro sobre oscuro y oscuro sobre claro).

Aumente la luz de los cuartos durante el día y al atardecer y deje encendidas lámparas en la noche. Ponga luz en los clósets oscuros. Cubra los sillones con telas de colores brillantes y contrastantes, sin estampados. No cambie los muebles de lugar.

Los enfermos pueden perder la capacidad de *saber* lo que ven, es decir, los ojos funcionan bien, pero el cerebro no le da sentido a lo que le dicen los ojos. Por ejemplo, la persona puede chocar contra un mueble no porque tenga problemas de la visión sino porque su cerebro ya no funciona adecuadamente. Lo que parece un problema de la visión no es más que la propia demencia, condición que se conoce como agnosia y que abordamos en el Capítulo 8. Ante un problema de agnosia el oftalmólogo no puede hacer nada; incluso le será muy difícil probar la visión de la persona con trastornos del lenguaje y de pensamiento. Obviamente, sale sobrando decirle a la persona que se fije por donde camina; lo que hay que hacer es extremar las precauciones para protegerla de accidentes que ella no podrá evitar.

Si el enfermo pierde los anteojos muy seguido, conviene que los use con una cadena. Mándele hacer un par adicional por si llegara a perderlos, y si van a salir de la ciudad, lleve la receta de los anteojos del enfermo por si llegaran a romperse o a extraviarse.

Si la persona usa lentes de contacto, es conveniente que cambie a anteojos antes de que llegue el momento en que ya no pueda manejarlos. Si continúa usándolos, usted deberá responsabilizarse de que está aseándolos adecuadamente y estar al pendiente de que no presente irritaciones.

PROBLEMAS DE LA AUDICIÓN

Si el enfermo no puede oír correctamente la información que necesita para dar sentido al medio que le rodea y por tanto crecerá su desconfianza y su retraimiento (ver Capítulo 8). Así pues, es importante corregir si es posible cualquier problema de la audición. El médico puede determinar la causa del problema y orientarlos para elegir la prótesis auditiva más apropiada. Al igual que con los problemas de la visión, a veces es difícil separar los problemas de la mente de los del oído. Como el enfermo no puede aprender fácilmente podría ser incapaz de ajustarse a su prótesis pues estos aparatos captan los ruidos de fondo, que suenan muy fuerte, e irritan a la persona. Si usted va a comprar uno de estos aparatos, hágalo a condición de poder regresarlo y recuperar su dinero en caso de que el enfermo no pueda adaptarse a él.

Si el enfermo utiliza una prótesis auditiva, usted se responsabilizará de ella y deberá comprobar regularmente que las pilas estén en buen estado.

Además de corregir la audición mediante una prótesis, usted puede hacer lo siguiente:

1. Reduzca los ruidos de fondo, tales como los provenientes de enseres domésticos y la televisión, o los ruidos que hacen varias personas hablando a la vez. Es difícil, para una persona deteriorada, distinguir lo que quiere escuchar de entre los ruidos de fondo.

2. Baje el tono de su voz. Los sonidos de alta frecuencia son más difíciles de oír.

3. Dé a la persona pistas sobre la procedencia de los sonidos. A veces es difícil localizarlos e identificarlos y esto confunde a la persona. Recuérdele por ejemplo, "Eso que oyes es el camión de la basura".

4. Déle varios tipos de pistas, por ejemplo hablándole, señalándole y guiándolo.

LA CONSULTA AL MÉDICO

Ir al médico o al dentista puede convertirse en un verdadero suplicio para usted y para el paciente. Las siguientes recomendaciones podrían facilitarles las cosas:

A veces los enfermos no comprenden que los tenga que ver el médico. Esto, aunado al alboroto de la preparación para salir, a menudo precipitan una reacción catastrófica. Busque la manera de simplificar las cosas para su enfermo.

Hemos observado que mientras unos enfermos reaccionan mejor cuando se les explica con anticipación que van a ir al médico, a otros es preferible no mencionarles nada hasta casi el momento de llegar ahí. En lugar de decirle "Tenemos que levantarnos temprano", o "Apúrate a desayunar porque tienes cita con el doctor Pérez para que te cambie la medicina", concrétese a levantar a la persona temprano sin comentarle nada, sírvale el desayuno y alístelo para salir. Cuando estén por llegar al consultorio, dígale "Hoy tenemos que ver al doctor Pérez". No preste oídos a las objeciones ni inicie una discusión. Si el enfermo dice, "No voy a ir al médico", en vez de contestarle "Tienes que ir", trate de cambiar el tema y decirle algo como, "Cuando estemos en el centro nos compraremos un helado".

Planee su salida con anticipación. Prevea la ruta que tomará, el lugar donde estacionará el automóvil, el tiempo que tardarán ahí, y también si hay que subir escaleras o tomar elevador. Salga sin apresuramientos, con el tiempo suficiente pero sin tanta anticipación que los obligue a esperar mucho tiempo. Pida la cita para la hora del día en que el enfermo está mejor. Hágase acompañar de alguien más que se encargue del enfermo mientras usted maneja.

Pregunte a la enfermera o recepcionista si tendrán que esperar mucho tiempo. Si el consultorio está atestado de gente y con mucho ruido, es mejor que el enfermo espere en algún cuarto aparte más tranquilo. Lleve una provisión de bocadillos y una actividad que al enfermo le agrade realizar. Si la espera va a ser larga, salgan a dar una vuelta a la manzana. Nunca deje sola en un cuarto de espera a una persona con problemas de la memoria pues el sitio extraño lo inquietará y podría salirse a caminar sin rumbo.

Por lo general bastará que usted se mantenga tranquilo y en actitud positiva, dándole al enfermo información simple que le infunda seguridad, para que él guarde la calma. Sin embargo, cuando no hay alternativa, el médico puede prescribirle un sedante.

ATAQUES O CONVULSIONES

Los ataques son raros y la mayoría de las personas con enfermedades demenciales no los presentan. Sin embargo, si se llega a dar el caso podría ser aterrorizante para usted si no está preparado para afrontarlo. Además, los ataques podrían no estar relacionados con la demencia ya que varias enfermedades pueden causarlos.

Hay varios tipos de ataques. El tónico-clónico generalizado es el que comúnmente asociamos con un ataque. Se caracteriza porque la persona se pone rígida, se desploma y pierde la conciencia; su respiración suele tornarse irregular, e inclusive detenerse brevemente; después sus músculos empiezan a sacudirse y aprieta con fuerza los dientes. Pasados unos segundos, el sacudimiento muscular cesa y la persona poco a poco recobra la conciencia, a veces con somnolencia, confusión o dolor de cabeza y dificultad para hablar.

Otros tipos de ataques son menos dramáticos, sólo hay movimientos repetitivos de una mano o un brazo.

Un ataque aislado no pone en peligro la vida. Lo más importante es conservar la calma, no intentar sujetar a la persona, y protegerla de que no se caiga o se golpee la cabeza con algo duro. Si se encuentra en el piso, deben retirar todas las cosas que estén cerca del enfermo. Si está sentado, hay que deslizarlo suavemente hacia el piso, o poner junto a él rápidamente un cojín para amortiguar la caída que es inminente.

No trate de moverlo, ni de detener el ataque. Quédese con él y deje que el ataque siga su curso. Tampoco trate de detenerle la lengua ni de poner una cuchara dentro de la boca del enfermo. Nunca intente forzarle a que abra la boca una vez que ha apretado los dientes pues podría lastimarle las encías y los dientes. Aflójele la ropa si esto es posible, por ejemplo, el cinturón, la corbata, o los botones del cuello.

Una vez que el sacudimiento muscular ha cesado, vigile que la persona respire correctamente. Si tiene más saliva de la normal, con suavidad póngale de lado la cabeza y límpiele la boca. Déjela descansar o dormir si lo desea. Después del ataque podría quedar irritable, confusa y beligerante. Sabrá que algo anda mal, pero no recordará el ataque. Conserve usted la calma, sea afable y tranquilícelo sin insistirle en que debe hacer tal o cual cosa.

Concluido el ataque, tómese usted unos minutos para relajarse y serenarse.

Si la persona sufre un ataque parcial, no hay nada que hacer más que vigilar que no se lastime si anda deambulando. Al terminar este tipo de ataque, la persona queda temporalmente confusa, irritable, o con dificultad para hablar. Es posible identificar el inicio inminente de un ataque a través de señales de advertencia como los movimientos repetitivos. En tal caso, prevea que la persona esté en un lugar seguro (lejos de escaleras, estufas, etc.).

Su médico puede auxiliarlos en caso de ataques. Notifíquele la primera vez que el enfermo sufra uno para que pueda revisarlo y determinar la causa. Quédese con el enfermo hasta que concluya el ataque y usted esté tranquilo. Después llame al médico, quien tal vez pueda recetar algún medicamento para reducir al mínimo la posibilidad de que se repita.

Si el paciente está recibiendo tratamiento para los ataques, avísele al médico si éstos ocurren en un periodo corto de tiempo, si los síntomas no desaparecen después de transcurridas algunas horas, o si sospecha que la persona se ha golpeado la cabeza o lastimado de alguna otra manera.

Los ataques son aterrorizantes y desagradables para el que los presencia, pero por lo general no ponen en peligro la vida del enfermo; tampoco son peligrosos para terceras personas ni es inicio de locura. A medida que uno aprende a encararlos se vuelven menos alarmantes. Platique con una enfermera, o con algún miembro de la familia que tenga experiencia en estos asuntos y partícipele su angustia.

MOVIMIENTOS INVOLUNTARIOS BRUSCOS

Los pacientes con enfermedad de Alzheimer presentan ocasionalmente sacudidas musculares rápidas de brazos, piernas o del cuerpo que se conocen como sacudidas mioclónicas. No son ataques. Las sacudidas mioclónicas son acometidas aisladas de un brazo o de la cabeza y no los movimientos repetitivos de los mismos músculos que caracteriza a los ataques.

Los movimientos mioclónicos no deben ser motivo de alarma. Tampoco progresan hasta convertirse en ataques. El único problema podría ser que el paciente se golpeara inadvertidamente o se lesionara accidentalmente. Por el momento no existen tratamientos efectivos para los movimientos mioclónicos asociados a la enfermedad de Alzheimer. Podrían probarse algunos medicamentos, pero éstos generalmente tienen efectos colaterales importantes y la mejoría es casi nula.

LA MUERTE DEL ENFERMO

Cuando uno tiene a su cuidado a un enfermo crónico o viejo siempre enfrenta la posibilidad de presenciar su muerte. Probablemente tenga usted preguntas que no ha querido hacerle a su médico. Muchas veces pensar en estas cosas con anticipación le ayudará a tranquilizarlo y hará las cosas más fáciles, si tuviera que hacer frente a una crisis.

Causa de la muerte

En las etapas finales de una enfermedad demencial progresiva es tan extensa la lesión del sistema nervioso que afecta profundamente el resto del organismo. La causa *inmediata* de la muerte es por lo general una complicación del tipo de una neumonía, una desnutrición (los enfermos a menudo dejan de comer), una deshidratación, o una infección. Los certificados de defunción casi siempre mencionan sólo a la complicación como la causa inmediata de la muerte, no así a la enfermedad demencial como la causa verdadera del deceso. Esta imprecisión ha dificultado a los epidemiólogos determinar la prevalencia de las enfermedades demenciales.

El deceso en el hogar

A los familiares a menudo les preocupa que el enfermo muera en su domicilio, tal vez durante el sueño, y que ellos sean los primeros en darse cuenta del fallecimiento. Muchas personas que tienen enfermos a su cuidado temen dormirse profundamente, y se levantan varias veces durante la noche para cerciorarse que el enfermo está bien.

"¿Qué pasaría si los niños encontrarán muerto al enfermo?", es preocupación común de muchas familias. "¿De qué manera manejaría yo el asunto? Sé de varias personas que encontraron muerto a su cónyuge". Saber con anticipación lo que tenemos que hacer a la mayoría nos da seguridad. Por ello, escoja con tiempo una agencia funeraria y si ocurriera el deceso, sólo tendrá que llamar a ésta y al médico.

En algunas ciudades hay apoyos especiales para las personas que tienen enfermedades terminales y que junto con sus familiares eligen morir en su casa o en un asilo. En los hospitales de su localidad podrán informarle de los apoyos y de otros programas semejantes que existan en su zona. Ahí recibirá usted asesoría y asistencia.

¿Vamos a prolongar el sufrimiento?

Hay otro aspecto qué considerar cuando una persona tiene un padecimiento terminal crónico y lento: la cuestión de si es mejor dejar que la vida termine, o prolongar el sufrimiento, una cuestión muy seria a la que se enfrentan médicos, jueces y ministros religiosos al igual que el enfermo crónico y su familia. Cada uno debe hacer la decisión por sí mismo, basándose en sus particulares antecedentes, experiencias y creencias.

Hablar de la muerte es difícil casi siempre; sin embargo, ventilar estos asuntos discutiéndolos con otros miembros de la familia, amigos, ministro religioso y el médico a menudo nos aligeran de la agobiante sensación de estar solos. Tales pensamientos sobre la muerte a menudo reflejan nuestros sentimientos subyacentes de depresión, ira o desesperanza, y al hablar de ellos podemos tender un puente a estas emociones.

Autopsia

Es probable que su médico le pida autorización para realizar la autopsia, o que usted solicite que la hagan. Nuestra posición es que es importante que se practique la autopsia por varias razones: primera, es la única manera de confirmar el diagnóstico de enfermedad de Alzheimer así como de otras muchas causas de demencia, y es conveniente que la familia sepa de qué enfermedad se trató pues en el futuro podría ser importante cuando se disponga de una terapia específica. Segundo, los médicos aprenden a partir de la información de las autopsias, en beneficio de otros pacientes. Por último, los estudios post mortem aumentan los conocimientos existentes acerca de las enfermedades que causan demencia, y si usted reside cerca de alguna institución que esté llevando a cabo investigación sobre la demencia, la autopsia será muy útil para los científicos. Al hacer la autopsia no desfiguran el cuerpo.

7
Problemas de la conducta

ENCUBRIMIENTO DE LA PÉRDIDA DE LA MEMORIA

Ya hemos visto cómo las personas que sufren un proceso demenciante llegan a volverse muy hábiles para ocultar la declinación de sus capacidades y su falta de memoria; y es comprensible puesto que nadie quiere admitir que se acerca a la "senilidad".

Esta tendencia a disimular las limitaciones es causa de aflicción de muchas familias. La persona que convive con alguien que tiene una enfermedad demencial, y que muchas veces sabe que su enfermo ya es incapaz de valerse por sí mismo, no recibe el apoyo y la comprensión de familiares y amigos, quienes no pueden darse cuenta del problema. Tal vez los amigos digan "Fulanito se ve y se oye muy bien, no parece estar enfermo, no entiendo por qué no me llama o viene a verme". Los familiares, tal vez no puedan distinguir una verdadera pérdida de la memoria, de un simple desapego de su pariente.

Si la persona enferma ha estado viviendo sola, sus familiares, vecinos y amigos no se darán cuenta por mucho tiempo de que está mal. Cuando una persona no admite que tiene dificultad para recordar, podrían pasar años antes de que una crisis develara su verdadero estado. Los familiares muchas veces se quedan estupefactos y angustiados cuando finalmente descubren el grado de incapacidad del enfermo.

Inmediatamente se preguntan qué tanto puede hacer todavía por sí mismo, y qué tanto necesita que le hagan. Si aún tiene un empleo, si se encarga de administrar su propio dinero y si todavía conduce un automóvil, podría no darse cuenta, o no querer admitir, que ya no puede seguir realizando estas tareas tan bien, como antes. Hay quienes reconocen que su memoria va declinando. La gente reacciona a esto de maneras muy distintas. Mientras que hay personas que no quieren admitir que algo está mal, otros encuentran alivio al hablar de lo que les está sucediendo. En este último caso, escúchela y sea sensible a sus pensamientos, a sus sentimientos y a sus temores. Esto puede ser consolador y le da la oportunidad de comprender lo que está sucediendo.

Hay enfermos que encubren con éxito sus limitaciones con la ayuda de una serie de listas, recordatorios y de fórmulas para conversar. Otras personas reaccionan con ira y culpan a los demás cuando se les olvidan las cosas. Otras más dejan de participar en actividades que siempre habían disfrutado.

Una característica frecuente de las enfermedades demenciales es que tanto la personalidad como las habilidades sociales parecen casi intactas, mientras que la memoria y la capacidad de aprender se han perdido, particularidad que permite al enfermo disimular su padecimiento durante mucho tiempo. Si uno habla con él acerca de asuntos rutinarios, no se percatará del deterioro de su memoria y su razonamiento. Como las enfermedades demenciales llegan a ser tan engañosas aun para las personas cercanas al enfermo, es sumamente importante efectuar una evaluación psicológica y de terapia ocupacional para conocer la condición mental de la persona y tener bases para planear en forma realista su situación futura. Estos profesionales también podrían hablar con el enfermo acerca de sus hallazgos y hacerle ver las diferentes maneras en que él podría seguir viviendo lo más independiente posible.

VAGANCIA

La vagancia es un problema común y a menudo bastante serio al que hay que prestarle cuidadosa consideración. Esta conducta puede dificultar el manejo de la persona en casa. Puede ser causa de que no se puedan encargar de ella en centros de atención diurna. El enfermo peligra cuando vaga sin rumbo por calles atestadas de gente y autos, o por razones extrañas; al sentirse desorientado y extraviado el enfermo confuso se aterroriza, y como la mayoría de la gente no entiende lo que es la demencia, los extraños que traten de auxiliarlo pensarán que está borracho, drogado o loco. Si se sale a vagabundear en la noche privará a sus familiares del descanso nocturno. En muchos casos, sin embargo, esta conducta puede atajarse, o cuando menos reducirse.

Como al parecer hay diferentes tipos de vagabundeo así como diferentes razones por las cuales las personas con un menoscabo mental caminan sin rumbo, si identifica la causa de esta conducta podrá planear una estrategia para manejarlo.

A veces las personas vagan porque están perdidas. Por ejemplo, tal vez sale a hacer un mandado, como ir a la tienda, da una vuelta equivocada, se desorienta, y se pierde al tratar de encontrar su rumbo. O tal vez vaya de compras con usted, de pronto lo pierde de vista y se extravía al tratar de localizarlo.

Es más frecuente que el enfermo camine sin rumbo cuando acaba de mudarse a una casa nueva, cuando empieza a asistir a una estancia diurna, o cuando por alguna razón debe estar en un medio extraño.

Hay enfermos que vagan intermitentemente sin una razón aparente.

Hay un tipo de vagancia que parece no tener sentido y que puede prolongarse horas. Esta conducta parece distinta de la que resulta de estar en un ambiente extraño o de estar perdido. La persona va y viene dentro de la casa con un paso agitado y resuelto que crispa los nervios de todos los que están con él. La situación se vuelve peligrosa cuando el enfermo se obstina en salir a la calle. Esta conducta puede estar asociada al daño cerebral. Hay veces en que después de caminar de un lado a otro por mucho tiempo, el enfermo termina con los pies hinchados.

Hay enfermos que vagan de noche. Esto puede ser muy peligroso para ellos y agotador para usted. La vagancia nocturna tiene muchas causas, que varían desde la desorientación hasta el paso agitado.

Muchos podemos entender lo que experimenta un enfermo confuso al desorientarse. Tal vez nosotros hemos perdido el auto en un enorme estacionamiento o nos hemos desorientado en un sitio extraño. Al principio nos confundimos, hasta que logramos contenernos y pensamos en una manera lógica de averiguar dónde estamos. Una persona con un deterioro de la memoria es menos capaz de contenerse cuando se llena de pánico del que es fácil presa, y tiende a sentir que debe guardar en secreto su desorientación.

La vagancia empeora por un cambio de casa o un cambio de ambiente, tal vez se deba a que la persona con trastornos de la memoria y confusión mental no puede aprender a orientarse en un nuevo escenario; o a que está decidido a irse a "su casa" porque no entiende que se ha mudado. El estrés que implica un cambio de este tipo puede trastornar su capacidad de orientación y por ende, será más difícil que aprenda a moverse en el nuevo lugar.

Tal vez vagar sin sentido sea la manera en que el enfermo trata de comunicar sus sentimientos, de decir "Me *siento* perdido. Estoy buscando las cosas que siento que he perdido."

El señor García era un hombre corpulento de 60 años que insistía en salirse del centro de cuidado diurno. La policía lograba encontrarlo a varios kilómetros del lugar, caminando sobre la autopista. Siempre explicaba que se dirigía a Veracruz, lugar que representaba para él su hogar, sus amigos, sus calles, su seguridad y su familia.

Vagar podría ser también la manera en que el enfermo expresa su intranquilidad, su aburrimiento, o su necesidad de hacer ejercicio. En este caso, podemos contrarrestar esta conducta satisfaciendo la necesidad de "estar haciendo algo" que tienen las personas activas.

El paso agitado, o la determinación de alejarse, llega a ser difícil de manejar y a veces es fuente de reacciones catastróficas. No descarte la posibilidad de que algo esté irritando al enfermo, de que puede estar malinterpretando lo que oye o ve, o de que no entienda lo que sucede a su alrededor. A veces esta conducta parece estar en relación directa con la enfermedad demencial, pero en general es difícil saber a ciencia cierta lo que le está sucediendo al cerebro. Lo que sí sabemos es que la función cerebral puede estar seria y extensamente dañada. Recuerde que es una conducta que él ya no puede controlar.

El manejo de la vagancia

El manejo de la vagancia depende de aquello que la cause. Si el enfermo se desorienta y extravía a menudo, pero sólo padece un trastorno ligero y usted tiene la seguridad de que aún puede leer y seguir instrucciones, cada vez que salga a la calle escríbale instrucciones *simples y precisas* en una tarjeta que llevará en el bolsillo y a la que recurrirá si se pierde. En la parte superior de la tarjeta póngale un letrero del tipo de los que siguen: "Ten calma y no te alejes de donde estás", o "llama por teléfono a la casa" (y anote su número de teléfono y dos números más de familiares por si no puede comunicarse al primero), o bien, "pídele a un empleado que te lleve al departamento de caballeros y ahí espérame. Yo iré a buscarte". A veces los enfermos desechan la tarjeta cuando la encuentran en su bolsillo, pero de todos modos vale la pena hacerla.

Es esencial que la persona lleve siempre una pulsera o collar de identificación con su nombre, número de teléfono y la frase "Sufre deterioro de la memoria"; es más segura la pulsera, sólo cerciórese de que el enfermo no se la pueda desabrochar ni tampoco sacar deslizándola sobre la mano. Hágasela de un material barato; la inscripción pueden hacerla en alguna joyería o lugar donde graben anillos, charolas, etc. Si existe la menor posibilidad de que el paciente se extravíe o de que vague sin rumbo, hágale la pulsera *de inmediato*. Esta medida es tan importante que algunas clínicas exigen que sus pacientes porten una pulsera o collar de identificación. Cuando una persona que sufre confusión se extravía, se altera y llena de pánico e incluso llega a rechazar toda ayuda que se le quiera prestar. Si no lleva este tipo de identificación la gente que se le acerque la tomará por loca y no le hará caso mientras que si la lleva, cualquiera que la ayude sabrá de inmediato qué hacer. Si está en una situación de pánico, su estado será más precario que de costumbre.

Algunas personas confusas llevan en el bolsillo o en la cartera una tarjeta con su nombre, domicilio y número telefónico. Otros las pierden o tiran, pero de cualquier modo, vale la pena intentar que el enfermo lleve consigo una tarjeta de identificación.

Para reducir la conducta de vagar cuando el enfermo se muda a un nuevo ambiente, sería bueno que planee la mudanza con anticipación para que la adaptación sea más fácil. Cuando la persona todavía es capaz de comprender y de participar en lo que sucede a su alrededor, puede ser bueno introducirlo gradualmente a su nueva situación. Si se está cambiando de casa, hágalo participar al planear la mudanza y llévelo a menudo a su próximo hogar antes de mudarlo. Si el enfermo ya no comprende lo que sucede, es mejor y más fácil no hacer esta introducción gradual al nuevo medio, sino simplemente mudarlo sin alboroto y lo más tranquilamente posible. Cada persona es única. Trate de lograr un equilibrio entre la necesidad del enfermo de participar en la toma de decisiones y su capacidad de comprender.

Si la persona va a asistir a un centro de atención diurna convendría que usted se quedara con él la primera vez o que al principio sólo se quedara ahí unas horas y no el día entero, para que se diera cuenta de que usted quiere que él esté en ese lugar.

Cuando una persona que sufre confusión descubre que está en un lugar nuevo, puede sentirse extraviada, o quizá que usted no lo va a hallar, o que tal vez no debería estar ahí. La labor de usted será darle seguridad una y otra vez respecto a dónde se encuentra y por qué esta ahí, como los ejemplos siguientes: "Ya estás viviendo con nosotros aquí, Papá. Esta es tu recámara y aquí están tus cosas", o bien, "Estás en este lugar durante la mañana; vendré por ti después de comer".

Los familiares nos dicen "eso no funciona" cuando les hacemos esas sugerencias. Y no funciona en el sentido de que el enfermo sigue insistiendo en que no vive ahí y que quiere regresarse a su casa. Esto se debe a que su memoria está deteriorada y no recuerda lo que se le dijo. Aún necesita que con paciencia y cariño le recuerden dónde se encuentra. Toma tiempo y paciencia el que acepte la mudanza y poco a poco se sienta seguro. También necesita este frecuente recordatorio de que usted sabe dónde está. La seguridad que usted con gentileza le infunda, y su comprensión de la confusión que sufre contribuirán a que disminuya su temor y el número de reacciones catastróficas que presente. Nuestra experiencia con pacientes hospitalizados por demencia es que aun tratándose de personas difíciles, el darles seguridad repetidamente, con tranquilidad y bondad, diciéndoles dónde se encuentran, a veces contribuye a que se sientan mejor, más a gusto y sean más fáciles de manejar. Sin embargo, esto puede tardar varios días (de cinco a siete días).

A una persona con una enfermedad demencial siempre lo trastorna una mudanza o un cambio de medio, y lo refleja en un aumento en su necesidad de vagar y en un empeoramiento de su estado durante un período de tiempo, pero es casi siempre una crisis temporal. Sin embargo, ante la expectativa de un empeoramiento del estado del enfermo, es conveniente que usted pondere bien cualquier plan de salir de vacaciones o de ir a visitar a alguien durante varios días.

Cuando la vagancia sin rumbo parece no obedecer a causa alguna, hay profesionales que piensan que hacer ejercicio contrarrestará esta necesidad. Trate de llevar a su paciente a que realice todos los días una caminata larga y a buen paso, pero tendrá que probar este plan de ejercicio durante varias semanas para decidir si tiene o no efecto.

Cuando vagar sin rumbo parece ser su manera de decir "Me siento perdido", o "Estoy buscando las cosas que siento que he perdido", intente rodear al enfermo de las cosas que le son familiares, como fotografías y objetos que él aprecie. Hágale que se sienta bienvenido sentándose a platicar con él o a tomar juntos una bebida caliente.

El paso agitado de un lado a otro, o los esfuerzos decididos de salir a la calle a caminar, a veces tienen su origen en reacciones catastróficas casi constantes o que están surgiendo frecuentemente. Observe si hay algo que pudiera estar desatándolas, o si surgen a cierta hora del día diariamente, o si son resultado de que se le pida que haga algo (como bañarse). Fíjese cómo está reaccionando la gente que le rodea en su deambular constante, y si de algún modo está aumentando su intranquilidad y sus deseos de alejarse de la casa. Si hay que sujetar a una persona, o salir tras ella, trate de distraerla más que de atajar su acción. Hablarle suavemente le infunde tranquilidad e inhibe una inminente reacción catastrófica que haría que su deambular incomprensible se transformase en un deseo abierto de irse de la casa. Un ambiente que tranquilice al enfermo logrará reducir su vagancia.

Llevaron al hospital a la señora Dorantes porque insistentemente había tratado de salirse del asilo donde residía. Sin embargo, a pesar de que el hospital también era un sitio extraño para ella, las enfermeras tuvieron menos dificultad para manejarla.

En ambos sitios se sentía perdida; sabía que no estaba en su casa y quería volver a ella. También estaba muy sola; su mente nebulosa le traía escenas de su antiguo trabajo, de sus viejos amigos y del ambiente al que sentía pertenecer. Por eso caminaba rumbo a la puerta. El personal del asilo la detenía gritándole "¡Eh, regrese acá!". Muy pronto los demás internos también "ayudaban" gritando "¡La señora Dorantes se quiere escapar otra vez!" El ruido confundía a la señora Dorantes quien redoblaba sus esfuerzos por escapar. En una ocasión que una empleada fue a detenerla, la enferma sintió pánico y empezó a correr a más no poder hacia una calle transitada. Al cerrarle el paso un transeúnte la señora Dorantes lo mordió. Estas escenas se repitieron una y otra vez hasta que, agobiado el personal y ella con reacciones catastróficas constantes, se llamó a sus familiares y se les dijo que la señora Dorantes era imposible de manejar. En el hospital casi de inmediato quiso escapar, sólo que aquí una enfermera la abordó con calma y le sugirió que ambas fueran a tomar un refresco (distracción en vez de confrontación). La enferma nunca dejó de dirigirse a la puerta, pero sí cesaron sus esfuerzos por escapar y su conducta agresiva.

Con medicamentos se puede disminuir la intranquilidad del paciente; sin embargo, los mismos fármacos suelen inducir intranquilidad como efecto colateral y, por tanto deben ser estrechamente vigilados por un médico. En ocasiones, el uso racional de tranquilizantes mayores, bajo supervisión médica estrecha, disminuye considerablemente la conducta errante.

La vagancia constante puede ocasionar que se le hinchen los pies al enfermo. El remedio es sentarse con él y ponerle los pies en alto; seguramente permanecerá sentado todo el tiempo que usted esté a su lado. Si no logra hacer que suba los pies, serán necesarias otras medidas (ver Capítulo 7). No olvide consultar al médico respecto a la hinchazón o lesiones de los pies pues la incomodidad empeorará la conducta del enfermo.

Una manera importante de manejar la vagancia es introducir cambios en el medio para que no salga de la casa sin supervisión. Por ejemplo, los familiares de un enfermo se dieron cuenta de que éste no salía a la calle si no tenía puestos los zapatos y desde entonces procuraron mantenerlo en pantuflas. A veces sirve poner cerraduras difíciles de abrir o que el enfermo no sepa operar; bastará en ocasiones un cambio simple, del tipo de un cerrojo accionado por un resorte, pues el enfermo no puede aprender el nuevo modo de abrirlo. Una persona confusa por lo general no detecta un cerrojo puesto en la base de la puerta. En cuanto a usted, asegúrese de que puede abrirlos fácil y rápidamente en caso de un incendio.

Además de las puertas, revise todos los puntos por los que pudiera salirse. Los enfermos a veces se salen por las ventanas de un segundo piso. Las protecciones en las ventanas beneficiarán tanto al enfermo como a usted en cuanto a seguridad.

Si la persona sale de la casa, no olvide el peligro que representan las calles con mucho tráfico, las albercas y los perros bravos; recuerde que el paciente ya no tiene buen *juicio* para protegerse de estos riesgos. Es importante que usted camine por los alrededores de la casa con la intención de localizar sitios peligrosos para el enfermo, y también para hacer ver a los vecinos que no se trata de locura, ni que el paciente significa algún riesgo para ellos, sino que sufre deterioro de la memoria.

El mayor peligro para el enfermo es él mismo, pues cuando su aspecto es saludable y actúa razonablemente la gente tiende a olvidar que él ya no puede pensar con sensatez. De esta manera podría atravesarse frente a un auto en marcha o caer en una alberca.

El enfermo tiene otros riesgos potenciales en su medio cuando sale a la calle a vagar; por ejemplo, ser víctima de individuos crueles y perversos que escogen a los ancianos o a la gente desvalida para atormentarlos, vejarlos y robarlos. Desafortunadamente estos depravados suelen estar aun en los sitios más "exclusivos", por lo que habrá que tener esto en mente para proteger a su enfermo.

La decisión de usar algún tipo de sujetador deberán tomarla conjuntamente usted y el profesional médico o paramédico que más conozca al enfermo, y no deberá recurrirse a tal medida *más que cuando ya se hayan intentado todas las otras posibilidades* (aquí mencionamos las restricciones que se usan en el hogar; en el Capítulo 16 abordamos las que se emplean en instituciones). Existen varios artefactos para confinar a un enfermo en una silla o en cama. El más conocido es el sujetador Posey ya que con él el paciente puede voltearse, cambiar de posición o ponerse de lado. Es muy importante que se le ponga al enfermo correctamente por lo que una enfermera deberá enseñarle a usarlo. Puede rentarlo en una tienda de equipo médico.

Otro medio de sujeción es una silla reclinable que tiene encima una charola que impide que el paciente se levante. En esta silla los pies del enfermo quedan elevados, pero él puede comer, hacer algo con las manos o ver televisión. Se puede comprar o rentar.

Las enfermeras han notado que a veces una de estas restricciones le da al paciente la firme seguridad de que va a quedarse donde está, especialmente en la noche, aunque a otros enfermos sólo los intranquiliza más.

Tanto la silla como el sujetador Posey podrían auxiliarlo para mantener seguro al paciente mientras usted está en el baño o prepara la cena. De la misma manera, la silla y el sujetador permiten que los pies del enfermo descansen.

Los enfermos muy agitados pueden lastimarse contra la cama al luchar con los sujetadores, o caerse con la silla a la que están atados. Por lo tanto, no se les debe dejar sin supervisión durante períodos largos, ya sea en la silla o con el sujetador Posey. *Nunca* deje solo al paciente en la casa si está sujeto de alguna manera por la posibilidad que existe de un incendio o temblor.

Tal vez llegará el momento en que la conducta de vagar rebase su capacidad de manejarla, o que el enfermo ya no pueda estar sin peligro en el ambiente de una casa (una enferma sólo estaba buscando el baño cuando se salió de la casa y se extravió. Otro enfermo consiguió un desarmador y con él quitó las bisagras de la puerta cuando se dio cuenta que no podía abrir la cerradura). En tales circunstancias usted ya habrá hecho todo lo que estaba de su parte y deberá planear internar al enfermo en alguna institución. En muchos lugares no admiten enfermos muy agitados, agresivos o con conductas errantes. (Ver el Capítulo 16 sobre las implicaciones de internarlo en una institución).

TRASTORNOS DEL SUEÑO Y VAGANCIA NOCTURNA

Muchos pacientes con enfermedades demenciales están inquietos durante la noche. Tal vez al levantarse al baño se confunden y desorientan en la oscuridad, se dedican a caminar por toda la casa, se visten, tratan de cocinar o de salir a la calle a vagar. Siempre "oyen" y "ven" cosas que no existen. No hay nada más agotador para uno que ver interrumpido su sueño noche tras noche. Afortunadamente hay formas de cambiar esa conducta del enfermo.

Parece que los viejos necesitan dormir menos horas que los jóvenes. Aunado a lo anterior, las personas con enfermedades demenciales podrían no estar haciendo suficiente ejercicio para sentirse cansado por la noche, o tal vez duermen siesta durante el día. A veces el "reloj" interno del cerebro da muestras de estar dañado por la enfermedad. Algunos problemas de comportamiento nocturno también podrían deberse a sueños que el enfermo no puede separar de la realidad.

Trate de mantener al enfermo ocupado, activo y despierto en el día. Si está recibiendo drogas tranquilizantes para controlar su conducta, éstas podrían tenerlo adormilado durante el día. Hable con el médico sobre la posibilidad de que se le dé la mayor parte del tranquilizante al anochecer, en vez de repartir la dosis a lo largo del día. Así se logrará controlar la conducta sin dormir al paciente durante el día. En último caso, si el enfermo duerme la siesta, acuéstese usted también a descansar esas mismas horas.

En lo que toca al ejercicio, es conveniente que planeen un programa de actividad regular, por ejemplo, una caminata larga al atardecer. Esto fatigará a la persona lo suficiente para que duerma bien en la noche. Un paseo en carro también le da sueño a algunas personas.

Vigile que el enfermo vaya al baño antes de irse a la cama.

La visión del enfermo también puede influir en su conducta nocturna. Los viejos ya no tienen tan buena visión en la oscuridad y esto se suma a su confusión. A medida que los ojos envejecen, es más difícil distinguir las formas opacas cuando la luz es escasa. El enfermo malinterpreta lo que ve, por lo que piensa que ve gente o que está en algún otro lugar, y esto puede causarle reacciones catastróficas. Deje encendida una luz en la recámara y baño. Las luces encendidas en otros cuartos también ayudan al enfermo a orientarse en la noche. Otra medida que también sirve es enmarcar la puerta del baño con cinta reflectora. Pruebe también ponerle un W.C. portátil cerca de su cama.

Muchas veces despertamos de un sueño profundo con la sensación momentánea de no saber dónde nos encontramos. El enfermo puede tener esta sensación y para tranquilizarse sólo necesitará que usted le haga sentir seguridad.

Compruebe que su recámara no esté ni muy fría ni muy caliente, y que la cama sea firme. Los edredones son mejores que las sábanas y cobijas que se enredan. Los barandales en la cama a veces sirven de recordatorio al enfermo de que está ahí: pero hay otros enfermos que se enfurecen con ellos y tratan de salir trepándolos, lo cual es peligroso. Haga la prueba rentando los barandales; existen para todas las camas.

Si el enfermo se levanta de noche, háblele tranquilamente y en voz baja. Cuando nos despiertan en la noche generalmente nos enojamos y si hablamos nuestra voz lo expresa. Esto podría causar una reacción catastrófica en la persona enferma y despertar entonces a toda la familia. Por lo general bastará recordarle suavemente que es de noche y que se meta en la cama. A veces uno puede conciliar el sueño después de tomar un vaso de leche tibia. Anímelo a que regrese a la cama y quédese a su lado mientras bebe un vaso de leche tibia. Hay personas que se arrullan con un radio a bajo volumen. Instale en el cuarto del enfermo persianas o cortinas gruesas para oscurecerlo, y con voz suave recuérdele que es de noche y, por lo tanto, hora de estar acostados.

A veces alguien que no puede conciliar el sueño en la cama suele dormir bien en un sofá. Si la persona se levanta en la noche y se viste, muy probablemente se quedará dormido sentado y con la ropa puesta si usted no interfiere; opte por aceptarlo así en vez de pasarse despierto parte de la noche discutiendo sobre el asunto.

Si la persona se dedica a vagar en la noche, cuide que la casa no represente peligro para ella. Arregle la recámara para que el enfermo se pueda mover en ella con seguridad. Ponga candados en las ventanas. Cierre la llave del gas para que no pueda encender la estufa y provocar un incendio mientras usted duerme. Compruebe que no puede abrir las puertas y salir a la calle. Tome precauciones para que no vaya a caerse de la escalera al tratar de llegar al baño. Cuando hay un enfermo demencial en casa, es conveniente poner puertas al empezar las escaleras.

Finalmente, si estas medidas no tienen efecto, se podría recurrir a los sedantes hipnóticos, aunque esta no es una solución fácil. Los sedantes afectan la química del cerebro, que es compleja y sensible. El médico enfrenta una serie de problemas muy difíciles cuando empieza a prescribir sedantes.

La gente mayor, incluyendo los ancianos son más propensos a los efectos colaterales de las drogas y fármacos que la gente joven. Los efectos secundarios de los sedantes son numerosos y algunos son serios. Las personas con una lesión cerebral son más sensibles a las drogas que las sanas. Además es más probable que los viejos estén tomando otros fármacos que pueden interactuar con un sedante, o tener otros padecimientos que pueden agravarse con un sedante.

Al sedar al enfermo es probable que duerma de día y no de noche, o bien que le dé un efecto de "cruda" que empeore su funcionamiento cognoscitivo durante el día. Podría volverse más confuso, incontinente o más propenso a las caídas. Paradójicamente, se podría empeorar su mal dormir. Cada persona es diferente y lo que funciona para una, podría ser perjudicial para otra.

Por muchas razones, el efecto del sedante puede cambiar después de usarlo durante un tiempo. Su médico deberá probar primero uno y luego otro, ajustando cuidadosamente la dosificación y la hora en que se administra. Los fármacos podrían hacer que el enfermo no durmiera bien de noche, por lo que es muy importante que usted trate de que duerma por otros medios. Esto no significa que descartemos el uso de los sedantes; pensamos que son una herramienta muy útil, pero sólo una de varias que pueden usarse para manejar un problema difícil.

EMPEORA AL ATARDECER

Las personas con enfermedades demenciales parecen tener más problemas de comportamiento al anochecer. No sabemos cuál sea la causa. Tal vez se deba a que malinterpretan lo que ven cuando la luz es escasa y esto los lleva a presentar reacciones catastróficas. Dejar encendidas las luces a veces parece mejorar las cosas, y también sirve decirle al enfermo en donde está y lo que está sucediendo alrededor.

Un día entero tratando de dar sentido a percepciones confusas del medio es agotador; no es de extrañar entonces que la tolerancia del enfermo al estrés sea más baja al final del día. Usted mismo está más cansado a esas horas y sutilmente le comunicará su fatiga al enfermo, lo cual desatará en él reacciones catastróficas.

Planee el día del enfermo de tal manera que sean menos las cosas que se esperen de él al atardecer. El baño (que siempre es difícil) por ejemplo, podría programarse mejor para la mañana o las primeras horas de la tarde.

Al atardecer hay más actividad en las casas: simultáneamente se enciende la TV, regresan los niños, hay más gente, hay que preparar la cena. Todo esto excita a la persona cansada y confusa; a esta hora no puede entender lo que está sucediendo y reacciona catastróficamente.

De ser posible, trate de reducir al mínimo el número de cosas que suceden alrededor del enfermo en éstas que son sus peores horas del día. Limite a una área de la casa lejos del enfermo la actividad del resto de la familia. Es importante que usted organice bien su tiempo para que a esas horas se encuentre descansando y no se vea presionado de tiempo. Por ejemplo, si el enfermo se trastorna mucho cuando usted está preparando la cena, trate de preparar comidas que sean fáciles y rápidas, o recaliente la comida que quedó de mediodía o lo que se pueda preparar con anticipación. Hagan la comida principal a mediodía.

A veces el enojo se origina porque el enfermo quiere la atención constante de usted y empieza a exigirla si usted se ocupa en otras cosas. Trate de involucrarlo en lo que usted está haciendo asignándole alguna tarea sencilla que él realice cerca de usted, o pídale a algún miembro de la familia que se quede un rato con él.

Hable con el médico acerca de la posibilidad de cambiarle el horario en que toma sus medicamentos si ninguno de los medios recomendados sirve para mejorar este patrón de conducta.

Una parte ineludible de la lesión cerebral son los periodos de desasosiego y de insomnio. Recuerde que la persona no está actuando deliberadamente aun cuando parezca que precisamente a las horas del día más difíciles para usted es cuando se porta mal.

PIERDE Y ESCONDE COSAS

La mayoría de las personas con enfermedades demenciales descartan cosas y luego no saben qué hicieron con ellas. Otras las guardan y pronto olvidan dónde las pusieron. En ambos casos el resultado es el mismo: precisamente cuando más se necesitan las llaves del carro o la dentadura postiza del enfermo no aparecen por ningún lado.

Recuerde en primer lugar que no tiene caso preguntarle al enfermo dónde puso los objetos, pues no lo recordará y en cambio la pregunta podría precipitar una reacción catastrófica.

Son varias las cosas que se pueden hacer para reducir este problema. Ante todo, en una casa ordenada se facilita detectar las cosas que están mal puestas. Es casi imposible localizar algo en un cajón o en un clóset lleno de cosas. Limite el número de escondites cerrando con llave algunos armarios o cuartos.

No deje al alcance del enfermo objetos valiosos como anillos o piezas de plata que él pudiera esconder y perder. No tenga en la casa una cantidad importante de dinero en efectivo. Haga más grandes y más visibles los objetos pequeños que son fáciles de traspapelarse; por ejemplo, ponga un dije grande en el llavero. Tenga también, de ser posible, un duplicado de objetos tales como las llaves, los anteojos, pilas para el aparato de sordera, etc.

Adquiera el hábito de revisar el contenido de los botes de basura antes de vaciarlos. Revise bajo los colchones, el sofá, los cojines, en cestos de papeles, zapatos y en los cajones de todos los burós cuando se extravié algo. Haga memoria de dónde el enfermo solía guardar cosas por seguridad, dónde escondía los regalos de Navidad o el dinero. Esos podrían ser lugares dónde buscar lo extraviado.

CONDUCTA SEXUAL INADECUADA

A veces las personas confusas se desvisten y deambulan desnudos por la sala de la casa o en la calle.

Un adolescente al regresar a su casa encontró a su padre en la terraza, leyendo el periódico, completamente desnudo y con el sombrero puesto.

Ocasionalmente se exhiben desnudos en público. A veces, los muy confusos, se acarician los genitales o actúan de tal manera que las otras personas relacionan su comportamiento con conductas sexuales, lo cual es molesto.

Un hombre constantemente se desabrochaba el cinturón y bajaba el cierre de sus pantalones.

Una mujer se insinuaba manejando nerviosamente los botones de su blusa.

A veces el daño cerebral hace que la persona exija tener relaciones sexuales frecuentes o impropias. Sin embargo, mucho más frecuente que la verdadera conducta sexual inadecuada es el mito de que las personas "seniles" adquieren conductas sexuales indecentes.

Una mujer que trajo a su esposo a internar en el hospital confesó que no tenía ninguna dificultad para manejarlo, pero que le habían dicho que, al empeorar su estado, entraría en una "segunda niñez" y empezaría a mostrarse desnudo ante las niñas.

No hay fundamento para este mito. La conducta sexual inadecuada en las personas con enfermedades demenciales es muy rara. En un estudio reciente llevado a cabo con nuestros pacientes no encontramos prueba alguna de tal comportamiento.

Es cierto que en ocasiones accidentamente se llegan a exhibir desnudos o se masturban sin propósito. Las personas confusas podrían vagar en público desvestidos o parcialmente vestidos simplemente porque olvidan dónde están, porque no recuerdan cómo vestirse, o la importancia de estar vestidos. Si se desabrochan la ropa o se levantan la falda tal vez lo hacen porque necesitan orinar y no recuerdan dónde está el baño. Tal vez quieren desvestirse porque quieren irse a la cama o porque alguna prenda les parece incómoda.

No exagere su manera de reaccionar; concrétese a llevar tranquilamente al enfermo a su cuarto o al baño. Si encuentra desnuda a la persona, tráigale una bata y como lo más natural del mundo ayúdele a ponérsela. El hombre de la terraza se había quitado la ropa porque tenía calor, y no se dio cuenta que estaba afuera, a los ojos de la gente y no en la intimidad de su propia casa. La mayoría de los enfermos con confusión jamás presentarán ni siquiera este tipo de conducta ya que los hábitos de recato de toda la vida persisten.

Se puede evitar que el enfermo se desvista o se insinúe cambiando el tipo de su ropa. Por ejemplo que use pantalones de bajar que no llevan bragueta, o blusas de meter o de abrocharse por la espalda en vez de con botones al frente.

En nuestra cultura tenemos un concepto muy negativo de la masturbación. Si presenta esta conducta recuerde que es parte de la lesión cerebral; la persona sólo hace lo que le gusta y ha olvidado sus buenos modales. Esto no significa que la persona presentará otras conductas sexuales ofensivas. Si esto sucediera, trate de no alterarse al actuar pues puede causarle una reacción catastrófica. Conduzca tranquilamente al enfermo a un lugar privado; trate de distraerlo dándole algo más que hacer. Si la actitud de una persona es insinuante o embarazosa, también trate de distraerla o de darle algo con qué entretenerse.

No hemos sabido de ningún enfermo que se haya exhibido desnudo ante un niño, y no queremos contribuir al mito de "los viejos depravados" magnificando tal comportamiento. Sin embargo, si ocurriera un incidente de esta naturaleza, reaccione con calma. Su reacción podría tener un impacto mucho mayor en el niño que el mismo incidente. Llévese al paciente tranquilamente y al niño explíquele que la persona no recuerda dónde está.

Hemos observado que mientras algunas personas con enfermedades demenciales tienen un impulso sexual disminuido, otras muestran mayor interés sexual que el que solían tener. Si una persona presenta un aumento en su sexualidad, recuerde que aunque sea abrumador, es un factor de la lesión cerebral y no un factor de la personalidad ni tampoco un reflejo de usted ni de su matrimonio (ver pág. 208).

Si el enfermo adopta una conducta sexual inadecuada, no dude en hablar con su médico, con un consejero o con otras familias quienes le podrán ayudar a entenderla y a sobrellevarla. Estas personas, que deberán saber sobre cuestiones sexuales y estar enteradas respecto a la demencia, podrían ofrecer sugerencias específicas para reducir esta conducta. (ver también el Capítulo 12).

CÓMO CAMBIAR LAS CONDUCTAS MOLESTAS

Algunas veces los pequeños actos del enfermo son los que más afectan a la persona que lo tiene a su cargo. El siguiente método podría servirle para reducir o eliminar algunas conductas fastidiosas.

Primero, seleccione *una* conducta específica que presente a menudo y que usted quisiera cambiar. Es más seguro el éxito con cierto tipo de conductas, como la de hacer la misma pregunta una y otra vez; sin embargo, las que surgen de reacciones catastróficas no son fáciles de cambiar con este método y la mejor manera de manejarlas es eliminando la causa que las precipita. Para llevar a cabo su plan, pida la cooperación de todos los que conviven con el enfermo ya que este plan sólo funciona si todo el mundo participa. Finalmente, responda con amor y afecto a todas las cosas agradables que haga la persona, pero *no haga el menor caso* a la conducta molesta seleccionada. No trate de discutir ni regañar al enfermo. Una respuesta negativa, tal y como un regaño, puede tener el efecto contrario al deseado, y la persona seguirá haciendo la conducta que se desea cambiar, no por testaruda, ya que no puede retenerlo en la memoria el tiempo suficiente como para que fuera un acto deliberado, sino porque usted le ha recordado su hábito al hacer que ponga su atención en él. Podrían ser necesarias varias semanas de esfuerzo paciente para obtener buenos resultados.

Este método funcionó bien en el siguiente caso:

Cada noche la enferma le preguntaba a su esposo, "¿Quién es usted? ¿Qué está haciendo en mi cama?" Esto enojaba mucho al esposo. Él dejó de tratar de explicarle y simplemente empezó a pasar por alto las preguntas, volteaba ligeramente la cabeza o le daba la espalda pretendiendo que ella no había dicho nada. Con el tiempo ella dejó de hacerle las preguntas.

Para cambiar las actividades físicas molestas se puede seguir un método similar sólo que hay que distraer al enfermo cada vez que presenta la conducta que se quiere cambiar. Aquí también insistimos en que no lo regañe. El siguiente es un ejemplo de cómo aplicarlo:

Una mujer estaba intranquila casi todo el tiempo. Iba de un lado a otro incesantemente y molestaba. En vez de decirle que se sentara, el esposo logró calmarla dándole un juego de naipes al tiempo que le decía, "Mira Elena, juega un solitario". Se valió de este pasatiempo de toda la vida de su esposa para distraerla, a pesar de que ella ya no podía jugarlo correctamente.

CUANDO REPITEN LA PREGUNTA

Entre las conductas molestas está la de hacer la misma pregunta una y otra vez, lo cual resulta extremadamente irritante. En parte, esto puede ser un síntoma del miedo y la inseguridad de alguien que ya no puede darle sentido a lo que le rodea. El enfermo no puede ni siquiera recordar las cosas durante unos breves momentos y, por tanto, no sabe si ya ha hecho antes la pregunta ni recuerda la respuesta que se le dio. Ponga en práctica la técnica descrita para las conductas molestas.

Otras veces, en vez de contestarle nuevamente la pregunta, dígale que usted se está haciendo cargo y que todo está en orden. En ocasiones el enfermo realmente está preocupado por algo que no puede expresar. Si usted puede adivinar de qué se trata y contestarle, él se sentirá aliviado. Veamos el ejemplo siguiente:

La madre del señor Lara continuamente preguntaba, "¿Cuándo vendrá por mí mi madre?". Si el señor Lara le respondía que su madre había muerto hacia ya varios años, ella se enojaba o volvía a hacerle la misma pregunta pocos minutos después. El señor Lara se dio cuenta que la pregunta en realidad expresaba que su madre se sentía perdida y entonces cambió su respuesta a, "yo te voy a cuidar". Esto obviamente tranquilizó a su madre.

ACCIONES REPETITIVAS

Una conducta ocasional y enervante que pueden presentar las personas con una enfermedad demencial es la tendencia a repetir la misma acción una y otra vez.

La señora Tejeda doblaba la ropa una y otra vez. A su nuera le agradaba verla ocupada, no así a su hijo a quien esta actividad enervaba al grado de que acababa gritándole: "Mamá, ya has doblado esa toalla más de cinco veces".

La señora Saldaña sólo se lavaba un lado de la cara. "Lávate el otro lado", le decía su hija, pero ella seguía lavándose el mismo lugar.

El señor Bermúdez se mueve de un lado a otro en la cocina como si fuera un oso enjaulado.

La mente dañada parece tender a quedarse "atascada" en una misma actividad y encuentra dificultad para "cambiar de velocidad" y hacer otra cosa. Cuando esto sucede, con gentileza hay que sugerirle al enfermo que haga específicamente otra tarea, pero tratando de no hacerle presión ni de sonar enojado porque fácilmente se desataría una reacción catastrófica.

En el caso de la señora Tejeda, hacer caso omiso de la acción repetitiva fue una buena medida. Cuando el hijo aceptó la enfermedad de su madre, cesó de molestarle su conducta.

La hija de la señora Saldaña logró que su madre saliera del patrón repetitivo dándole unas palmaditas suaves sobre el lado de la cara que quería que se lavara. En este ejemplo, una hemiplejía había hecho que no tuviera mucha conciencia de un lado de su cuerpo. El tacto es una buena vía para mandar un mensaje al cerebro cuando fallan las palabras. Tóquele el brazo cuando quiera que el enfermo lo meta en una manga; tóquele el sitio que quiera que en seguida se lave; tóquele la mano con la cuchara cuando quiera que la tome.

En cuanto al señor Bermúdez, su esposa le daba cosas que hacer que le distrajeran para que cesara su ir y venir. Le daba a sostener cosas en la cocina haciendo así que le ayudará; por ejemplo, le pedía que sostuviera una cacerola, luego que le detuviera una cuchara por un momento; el hecho de estar "ayudando" lo hacía dejar de ir de un lado a otro. Además de tenerlo ocupado, quizás hacía que se sintiera también necesitado.

EL PACIENTE SE EMPEÑA EN ESTAR A SU LADO Y SEGUIRLE A TODAS PARTES

Los familiares de enfermos con problemas de la memoria nos han dicho que a veces éstos se dedican a seguirles de un cuarto a otro y que se sulfuran si la persona que los cuida entra al baño o a otro cuarto. De la misma manera no cesan de interrumpir cuando el que los cuida trata de descansar o de terminar decididamente algún trabajo. Esto resulta enervante pues pocas cosas perturban más que sentirse acosado.

Esta conducta parece comprensible cuando consideramos lo extraño que puede parecer el mundo a una persona que constantemente olvida todo. Su cuidador, en quien confía, se convierte en su única seguridad en un mundo confuso. Cuando uno no puede depender de sí mismo para recordar las cosas necesarias de la vida, una forma de sentir seguridad es aferrándose a alguien que sí sabe lo que sucede alrededor.

El enfermo que tiene la memoria dañada no puede recordar qué tanto se puede tardar una persona que entra al baño. Para su mente, con un confuso sentido del tiempo, parecerá como si usted de repente se hubiera desvanecido. Para poder tener unos cuantos minutos de privacía, póngale una buena chapa al baño. A veces también sirve poner un reloj con timbre y decirle que saldrá del baño inmediatamente después de que suene el timbre. Un hombre se compró unos audífonos para oír música mientras su esposa continuaba hablándole fuera del baño (después le compró otros a ella porque descubrió que le gustaba oír música).

Es sumamente importante que usted no permita que conductas tan exasperantes como ésta le saquen de quicio. Busque a alguien más que le ayude a hacerse cargo del enfermo para que usted pueda separarse un poco y hacer otro tipo de cosas que lo relajen —ir a ver a algún amigo, de compras, dormir la siesta, o disfrute un baño sin interrupciones.

Asígnele algo que él pueda hacer, no importa que más tarde usted lo tenga que corregir, o bien alguna tarea que implique la repetición de un acto. Hacer una bola de estambre, sacudir, o apilar revistas puede hacerlo sentirse útil y lo mantendrá ocupado mientras usted hace su trabajo.

La señora Hurtado, que tiene una enfermedad demencial, seguía a su nuera a todos lados sin dejar jamás que se le perdiera de vista, y siempre criticándola además. Entonces a la nuera se le ocurrió pedirle que doblara la ropa lavada, y como la familia era numerosa, la enferma tenía una gran cantidad de ropa que doblar. La suegra la dobla, la desdobla y la vuelve a doblar, no muy bien, pero ella se siente un miembro útil de la familia.

Parece injusto darle a un enfermo cosas que lo mantengan ocupado. La nuera de la señora Hurtado no lo cree así. La persona con confusión necesita sentir que está contribuyendo al bienestar de la familia y necesita estar activa.

QUEJAS E INSULTOS

A veces las personas con enfermedades demenciales se quejan reiteradamente aunque usted esté haciendo lo mejor que puede. Por ejemplo, tal vez diga cosas como "eres cruel conmigo", "quiero irme a mi casa", "me robaste mis cosas", "no te quiero". Cuando uno hace cuanto puede por ser servicial y recibe acusaciones de este tipo, se enoja o se siente terriblemente herido. Cuando el enfermo parece estar normal, o cuando las quejas provienen de alguien a quien usted ha respetado, la primera reacción es tomarlo como asunto personal y súbitamente podrían entrar en una discusión dolorosa y sin sentido que seguramente desatará una reacción catastrófica y tal vez el enfermo acabaría gritando, llorando, lanzándole cosas y dejándolo a usted exhausto y furibundo.

Si llegará a acontecer esto, deténgase y considere lo que está sucediendo. Aunque la persona parezca estar bien, en realidad tiene una lesión cerebral. Al enfermo le parece una experiencia cruel que tengan que cuidarlo, que se sienta extraviado, y haber perdido sus pertenencias y su independencia. Al decir "eres cruel conmigo" quizás lo que realmente quiere expresar es "la vida es cruel conmigo". Como la persona enferma ya no puede distinguir lo que es real en lo que le rodea, puede malinterpretar los esfuerzos que usted hace por ayudarle como que le quiere robar. Podría ya no ser capaz de comprender, recordar y aceptar los hechos de su deterioro progresivo, su situación financiera, la relación que tuvo con usted en el pasado, y todo aquello que usted sí tiene muy presente. Lo único que él sabe es que sus cosas se han ido y concluye que como usted ha estado ahí usted seguramente las robó.

El familiar de un enfermo nos aportó las siguientes interpretaciones de las cosas que éste a menudo decía. Por supuesto que no podemos saber lo que siente o quiere decir una persona que tiene una lesión cerebral, pero esta mujer ha encontrado maneras amorosas de interpretar y aceptar las cosas tan dolorosas que dice su marido:

Cuando él dice:

"Quiero irme a casa"

Lo que quiere decir es:

"Quiero regresar a aquella condición de la vida, a aquella calidad de la vida en la que todo parecía tener un propósito y yo era útil; cuando yo podía ver lo que mis manos producían y cuando no tenía el miedo que ahora me dan las cosas pequeñas".

Cuando él dice:

"No quiero morir"

Lo que quiere decir es:

"Estoy enfermo aunque no sienta dolor. Nadie se da cuenta de lo mal que estoy, y así es como me siento todo el tiempo lo cual significa que voy a morir. Tengo miedo de morir".

Cuando él dice:

"No tengo dinero"

Lo que quiere decir es:

"Yo solía cargar en mi cartera algo de dinero, pero no la traigo en los bolsillos. Estoy enojado porque no la hallo y hay algo en la tienda que quisiera comprar. Tendré que ir por más dinero".

Cuando él dice:

"¿A dónde se han ido todos?"

Lo que quiere decir es:

"Tengo gente alrededor, pero no sé quienes son. Estos rostros desconocidos no pertenecen a mi familia. ¿Dónde está mi madre? ¿Por qué me ha abandonado?"

Hacer frente a desazones como éstas requiere no contradecir o discutir con el enfermo pues lo llevaría a una reacción catastrófica. No le diga, por ejemplo, "Yo no te he robado nada", o *"Estás* en tu casa", ni "Ya te he dado dinero". Tampoco trate de entrar en razones como al decirle, "Tu madre murió hace 30 años". Esto sólo lo confundirá y lo irritará.

Algunos familiares optan mejor por pasar por alto estas quejas o usar algo que distraiga al enfermo. Otros responden empáticamente al sentimiento que piensan que está expresando: "Sí mi amor, ya sé que te sientes perdido", "La vida parece cruel", "Sé que quieres regresar a tu casa".

Obviamente a veces usted se enojará, especialmente cuando ya ha escuchado una y otra vez la misma acusación injusta. Es humano enojarse y probablemente la persona confusa rápidamente olvidará el incidente.

Algunas veces la persona deteriorada pierde la capacidad para decir las cosas con tacto, y aunque es sincera al decirlas, su descortesía no es deliberada. Esto es embarazoso por lo que conviene que las personas que entren en relación con él lo sepan. Un ejemplo es que podría decir, "No me cae bien Juan", y usted sabe bien que nunca le cayó bien esa persona.

Usted tal vez pueda manejar este tipo de declaraciones, pero ¿cómo lo tomarán otras personas? Estos enfermos también suelen hacer observaciones impropias o insultantes que van desde comentarios directos e inocentes, como decirle a la esposa del dentista que "se le fue la media", hasta insultos a gritos al vecino que le acaba de traer su comida, "¡Lárguese de mi casa, usted trata de envenenarnos!"

Las personas confusas a veces toman cosas en las tiendas y no las pagan, o acusan al vendedor de haberles robado su dinero. Le dicen a amigos casuales o a extraños cuentos como: "Mi hija me tiene encerrada en mi recámara". O si están de visita en alguna casa, de repente se levanta y dice: "Vámonos, esta casa apesta".

Cada persona con lesión cerebral es diferente. Algunos conservan sus habilidades sociales mientras otros actúan con una rudeza abierta, con una tendencia hacia la brusquedad. Algunos se vuelven temerosos y desconfiados y por ello hacen acusaciones. Las reacciones catastróficas son las causantes de algunas de estas conductas pues una persona con confusión a menudo no distingue quién es la persona con la que está hablando, o malinterpreta la situación.

Mientras el médico hablaba por teléfono, la enfermera empezó a hacer conversación con el paciente quien obviamente estaba tratando de ser cortés, pero había perdido la sutileza al expresarse. Así, el enfermo le preguntó: "¿Cuántos años tiene usted, porque se ve muy vieja?". Y cuando a otra de estas preguntas ella le contestó que no estaba casada, él le dijo: "Creo que nadie se atrevería".

Si el que dice estas cosas es un niño uno se ríe pues sabe que no ha tenido tiempo para aprender buenos modales. A usted le serviría mucho que la gente que le rodea entendiera que la persona tiene una enfermedad demencial que afecta la memoria de sus buenos modales. A medida que haya más conciencia sobre las enfermedades demenciales la gente comprenderá que este tipo de conductas son resultado de padecimientos específicos y que aunque son tristes, no son actos deliberados.

A las personas que les frecuenten, tales como amigos, vecinos, empleados de las tiendas a las que acostumbran ir, sería bueno que les diera una breve explicación del padecimiento del enfermo, sin olvidar hacer hincapié en que no es una persona peligrosa y que no se trata de locura.

Si el enfermo llegara a hacer escándalo en un lugar público, tal vez debido a una reacción catastrófica, aléjelo del lugar tranquilamente y es mejor que no le diga ni una palabra. Aunque la situación no deje de ser embarazosa, no necesariamente debe dar explicaciones a los extraños.

Una buena manera de sacar a una persona confusa de lo que pudiera ser una situación embarazosa es distrayéndola. Por ejemplo, si está haciendo preguntas personales, cambie el tema. Cuando empiece a decir que usted lo tiene prisionero, o que no le da de comer, trate de distraerlo. No lo contradiga directamente ya que podría transformarse en una discusión abierta con él. Si son personas conocidas, convendría que más tarde les explicara la condición del enfermo. Si son extraños, usted mismo decida si realmente importa lo que éstos piensen.

Si la persona está apoderándose de cosas en las tiendas, es posible que lo haga porque se olvida de pagarlas o porque simplemente no comprende que está en una tienda. Algunos familiares han observado que pueden inhibir esto si le dan al enfermo cosas que cargar o el carrito para que lo empuje con lo que tendrá las manos ocupadas. Antes de abandonar la tienda, revise que no lleve nada, y cuando vayan de compras procure que lleve ropa sin bolsillos.

A veces en la comunidad hay personas insensibles que hacen chismes a partir de lo que cuenta el enfermo. Es importante que usted no se enoje si empieza a oír algo; por lo general hay otras personas que sí tienen una valoración precisa de la verdad que hay en tales rumores.

NO RECUERDA LAS LLAMADAS TELEFÓNICAS

Las personas con mala memoria que aún pueden conversar claramente a veces siguen contestando o haciendo llamadas telefónicas, pero es posible que ya no puedan recordar escribir los recados. Esto llega a incomodar a los amigos o a confundir a la gente y causarle a usted trastornos y situaciones inconvenientes y embarazosas.

Hay varios adminículos baratos que se pueden conseguir en las tiendas de artículos electrónicos que grabarán todas las conversaciones telefónicas. Sería muy conveniente ponerlo en alguna extensión telefónica que la persona no use. Con esta grabación usted podría comunicarse después con los que llamaron y explicarles la situación.

Con la cinta descubrí que mi esposa llamó cinco veces al dentista en relación con su cita. Yo me comuniqué después al consultorio y les expliqué la manera de manejar la situación.

EXIGENCIAS

El señor Cervantes se rehusaba a dejar de vivir solo, aunque su familia sabía muy bien que ya era incapaz de velar por sí mismo. Por lo menos una vez al día llamaba por teléfono a su hija por emergencias reales que hacían que ella tuviera que atravesar la ciudad apresuradamente para resolverlas. La hija se sentía manipulada, muy a disgusto y exhausta. Estaba descuidando a su propia familia. Sentía que su padre siempre había sido muy centrado en sí mismo y exigente, pero ahora su conducta era deliberamente egoísta.

La señora Díaz vivía con su hija. Las dos mujeres nunca se habían llevado bien y ahora la señora Díaz tenía enfermedad de Alzheimer. Estaba agotando con sus exigencias a la hija: "Pásame un cigarrillo", "Prepárame un café". La hija no podía decirle a la madre que lo hiciera ella porque ardía Troya.

A veces las personas con enfermedades demenciales se vuelven exigentes y parecen muy egoístas. Esto es especialmente difícil de aceptar cuando la persona no parece estar significativamente enferma. Si usted siente que lo anterior está sucediendo, trate de ver objetivamente la situación. ¿Es deliberada esta conducta o sólo es un síntoma de la enfermedad? Puede no haber gran diferencia, especialmente si la persona desde antes de que se le desarrollara la enfermedad demencial solía hacer que la gente se sintiera manipulada. Sin embargo, lo que está sucediendo ya no es algo que pueda controlar. Una conducta manipuladora requiere la habilidad de planear, y una persona con una enfermedad demencial ha perdido esa habilidad. Lo que usted experimenta son los viejos estilos de relacionarse con los demás que han dejado de ser realmente premeditados. Es conveniente que se le practique una evaluación porque con ello usted sabrá objetivamente hasta dónde es premeditada esa conducta.

Ciertas conductas exigentes reflejan los sentimientos de soledad, temor y pérdida que tiene la persona enferma. Por ejemplo, cuando ha perdido su capacidad de comprender el paso del tiempo y de recordar cosas, dejarlo durante un momento puede significar para él que lo han abandonado y los acusará de dejarlo a su suerte. Comprender que esta conducta refleja tales sentimientos puede servirle a usted para no sentirse tan enojado y para ayudarle a responde al problema *real* (por ejemplo, sentirse abandonado) en vez de responder a lo que aparentemente es egoísmo y manipulación.

A veces se pueden idear maneras para que la persona confusa continúe teniendo la sensación de control sobre su vida y de dominio de sus circunstancias sin que esto exija tanto de usted. Veamos:

La hija del señor Cervantes pudo encontrar un "apartamento" para su padre en un conjunto habitacional con servicios de comedor, domésticos y sociales. Estos arreglos disminuyeron el número

de emergencias y contribuyeron a que el señor Cervantes conti-
nuara sintiéndose independiente.

Por lo que toca a la señora Díaz, una evaluación médica confirmó
que no podría recordar ni siquiera durante cinco minutos sus peti-
ciones previas de que le prendiera el cigarrillo. Con el apoyo del
médico, la hija pudo manejar la adicción de su madre a los ci-
garrillos y al café.

A veces los familiares preguntan si no echarán a perder a la persona obedeciendo sus exigencias, o si debieran tratar de "enseñarle" a comportarse de otra manera. Tal vez lo mejor es no hacer ni lo uno ni lo otro. Como el enfermo no puede controlar su conducta, no lo "malcriará" pero a usted le será imposible cumplirle sus eternas demandas. Y como el enfermo tiene si acaso una capacidad limitada para aprender, no se le puede enseñar, y regañarlo originaría reacciones catastróficas.

Si el enfermo exige cosas que usted cree que él mismo puede hacer, pregúntese primero si realmente las puede hacer. Simplificarle las tareas podría contribuir a que él sintiera ganas de hacerlas. A veces es conveniente ser muy específico y directo con él. Por ejemplo, es mejor decirle "Vendré a verte el miércoles" que comenzar a discutir por qué no lo visita más frecuentemente. Dígale "te daré un cigarrillo cuando suene la alarma del reloj. No me lo pidas mientras no suene", y cúmplaselo haciendo caso omiso de sus peticiones mientras tanto.

Usted debe poner un límite a lo que realistamente puede hacer, pero antes de esto necesita conocer la extensión de la incapacidad de la persona deteriorada, y también qué otros recursos puede movilizar para suplir lo que usted no puede realizar. Convendría que en su lista incluyera a una persona de fuera —una enfermera, por ejemplo, o una trabajadora social que sepa sobre la enfermedad— para que le ayude a elaborar un plan para atender estrechamente al enfermo sin que esto signifique que usted quede atrapado y exhausto.

Si las exigencias lo enfurecen y frustran trate de hallarles una salida que no involucre al enfermo. Su ira precipitará reacciones catastróficas que podrían hacerlo aún más recalcintrante.

EL ENFERMO INSULTA A QUIEN LO CUIDA

Cuando es posible conseguir a una persona que ayude a cuidar al enfermo no es raro que el enfermo la despida, que se enfurezca o desconfíe de ella, que la insulte o no la deje entrar a la casa, e inclusive que la acuse de estarlos robando. Esto puede hacer que sea imposible salir de la casa o que la persona no pueda seguir viviendo en su propia casa. Sin embargo, se pueden hallar soluciones a este problema.

Al igual que con muchos otros problemas, esta situación puede originarse en la incapacidad del enfermo de darle sentido a lo que le rodea, o de recordar explicaciones. Todo cuanto podrá reconocer es que hay un extraño en la casa. En ocasiones, la presencia de un "cuidador" significa una pérdida mayor de su independencia y él podría darse cuenta y reaccionar a esto.

Antes que nada cerciórese de que el cuidador está consciente de que el único que puede contratar y despedir es usted. Esto significa que debe confiar absolutamente en él. De ser posible, consiga a una persona que el enfermo conozca desde antes, o introduzca gradualmente la presencia del cuidador. Las primeras veces pídale que entre en funciones estando usted en la casa. Tarde o temprano el enfermo se acostumbrará a la idea de que el cuidador es una persona de la casa. Esto también permitirá que usted enseñe al cuidador a manejar ciertas situaciones y evaluar la manera como se relaciona con el enfermo.

Desde luego, asegúrese de que el cuidador entiende la naturaleza de una enfermedad demencial y sabe manejar conductas del tipo de las reacciones catastróficas (en el Capítulo 10 exponemos la manera de contratar un cuidador). Trate de que sea una persona versada en conseguir la confianza del enfermo y que sea inteligente para manejar a la persona sin disparar reacciones catastróficas. De la misma manera como hay personas que por naturaleza son buenas con los niños y otras que no, también hay personas que son intuitivamente aptos para tratar con personas confusas. Sin embargo, a veces cuesta trabajo encontrarlas.

Tenga todo previsto para que el cuidador pueda localizarlo a usted, a otro miembro de la familia o al médico en caso de suscitarse algún problema.

A menudo la persona enferma se ajusta a la presencia de un cuidador cuando éste y usted logran aguantar el periodo tormentoso inicial.

8

Problemas con los estados de ánimo

DEPRESIÓN

Las personas con problemas de la memoria también pueden estar tristes, apáticas o deprimidas. Cuando una persona tiene problemas de la memoria y además está deprimida es muy importante hacer un diagnóstico cuidadoso y tratar la depresión. Los problemas de la memoria podrían no ser causados por la enfermedad de Alzheimer y se corregirán cuando el enfermo se mejore de la depresión. Esto es, la persona puede tener tanto la enfermedad de Alzheimer como una depresión que responderá al tratamiento.

Cuando una persona que tiene una enfermedad incurable se deprime, es lógico creer que la entristece saber que tiene una enfermedad crónica. Sin embargo, no todas las personas con enfermedad de Alzheimer u otras enfermedades crónicas se deprimen, pues algunas parecen no darse cuenta de sus problemas. Es comprensible y natural que uno se sienta descorazonado por su condición; sin embargo, un abatimiento profundo o una depresión continua no es ni natural ni necesaria. Afortunadamente, este tipo de depresión responde bien al tratamiento por lo que el enfermo se sentirá mejor tenga o no una enfermedad demencial irreversible.

Los investigadores están tratando de entender por qué se deprime uno, pero aún no tienen la respuesta total. Obviamente nos entristecemos o nos sentimos desanimados cuando algo malo sucede, pero esto no explica totalmente el fenómeno de la depresión. Por ejemplo, los investigadores están ligando algunos tipos de depresión a cambios en el cerebro. Es importante que un médico determine la naturaleza de la depresión, que vea si es en respuesta a una situación determinada o si se trata de una melancolía más profunda y entonces tratará la depresión apropiadamente. Las indicaciones de una melancolía profunda incluyen pérdida de peso, cambio en los patrones de sueño, sentimiento de haber hecho algo malo y necesitar ser castigado, o una preocupación por problemas de la salud.

Para una persona deprimida puede ser imposible salir de la depresión por sí misma. Por otra parte, decirle que lo haga sólo aumenta sus sentimientos de frustración y desaliento. Para algunas personas el que uno trate de alegrarlos los hace sentirse incomprendidos.

Trate de animar a una persona deprimida o descorazonada a que siga relacionándose con otras personas. Si tiene problemas de la memoria vea que las actividades que trata de hacer estén dentro de sus capacidades y que tienen algún uso para que al realizarlas se sienta bien consigo misma. Ayúdele a desechar tareas que sean demasiado complicadas. Aun los fracasos menores podrían descorazonarla más. Pídale que le ayude a poner la mesa; si la energía no le alcanza para esto, con que ponga un cubierto bastará. Si la tarea es demasiado complicada, anímela a que sólo ponga los platos.

Si los grupos de gente la irritan, dígale que no se aparte por completo sino que hable sólo con una persona a la vez. Pídale a algún amigo que lo visite y haga que éste converse con la persona deprimida, que lo vea a los ojos y que lo haga participar.

Si la persona se queja a menudo de sus problemas de salud, es importante tomar estas quejas seriamente y que un médico determine si tienen una base física. (Recuerde que los que crónicamente se quejan también pueden enfermarse. Es fácil pasar por alto los padecimientos reales cuando una persona constantemente se concentra en cosas que no tienen una base física). Cuando tanto usted como el médico tienen la certeza de que no existe un padecimiento físico, puede tratar la depresión que es la causa subyacente del problema. Nunca deje que un médico no le preste atención a una persona aduciendo que ''sólo es un hipocondriaco''. Las personas que se concentran en problemas de la salud realmente están infelices y necesitan una atención apropiada.

SUICIDIO

Cuando una persona está deprimida, desmoralizada o desanimada, siempre existe la posibilidad de que se haga daño a sí misma. Aunque podría ser difícil para una persona con enfermedad de Alzheimer planear un suicidio, usted deberá estar alerta a la posibilidad de que se lastime. Si tiene acceso a un cuchillo, una pistola, a herramientas eléctricas, solventes, medicamentos, las llaves del auto, podría usarlos para matarse o mutilarse.

ABUSO DEL ALCOHOL O DROGAS

La gente deprimida puede utilizar el alcohol, los tranquilizantes y otras drogas para tratar de adormecer sus sentimientos de tristeza, y esto complicará el problema. En una persona con una enfermedad demencial reducirá aún más su capacidad para funcionar. Usted deberá estar especialmente alerta a esta posibilidad si la persona está viviendo sola y si antes ha abusado de los medicamentos o el alcohol.

Las personas que son alcóholicas y que desarrollan una enfermedad demencial podrían ser muy difíciles de manejar por sus familiares. Un enfermo puede ser aún más sensible a cantidades pequeñas de alcohol que una persona sana; de esta manera una copa o una cerveza pueden reducir en forma significativa su capacidad de funcionar. Una persona en estas condiciones por lo general no come apropiadamente, lo que la lleva a sufrir carencias nutricionales importantes que lo trastornarán más. También suelen tornarse aviesos, tercos u hostiles.

Conviene tener presente que la lesión cerebral puede imposibilitar a la persona para controlar su forma de beber y otras conductas. Así es que usted tendrá que ser el que ejerza el control por ella. Esto incluirá dar los pasos necesarios para terminar con el suministro de alcohol al enfermo. Hágalo tranquila, pero firmemente. Trate de no sentir que su conducta desagradable va dirigida a usted personalmente. Evite decir cosas que inculpen a otros de la situación. Haga lo que necesite hacerse, pero trate de encontrar maneras de que la persona conserve su autoestima y dignidad. En la casa no deberá haber ningún licor a menos que esté aparte y bajo llave. Una familia logró que la tienda local de licores dejara de venderle alcohol al paciente.

Tal vez usted necesitará la ayuda de un consejero o del médico para manejar la conducta de una persona con problemas de la memoria que también abusa del alcohol o las drogas.

APATÍA Y DESGANO

A veces las personas con enfermedades demenciales se tornan apáticas y desganadas. Simplemente se sientan y no quieren hacer nada, y aunque en este estado de ánimo el enfermo es más fácil de manejar que cuando enfurece; es importante no descuidarlo.

De la misma manera que con la depresión, no conocemos el porqué de la apatía. Sin embargo, hay que mantener todo lo activo que sea posible al enfermo; todos necesitamos movernos y usar tanto la mente como el cuerpo dentro de nuestras posibilidades.

Como esta apatía podría ser la manera como el enfermo se enfrenta a las cosas cuando siente que son demasiado complicadas para él, insistirle en que participe podría ocasionar una reacción catastrófica. Trate de que se interese a un nivel en el que pueda sentirse a gusto y útil, y que a la vez le reporte la satisfacción de hacerlo con éxito. Para lograrlo pídale que haga trabajos sencillos, llévele a dar un paseo, recalque las cosas interesantes del camino, hagan música juntos o den una vuelta en el carro.

Parece que a veces, el simple hecho de mover el cuerpo hace que el ánimo se levante; tal vez en cuanto la persona empiece a hacer algo se sentirá menos apática. Si hoy sólo puede pelar una papa, mañana quizás sienta ganas de pelar dos. Aunque sólo sea durante unos minutos, desyerbar el jardín le servirá para empezar a moverse. Si suspende pronto la tarea, en vez de insistirle en que la continúe, haga hincapié en lo que realizó y elógiele su trabajo.

Tenga presente que ocasionalmente cuando uno trata de mover a una persona ésta se irrita. Si sucediera con su enfermo, necesitará sopesar qué es más importante, mantenerla activa o contenta.

IRA

La ira es otro estado de ánimo que ocasionalmente presenta una persona con una enfermedad demencial. Es común que en tales casos arremetan contra el que trata de ayudarles, arrojen cosas por doquier, le peguen a usted, rehúsen la ayuda que se les brinda, tiren la comida, griten e inculpen. Todo esto despierta reacciones adversas y causa problemas en el seno familiar. Parecerá como si toda la hostilidad estuviera dirigida a usted a pesar de sus esfuerzos por brindarle bienestar; además, usted tendrá la preocupación de que se lastime o lastime a alguien cuando da rienda suelta a su enojo. Desde luego que es una preocupación justificada. sin embargo, en nuestra experiencia hemos visto que estos estallidos de cólera sólo ocurren raras veces y que por lo general pueden controlarse.

La ira y la conducta violenta son usualmente una reacción catastrófica y como tal deberán manejarse. Reaccione con tranquilidad, no con enojo. Separe a la persona de la situación y aparte el estímulo que la está trastornando. Detecte aquello que precipitó la reacción para evitar o reducir la posibilidad de una recurrencia.

Trate de no tomar la ira del enfermo como si proviniera de alguien en condiciones normales. La ira de una persona confusa casi siempre está exagerada o mal dirigida. El enfermo podría realmente no estar enojado con usted en lo absoluto y su ira no ser más que el resultado de una mala interpretación de lo que está sucediendo, como en el siguiente ejemplo:

El señor Juárez adoraba a su nietecito. Un día el niño se tropezó y empezó a llorar. El señor Juárez se armó de un cuchillo, empezó a gritar y no dejó que nadie se acercara al chico.

El señor Juárez había malinterpretado la causa del llanto de su nieto y tuvo una reacción exagerada. Él pensó que alguien estaba atacando al niño. Afortunadamente la madre del niño entendió lo que sucedía y desvió su acción diciéndole: "Yo te ayudaré a proteger al niño. Ven, tú encárgate de cuidar esta puerta". Así ella pudo levantar al niño y tranquilizarlo.

La mala memoria es una ventaja pues el enfermo rápidamente olvida el episodio. A menudo se puede distraer a la persona que está teniendo esta conducta, sugiriéndole algo que uno sabe que le agrada, como en el siguiente caso:

La suegra de la señora Gutiérrez casi siempre se enojaba cuando ésta se metía en la cocina a preparar la cena. El señor Gutiérrez se encargaba de distraer a su madre a esa hora invitándola a estar con él en otra parte de la casa.

De vez en cuando una persona que está presentando una reacción catastrófica golpea al que trata de auxiliarle. Responda a una situación así como ante todo reacción catastrófica. Siempre que sea posible no la sujete. Si ocurre muy a menudo usted necesitará pedirle al médico que le ayude a detectar lo que está perturbando tanto a la persona y, en caso necesario, que considere la posibilidad de prescribirle algún medicamento.

NERVIOSISMO E INTRANQUILIDAD

Las personas con enfermedades demenciales a veces presentan angustia, preocupación, agitación e intranquilidad, que manifiestan caminando de un punto a otro o moviéndose nerviosamente. Su desasosiego constante se vuelve enervante. El enfermo no sabe explicar por qué está nervioso o da una explicación absurda. Por ejemplo:

La señora Banda estaba obviamente intranquila por algo, pero cada vez que el esposo trataba de averiguar la causa ella le respondía que era porque su madre iba a venir por ella. Si él le decía que su madre llevaba varios años de muerta sólo la hacía llorar.

Los cambios que está sufriendo el cerebro pueden ser algunas veces los causantes de la ansiedad y el nerviosismo; sin embargo, otras veces la desazón proviene de sentimientos reales de pérdida o tensión pues aunque sea muy severa la lesión cerebral, los enfermos conservan su sensibilidad a los estados de ánimo de la gente que los rodea. Si en la casa hay tensión, aunque hagan los mayores esfuerzos por ocultársela, la persona la captará y reaccionará a ella. Por ejemplo, la señora Pavón empezó a discutir con su hijo sobre alguna nimiedad; pronto se pusieron de acuerdo, pero ella se soltó llorando porque "sentía que algo terrible iba a suceder". Tal sentimiento era una respuesta real al ambiente que se respiraba en la casa, pero como cognoscitivamente era incapaz de manejarlo, su interpretación de la causa de lo que percibía fue incorrecta.

El enfermo también suele entristecerse o preocuparse porque en efecto ha perdido algo, por ejemplo su reloj, pero no se tranquiliza aunque usted le diga dónde está el reloj. En este caso *su sentimiento* también es preciso pues ha perdido algo (la memoria, su pasado, muchas cosas); sin embargo, la *explicación* es imprecisa. Respóndale con afecto y dándole seguridad pues lo que siente es real; además, no trate de convencerlo de que no tiene sentido lo que expresa.

Si se le insiste al enfermo en que explique lo que le está perturbando, o si se discute con él (". . .pero si no tienes por qué preocuparte") sólo podría trastornarlo más. El siguiente es un ejemplo:

En el centro de cuidado diurno, todos los días a las dos de la tarde la señora Núñez empezaba a ir y venir de un lado a otro apretándose las manos. Le decía al personal que iba a perder el tren. Si le aseguraban que no iba a tomar ningún tren, sólo se inquietaba más. El personal comprendió que lo que seguramente le preocupaba era su regreso a casa por lo que, respondiendo acertadamente a los sentimientos de la enferma, le decían que se encargarían de que regresara sin ningún contratiempo a su casa. De esta manera siempre lograron calmarla.

No siempre la angustia y el nerviosismo pueden disiparse tan fácilmente. En ocasiones estos sentimientos son inexplicables y todo cuanto podrá hacerse para contrarrestarlos será ofrecerle comodidad y seguridad así como tratar de simplificar su medio.

Cuando las personas con una enfermedad demencial se inquietan y se mueven de un lado a otro, mueven nerviosamente los dedos, rechazan la atención, avientan los muebles, escapan de la casa o del sitio donde están, encienden la estufa o abren las llaves del agua, irritan a todos los que les rodean. Estas conductas son difíciles de manejar para los familiares sin ayuda.

La agitación puede ser también una manifestación parcial de depresión, ira o ansiedad. Puede ser desazón o aburrimiento, una señal de dolor, una reacción a medicamentos, o una parte inexplicable de la enfermedad demencial. Responda tranquila y suavemente, trate de simplificar lo que está aconteciendo alrededor del enfermo, y evite "sobrecargar sus circuitos mentales". De esta manera usted le transmitirá a él su tranquilidad y paz.

A veces es pertinente darle a la persona intranquila algo para ocupar las manos. Algunas personas suelen jugar con las monedas que cargan en los bolsillos. A veces sirve darles algo constructivo que hacer para que usen su energía, como sería pedirles que recojan el correo cuando lo entrega el cartero. Si el enfermo está tomando bebidas con cafeína (café, cola, té negro) cámbieselas por bebidas sin cafeína.

En otras ocasiones esta conducta es el resultado de reacciones catastróficas frecuentes o casi continuas. Trate de hallar maneras de reducir la confusión, los estímulos extras, el ruido y los cambios a su alrededor. Algunos medicamentos pueden mejorar el estado de los enfermos muy agitados.

IDEAS FALSAS, SUSPICACIA, PARANOIA Y ALUCINACIONES

Las personas con problemas de la memoria pueden volverse infundadamente suspicaces. Desconfiarán o acusarán a la gente de estarles robando su dinero, sus pertenencias e inclusive cosas que nadie se llevaría como un cepillo viejo. Acumulan o esconden cosas, gritan pidiendo auxilio o llaman a la policía o acusan de infidelidad al cónyuge.

Los enfermos pueden llegar a creer firmemente que les han robado sus cosas, o que la gente quiere hacerles daño. En los casos extremos, estas ideas llegan a volver al enfermo a tal punto desconfiado y aprensivo que rechaza todo intento de atención y ayuda. En ocasiones tienen ideas angustiadas y extrañas que parece que no olvidan y sobre las que insisten, como decir que no viven ahí, que personas ya fallecidas están vivas y que irán a verlos, que alguien que habita en la casa es un extraño y hasta peligroso, que su esposa no es su esposa y que aunque se parece a ella en realidad es sólo una impostora.

Una persona con una enfermedad demencial puede oír, ver, sentir y oler cosas que no están ahí. Estas alucinaciones pueden aterrorizarla (si por ejemplo ve que hay un extraño en su cuarto), o divertirla (si ve un perrito sobre su cama).

Estas conductas son inquietantes para la familia porque son extrañas y atemorizantes y porque las asociamos con la locura. Tal vez su enfermo nunca las presente, pero es mejor que usted sepa de ellas por si tuviera que afrontar una experiencia de este tipo. Cuando ocurren en presencia de una enfermedad demencial, por lo general son resultado de la lesión o se trata de un delirio agregado, pero no son síntomas de otra enfermedad mental.

Malas interpretaciones

A veces las personas interpretan erróneamente lo que oyen o ven y esto origina problemas. Si la visión del enfermo es deficiente en la oscuridad, unas cortinas que se muevan le harán creer que hay un hombre extraño en su habitación. Si su oído es deficiente, pensará que la gente habla de él al conversar. Si no encuentra sus zapatos, lo interpretarán como un robo.

Es muy importante que una persona con deterioro cognoscitivo vea y oiga al máximo de sus posibilidades pues tal vez ya no es apta para darse cuenta de sus limitaciones sensoriales. Haga que le revisen sus anteojos o su aparato para oír. Debe tenerlos bien adaptados y funcionando correctamente. Si el cuarto no tiene suficiente luz, vea si mejora su visión mejorando la iluminación. Si el cuarto es demasiado ruidoso, o por el contrario apaga los sonidos, el enfermo tendrá dificultad para diferenciarlos (ver Capítulo 5).

Si usted sospecha que el enfermo está malinterpretando las cosas, trate de ayudarle explicándole lo que ve y oye. Por ejemplo, "lo que se está moviendo son las cortinas", "ese golpeteo en la ventana es la rama del árbol que está pegando", en vez de "No hay ningún hombre en el cuarto" o "Nadie está tratando de entrar por la ventana, así es que duérmete". Esto último obviamente podría desatar la discusión que se trata de evitar.

Si la persona no oye bien, es conveniente que la incluya en sus conversaciones y que le hablen directamente en vez de hablar acerca de ella. Véala directamente pues hay personas que aprenden a leer los labios para compensar su mala audición. Se le podría decir: "Papá, Juan dice que el clima ha estado terrible los últimos días", o "Papá, Juan dice que tu nieto ya se sienta solo". Nunca hable de alguien en tercera persona y pídale a los demás que tampoco lo hagan; no lo traten como si no estuviera presente por más "desconectado" de la conversación que crean que está. Esto es deshumanizante y justifica la cólera del enfermo.

A veces el cerebro de la persona deteriorada interpreta incorrectamente lo que los ojos y oídos sí perciben bien. Esto es lo que sucede cuando una persona se pone suspicaz. Para contrarrestarlo, infórmele frecuentemente lo que está aconteciendo, o escríbale recordatorios. Tal vez usted tenga que repetirle lo mismo a menudo pues pronto olvidará lo que le diga.

No reconoce a las personas ni a las cosas (agnosia)

Las personas con enfermedades demenciales pueden haber perdido la habilidad de reconocer personas y cosas, no porque las hubieren olvidado ni porque sus ojos no las perciban, sino porque el cerebro es incapaz de darle sentido a tal información. Es un síntoma desconcertante al que se le conoce como *agnosia*, que viene del latín y significa pérdida de la facultad de reconocer a las personas u objetos.

La señora Molina le dijo a su esposo: "¿Quién es usted? ¿Qué hace en mi casa?"

Este no es problema de la memoria, pues ella no ha olvidado a su esposo, y de hecho lo recuerda bastante bien. Lo que pasa es que su cerebro no puede concebir quién es a partir de la información que le dan sus ojos.

El señor Vivanco insistía en que esa no era su casa, a pesar de haber vivido ahí desde hacía muchos años.

No es que hubiera olvidado su casa sino que debido a que su cerebro no estaba funcionando bien, el lugar no le parecía familiar.

Usted puede ayudar al enfermo dándole más información. La misma voz de usted le servirá para identificarlo. Hágale también hincapié en detalles del todo familiares, por ejemplo, "Mira mamá, aquí está tu silla favorita, siéntate, siempre estás muy cómoda en ella ¿verdad?"

"Usted no es mi esposo"
Ocasionalmente una persona con una enfermedad demencial insiste en que su cónyuge no es su cónyuge, o que su casa no es su verdadera casa. Se obstina en decir que se parece a su casa, pero que en realidad alguien se llevó la verdadera y la remplazó con esa que es falsa. No sabemos exactamente lo que está sucediendo salvo que este síntoma tan inquietante es parte del daño cerebral.

Déle seguridad al enfermo ("Yo soy tu esposa"), pero no discuta con él. Por más descorazonador que parezca, es importante que usted mismo tenga la certeza de que no se trata de un rechazo sino que sólo es una inexplicable confusión del cerebro dañado.

"Mi madre va a venir por mí"

Alguien con un padecimiento demencial puede olvidar que una persona que ella conoció ha muerto hace años. Podría decir, "Mi madre va a venir por mí" o "Mi abuela ha estado aquí conmigo". En este caso tal vez el recuerdo de la persona es más fuerte que el recuerdo de su desaparición. O quizás en su mente el pasado se ha convertido en el presente.

En vez de contradecirla o de seguirle la corriente, trate de responder a su sentimiento general de pérdida, si usted siente que esto es lo que está expresando.

A veces la gente siente que esta idea es macabra o que el enfermo puede "ver a los muertos". Lo más probable es que sea sólo un síntoma más, como la incapacidad de recordar, la vagancia o las reacciones catastróficas.

Lo mejor es no arriesgar una discusión por este tema.

Suspicacia

Si el enfermo se vuelve muy receloso o "paranoide" uno debe considerar la posibilidad de que sus sospechas sean de hecho fundadas. A veces cuando se sabe que una persona es desproporcionadamente desconfiada no se da la importancia que se merece a lo que puede ser la causa real de su suspicacia. En verdad podría estar siendo robada, acosada o maltratada por alguien. Sin embargo, algunos enfermos desarrollan una suspicacia a todas luces inadecuada a la situación real.

La paranoia y la suspicacia realmente no son difíciles de comprender. Todos somos suspicaces para poder sobrevivir. Pasamos de la ingenuidad innata del niño a una desconfianza saludable. Se nos enseña a desconfiar de los extraños que nos ofrecen dulces, de los vendedores que llegan a nuestra puerta, y de la gente que no nos mira a los ojos. Incluso a algunos niños se les enseña a ser recelosos con la gente de otra raza o religión. Hay personas que siempre son desconfiadas y otras que siempre confían en los demás; una enfermedad demencial puede exagerar estos rasgos de la personalidad.

> *Al regresar a su oficina la señorita Varela descubre que su bolso ha desaparecido. Como esa misma semana se han perdido dos bolsos más, ella sospecha del nuevo archivista.*
> *El señor Cisneros sale de un restaurant en la noche, y tres adolescentes lo abordan para pedirle algunas monedas para el teléfono.*

Su corazón se le acelera pues sospecha que planean asaltarlo.
La señora Ibarra llamó tres veces por teléfono a su amiga para in-
vitarla a comer y ésta se rehusó en las tres ocasiones con la excusa
de que tenía que ponerse al corriente en su trabajo. La señora Iba-
rra se preocupa porque piensa que su amiga la está rechazando.

Situaciones como éstas surgen constantemente. La diferencia entre
la respuesta de una persona sana y la de otra con lesión cerebral es que la
capacidad de razonar de esta última puede abrumarse por las emociones que la suspicacia despierta o por la inhabilidad de la persona de
dar sentido a su mundo.

La señorita Varela buscó su bolso y finalmente recordó que lo
había dejado en la cafetería. El cajero se dio cuenta y se lo guardó.

Una persona con una confusión mental carece de la capacidad de recordar. Por lo tanto, nunca habría encontrado su bolso y habría seguido
sospechando del archivista, como también la señorita Varela lo habría
hecho de no haber recordado el sitio donde lo extravió.

Al ver que estaba en una calle bien alumbrada y transitada, el se-
ñor Cisneros controló su pánico y les dio el cambio que necesita-
ban para el teléfono. Los muchachos, después de agradecérselo,
corrieron hacia la caseta del teléfono.

Un enfermo ha perdido la facultad de valorar realísticamente su situación y de controlar su pánico, razón por la cual a menudo reacciona
exageradamente. De haber sido el caso, el señor Cisneros habría grita-
do, los muchachos corrido y la gente habría llamado a la policía.

La señora Ibarra le platicó sus sospechas a una amiga mutua; así
se enteró de que su amiga había estado enferma y se había atrasa-
do mucho en su trabajo al grado de que no se despegaba de su
escritorio ni para comer.

Un enfermo ya no es capaz de poner a prueba sus sospechas ni de re-
evaluarlas después de oír las opiniones de otros.

Una persona con una enfermedad demencial que se vuelve
"paranoide" no es que haya enloquecido. Vive en un mundo en el que todo
empieza a cada momento y no persiste en él ningún recuerdo de los momentos ya transcurridos. Vive en un presente en el que las cosas desaparecen, las explicaciones se olvidan y las conversaciones carecen de sentido.
En un mundo así la desconfianza saludable fácilmente se sale de control.
Por ejemplo, una persona con una enfermedad demencial olvida que usted
le ha explicado con todo detalle que ha contratado a un ama de llaves;
como carece de la información que necesita para valorar acertadamente
lo que está aconteciendo, reaccionará exactamente como nosotros lo
haríamos si encontráramos a una persona extraña dentro de la casa: como
si fuera ladrón.

Para hacer frente a una suspicacia excesiva hay que entender primero que no es una conducta que el enfermo puede controlar. Luego, no contradecirlo ni entrar en razones sobre la veracidad de su afirmación pues sólo conseguirá empeorar las cosas. Evite decirle, por ejemplo, "Ya te dije veinte veces que nadie te ha robado tus cosas, que yo las puse en la bodega". Es conveniente hacer una lista de las cosas del enfermo y los lugares en donde están; por ejemplo: "El sillón doble se lo dio a la prima María; el baúl de cedro está en la bodega de Ana".

Si el paciente le dice, "Me robaste mi dentadura", no le conteste "Nadie te ha robado la dentadura, tú la volviste a perder". En vez de responderle así, dígale "Te voy a ayudar a buscarla". A menudo al localizar el objeto perdido se soluciona el problema. La persona que no puede recordar concluirá que los artículos traspapelados han sido robados y no puede pensar que nadie querría su dentadura.

El hijo de una paciente colgó una llave y la aseguró para que su madre no la quitara de ahí y la perdiera. Cada vez que ella lo acusaba de haberle robado sus muebles, él le respondía con amabilidad, "Todas tus cosas están en la bodega bajo llave. Aquí está tu llave".

A veces se puede distraer al enfermo y con esto se olvida de su suspicacia. Busque los artículos perdidos, vayan a dar una vuelta en el carro, o hágale participar en alguna otra tarea. Algunas veces se puede detectar la causa real de sus quejas y responder con empatía a sus sentimientos de pérdida y confusión.

Cuando hay que desechar muchas de las pertenencias del enfermo para que pueda ir a residir a la casa de alguien o a un asilo, él creerá que se las han robado. De la misma manera, si usted ha asumido el control de las finanzas del enfermo, no será extraño que lo acuse de estarle robando. A veces sirve darles reiteradamente explicaciones y listas de sus cosas, pero otras esto no sirve de nada porque la persona no puede formarse una idea de la explicación o la olvida pronto. Tales acusaciones son desalentadoras cuando uno está haciendo todo lo posible por su bienestar; sin embargo, hay que recordar que cuando menos en parte son una expresión de los abrumadores sentimientos de pérdida, confusión y zozobra que experimenta el enfermo. Aunque a usted no dejarán de causarle congoja, en realidad no perjudican a nadie; de hecho, en cuanto se sabe que se deben a la lesión cerebral, pierden su capacidad de herir.

Pocas cosas enojan a uno tanto como que lo acusen sin fundamento. De ahí que las acusaciones del enfermo provoquen el alejamiento de los cuidadores, personas del servicio doméstico, los vecinos, los amigos e incluso otros miembros de la familia, privándolo a usted de los necesarios recursos de amistad y ayuda. Aclárele a la gente que usted no desconfía de ellos y que la conducta acusatoria es resultado de la incapacidad del enfermo de valorar con precisión la realidad. Su confianza en ellos debe ser obvia y lo suficientemente firme para que logren pasar por alto las incriminaciones de que son objeto. Apoye sus aclaraciones con material escrito, con este libro por ejemplo, que explique la manera como el daño cerebral afecta la conducta. Parte del problema radica en que la persona enferma podría parecer y sonar razonable, y no que ha perdido la capacidad de controlar su conducta. El desconocimiento casi general de la población sobre los padecimientos demenciales y sus manifestaciones contribuye a que la gente no se dé cuenta de lo que está sucediendo.

Esconde cosas

En el mundo confuso del enfermo, en el que las cosas inexplicables se desaparecen, es comprensible que él quiera guardar en un lugar seguro sus preciados objetos. A diferencia de una persona sana, el enfermo olvida más frecuentemente ese lugar seguro. Esconder cosas a veces tiene su origen en una suspicacia exagerada y por los problemas que desata los abordamos en el Capítulo 7.

Delirios y alucinaciones

Los delirios son ideas falsas a las que un enfermo se adhiere con firmeza, y pueden surgir de una suspicacia ("ustedes me han robado mi dinero" "la mafia me persigue") o de un sentimiento de culpa ("soy una mala persona, me estoy pudriendo por dentro y llenándome de una terrible enfermedad"). Conocer su naturaleza puede sevir a los médicos para diagnosticar el problema del enfermo. Las ideas de culpabilidad, por ejemplo, se ven frecuentemente en personas que tienen una depresión severa; sin embargo, si los que presentan las ideas falsas son personas que tienen un daño cerebral debido a infartos cerebrales, enfermedad de Alzheimer, o a otras enfermedades, se cree que surgen de la lesión del tejido cerebral. Es frustrante que el enfermo parezca capaz de recordar esas ideas erróneas, pero no la información real.

A veces las ideas equivocadas parecen provenir de una mala interpretación de la realidad y estar ligadas a las experiencias pasadas del enfermo. Aquí cabe hacer una llamada de atención: no todas las cosas extrañas que dicen los viejos son ideas delirantes.

En cuanto a las alucinaciones, son experiencias sensoriales que son reales para la persona que las tiene, pero que los demás no experimentan. Entre las alucinaciones más comunes están el oír voces y ver cosas, aunque a veces los enfermos también sienten, huelen o saborean cosas inexistentes.

La señora Santos a veces veía un perro dormido sobre su cama y llamaba a su hija para que lo sacara.

El señor Ávila veía hombrecitos en el piso, pero lo distraían al grado de que a veces prefería sentarse a observarlos en vez de participar en las actividades del centro de convivencia en el que estaba.

La señora Elías oía que había varios ladrones fuera de su ventana tratando de entrar y hablando de cómo la atacarían. Llamaba a la policía y se ganó la reputación de la "chiflada" del vecindario.

Al señor Vargas le sabía a veneno toda su comida. Como se negaba a comer bajó tanto de peso que tuvieron que hospitalizarlo.

Las alucinaciones son un síntoma como la fiebre o el dolor de garganta y pueden surgir por muchas causas. Ciertas drogas originan alucinaciones en las personas sanas. De la misma manera, varios procesos patológicos llegan a producir alucinaciones. Al igual que la fiebre y el dolor de garganta, el primer paso es identificar la causa de la alucinación. Las alucinaciones en una persona mayor no son necesariamente indicación de una enfermedad demencial sino que pueden resultar de varias causas muchas de las cuales son tratables, el delirio entre ellas. Si las alucinaciones o el delirio aparecen en una persona que previamente ha estado bien, lo más probable es que no estén asociados a demencia. No permita que el médico descarte este síntoma tomándolo como "senilidad". No en todos los ejemplos que hemos dado las alucinaciones eran síntoma de demencia.

Cuando las alucinaciones se presentan como una parte inexplicable de la enfermedad demencial, su médico le podrá ayudar. A menudo estos síntomas pueden tratarse con medicamentos que contribuyen a que el paciente se sienta mejor y a usted le facilitarán la vida.

Cuando se presenten alucinaciones o ideas falsas reaccione con tranquilidad para que no vaya a inquietar aún más a la persona enferma. Aunque no es una emergencia, convendrá que se lo comunique al médico cuanto antes. Tranquilice a la persona diciéndole que usted se está haciendo cargo de las cosas y que velará por que todo esté bien.

Evite negar lo que está experimentando el enfermo, o discutir con él. Recuerde que para él la experiencia es real. Tampoco deberá seguirle la corriente en su delirio o alucinaciones. Usted no necesitará estar de acuerdo ni en desacuerdo; concrétese a escuchar y a darle alguna respuesta sin suscribirse a ninguno de estos dos extremos. Podría decirle, "Yo no oigo las voces que tú oyes, pero desde luego que deben asustarte", que no equivale a estar de acuerdo. Ocasionalmente es posible distraer a la persona para que se olvide de la alucinación, diciéndole por ejemplo,

"Ven, vamos a la cocina a tomar un vaso de leche caliente". Cuando regrese a su recámara probablemente ya no verá el perro sobre su cama y usted habrá evitado una confrontación perturbadora.

A menudo se puede tranquilizar a la persona tocándola físicamente, siempre y cuando ella no lo malinterprete como que trata uno de sujetarla. Dígale, "Ya sé que estás muy intranquila; ¿no quieres que te tome la mano o que te abrace?"

9
Arreglos especiales en caso de que usted se enfermara

Todos nos podemos enfermar o sufrir un accidente. Si uno está cansado y tenso como resultado de atender a un enfermo crónico, los riesgos de sufrir un accidente o de enfermarse aumentarán. El cónyuge de una persona con una enfermedad demencial, por lo general también entrado en años, corre el riesgo de contraer otras enfermedades.

Si esto sucediera, ¿ha pensado usted en quién se encargará de la persona confusa y con problemas de la memoria? Aunque tal vez no haya necesidad nunca de ponerlo en acción, es muy importante que tenga listo un plan, pues la demencia imposibilita al enfermo a actuar en su propio beneficio y tanto él como usted deberán estar protegidos.

Usted por su parte necesita contar con un médico que esté enterado de su estado de salud a quien pueda localizar rápida y fácilmente en caso de sobrevenir una crisis. Además, necesita prever con anticipación diferentes tipos de posibles problemas desde los súbitos y severos si usted sufriera un ataque cardiaco o una apoplejía, o si se cayera y rompiera un hueso, hasta otros menos repentinos como sería una enfermedad larga, una hospitalización o una operación quirúrgica, o un ataque de gripe que lo obligara a estar en cama durante varios días.

La señora Bernal de repente empezó a tener dolores en el pecho y sabía que debía acostarse. Le pidió a su aturdido marido que fuera a llamar al vecino, pero él sólo siguió jalándola del brazo y gritando. Cuando finalmente ella pudo pedir auxilio por teléfono, él se opuso a que los encargados de la ambulancia entraran a la casa.

Aun cuando la persona deteriorada parezca estar funcionando bien, podría encolerizarse y dejar de ser capaz de hacer las cosas como suele hacerlas. Si usted se enfermara súbitamente y no pudiera pedir auxilio, la persona perturbada y confusa podría ser incapaz de conseguir ayuda para usted, o malinterpretar lo que está sucediendo y bloquearlo a usted en sus esfuerzos por lograrla.

Hay varias maneras posibles de pedir auxilio que usted podría prever. Si en su localidad hay un teléfono al cual llamar en casos de emergencia, trate de entrenar a la persona a que lo marque para pedir auxilio. Ponga este número sobre el teléfono, o si no el de algún pariente que viva cerca que pudiera entender la llamada de auxilio del enfermo.

Si usted vive cerca de alguien que esté dispuesto a auxiliarle en caso de una crisis, podría instalar un timbre de alarma, una campana, o algún sistema de intercomunicación. Hay *walkie-talkies* baratos que se pueden comprar en las jugueterías, o bien otros tipos más profesionales como los que usa la policía o los servicios de seguridad. Uno podría estar instalado en la casa del amigo o familiar que les auxiliará, adaptándolo para que funcione con la corriente eléctrica de la casa para que siempre esté encendido y listo para recibir la señal. El otro lo tendrá usted a su alcance. Este aparato manda una señal a una distancia determinada (500 metros), pero hay aparatos más potentes que tienen un alcance de varios kilómetros. Para este último equipo tal vez usted necesitará un permiso oficial.

En algunos lugares existen servicios de vigilancia que se encargan de llamar una vez al día para confirmar que todo marcha bien. Esto podría significar un retraso importante en una emergencia, pero de algo podría servir.

La persona que acudirá en su auxilio en caso de una crisis deberá tener una llave para entrar en la casa pues el enfermo podría oponerse a dejarla entrar.

Necesita planear cuidadosamente la atención del enfermo. El encargado sustituto deberá ser una persona que el enfermo conozca bien y que esté al tanto de las rutinas que usted sigue para atenderlo. No olvide que los cambios perturban más al enfermo, por lo que es necesario que éstos sean mínimos. Deje preparada una lista con los nombres y números telefónicos importantes para que el sustituto pueda encontrarlos fácilmente, entre ellos los de su médico, el médico del enfermo, el boticario, el abogado, los familiares más próximos, etc.

Algunas personas previsoras tienen un libro de notas en el que apuntan las cosas que un sustituto deberá saber; por ejemplo: "El teléfono del doctor Espinosa es el... Juan debe tomar una pastilla de... una hora antes de comer; la toma mejor con jugo de naranja. La estufa no enciende a menos que se le prenda el interruptor que está escondido detrás del tostador. Juan empieza a vagar casi siempre a la hora de cenar. Es necesario que a esa hora lo vigilen de cerca''.

Si usted falleciera

Si alguien cercano a usted tiene una enfermedad demencial, usted tiene la responsabilidad especial de prever y dejar sus asuntos en orden por la posibilidad de que usted falleciera antes que él. Probablemente sus planes no tendrán que ponerse en práctica, pero deben hacerse por el bien del enfermo.

Cuando un miembro de la familia es incapaz de velar por sí mismo, es importante que usted estipule en su testamento todo lo relativo a su atención. Hable con un abogado de su confianza y formule con él su testamento así como todos los documentos legales necesarios. Las legislaciones preven cómo dividirse la propiedad entre los herederos cuando no existe un testamento o cuando no tenga validez el que exista. Sin embargo, tal vez esa no es la manera como a usted le gustaría que se repartieran sus pertenencias, pero además de lo relativo a la distribución de sus bienes, debe abordar las siguientes cuestiones y encaminar las acciones pertinentes (ver Capítulo 15).

Los arreglos para su funeral y la persona que se encargará de él. Por adelantado puede dejar seleccionado el tipo de funeral y su costo. Esto, lejos de ser macabro, es un acto de responsabilidad y de consideración a su atribulada familia.

Los arreglos inmediatos que haya previsto para la atención de la persona con una enfermedad demencial. Debe haber alguien que de inmediato, con bondad y dedicación, se haga cargo de ella.

Las personas que le sustituirán en el cuidado del enfermo deberán estar debidamente enteradas del diagnóstico del médico que lo trata, y de ser posible deberán saber tanto como usted sobre la manera de velar por el bienestar del enfermo.

La manera como ha previsto la aportación de dinero para la atención del enfermo y la persona que será la encargada de administrarlo. Si el enfermo ya no puede manejar sus propios asuntos, debe haber alguien debidamente autorizado que se encargue de ellos. Desde luego es mejor que sea una persona en quien usted confíe y no dejar que una corte o un juez tome esta importante decisión.

Sucede a veces que uno de los cónyuges cuida durante varios años al otro que sufre una enfermedad demencial sin informar a los hijos sobre la enfermedad de su consorte para ahorrarles la carga:

"No tenía ni idea de lo que le ocurría a mi madre pues mi padre tuvo mucho cuidado en ocultárnoslo. Después le dio a él el ataque

cardiaco y vinimos a encontrar a mi madre así. Ahora tenemos al mismo tiempo el choque de la muerte de mi padre y la enfermedad de mi madre. Hubiera sido mucho más fácil si desde que empezó con la enfermedad él nos lo hubiera dicho pues al hacernos cargo de ella no sabíamos nada acerca de la demencia, y tuvimos que aprender apresuradamente todo lo que él fue aprendiendo poco a poco. Lo peor de todo fue que tuvimos que hacerlo en pésimas condiciones emocionales para nosotros''.

Todos los miembros de la familia necesitan saber lo que tiene su familiar enfermo y los planes que se han hecho. Una experiencia como la descrita es un buen ejemplo del perjuicio que significó ''proteger'' a otros miembros de la familia.

Usted debe preparar un breve resumen sobre el estado actual del enfermo y sobre la atención que necesita. Incluya la manera como usted se ha organizado para cuidarlo y no olvide anotar también la información relativa al lugar donde guarda usted su testamento, escrituras, bonos y acciones, así como de las escrituras del lote en el cementerio.

10
A quién recurrir

En los capítulos anteriores hemos insistido en la importancia de que usted se dé tiempo para alejarse de las responsabilidades de atender a una persona con una enfermedad demencial y dedicarlo a su propio bienestar. En éste abordaremos los tipos de apoyo que podrían hacer esto factible, y que podrían provenir de familiares, amigos o vecinos. Si el enfermo está solo durante el día será necesario contar con alguien que vigile que efectivamente tome sus alimentos; otras situaciones en las que conviene que le ayuden es para bañarlo, para estar con él mientras usted descansa o se ausenta de la casa, para auxiliarlo con los quehaceres domésticos y alguien con quien hablar para aclarar sus ideas.

A veces algún vecino está dispuesto a darle una vuelta al enfermo y comprobar que está bien; el boticario puede ocuparse de surtirle las recetas; se puede recurrir al párroco, ministro o guía espiritual cuando el ánimo flaquea y contar con un amigo que en una emergencia pueda quedarse con el enfermo. Al hacer sus planes considere este tipo de recursos pues son importantes para usted, si bien, llegado el momento la mayoría de las familias recurren a apoyos externos para planear la atención a largo plazo de su familiar enfermo. Por otro lado, hay familias que lograrán hacerse cargo de todo sin recurrir ampliamente a servicios profesionales; empero el peso de cuidar a una persona demente puede llegar a ser enorme.

En ocasiones uno tiene sus dudas sobre la efectividad de la ayuda externa pues aun cuando la necesidad es obvia, uno piensa que otra persona no hará las cosas tan bien como uno mismo, o sabe que los cambios trastornan a la persona confusa. El costo de los servicios de apoyo también influye en estas vacilaciones.

La decisión de buscar ayuda externa debe compartirse con todos los miembros de la familia. Aunque no faltarán las diferencias de opinión, las posibilidades de malentendidos se reducen cuando todos están informados de los recursos disponibles, los servicios que ofrecen y su costo. Desde luego que los recursos deben ser los adecuados tanto para usted como para el enfermo; por ejemplo, podría ser más difícil encontrar ayuda si el enfermo es combativo o suele vagar y en tal caso, antes de poder conseguir la ayuda que necesita, usted tendrá que trabajar junto con su médico para reducir estas conductas.

El proceso de localizar este tipo de recursos (que pueden ser privados u oficiales) podría resultarle largo y tedioso, y es aquí donde una trabajadora social podría ser de gran utilidad (ver Capítulo 2).

SI USTED MISMO SE ENCARGA DE LOCALIZAR LOS SERVICIOS

Si no dispone de los servicios de una trabajadora social podrían servirle las siguientes sugerencias para buscar usted mismo los recursos externos:

Después de evaluar sus necesidades, escriba en un cuaderno las preguntas que necesita hacer. Esto también le servirá para organizar su indagación. Haga una lista de los lugares probables, lo que ofrecen, su costo, sus ventajas y desventajas. También es conveniente llevar nota de las conversaciones, incluyendo la hora y el nombre de la persona con quien hable, y la secuencia de los diferentes contactos dentro de una institución, pues sirve para aclarar cualquier contradicción. La señora Cervera anotó lo siguiente:

Necesidades	Ideas	Pros	Contras
Alguien que se quede con Guillermo mientras voy de compras.	*La tía María.*	*Está dispuesta y sería gratis.*	*Me critica mucho.*
	Estancia diurna.	*Buena atención. Personal agradable. Lo mantienen activo y al aire libre.*	*Cobran. Él se enoja cuando lo llevo ahí.*
	Centro de Convivencia para la Tercera Edad.	*Lo sugirió Ángeles, mi vecina.*	
		Llamé por teléfono pero me dijeron que no admiten personas con demencia.	

Podría ser cuestión de hacer varias llamadas o visitas personales, pero es importante insistir, seguir buscando y haciendo preguntas hasta localizar la información y la ayuda que usted necesite. Sea paciente, pero persistente. Si en alguna oficina no proporcionan la atención que usted busca, pregúnteles qué otras oficinas o instituciones sí la brindan.

Si a pesar de todos sus esfuerzos no logra conseguir el apoyo, no se descorazone; quizá ni siquiera existan esos recursos en su comunidad. La calidad y cantidad de servicios disponibles varían de un área a otra.

Por otra parte, los recursos pueden quedar fuera de nuestro alcance por varias desafortunadas razones: algunas instituciones tienen una lista de espera muy larga; otras sólo atienden a cierto tipo de gente y otras más son muy caras. Esta deficiencia de servicios y recursos es un problema mayor que sólo podrá resolverse cuando el público sepa más de las enfermedades demenciales y de las necesidades de las familias.

En última instancia, utilice cualquier recurso existente aun cuando no sea el ideal, pues siempre es mejor contar con alguna ayuda aunque sea mínima que tratar de absorber todo uno mismo.

TIPOS DE SERVICIOS

No todas las personas que sufren una enfermedad demencial son ancianas. Sin embargo, existen recursos adicionales para los pacientes mayores de sesenta años. La mayoría de las instituciones avocadas a la atención de la senectud ofrecen varios programas, unos gratuitos y otros a precios reducidos, específicamente para las personas mayores de 60 años. Por su parte, las instituciones de seguridad social no sólo protegen a los trabajadores que llegan a una edad avanzada sino también a los minusválidos y a los inválidos.

Algunos servicios sólo admiten a personas que pueden rehabilitarse, es decir, que "pueden curarse", y así lo establecen en sus objetivos; aquí entrarían por ejemplo los pacientes que han sufrido una enfermedad cerebrovascular o que tienen una enfermedad depresiva, no así aquellos a los que se les ha diagnosticado la enfermedad de Alzheimer o que se les ha catalogado de "seniles".

Es necesario que los responsables de la planeación de los servicios asistenciales, municipales, estatales y federales, así como la gente en general, abran los ojos al hecho de que las enfermedades demenciales son procesos patológicos y no vejez, y que por lo tanto, dar apoyo institucional a los familiares de los enfermos es a la vez una obligación de asistencia pública y una labor humanitaria.

171

Debido a los crecientes costos de los asilos, los encargados de las políticas de salud pública deben buscar alternativas a la atención en instituciones, entre ellas la creación de guarderías diurnas y apoyos para el cuidado del enfermo en su propio hogar. Dentro de algunos de los programas que ya están llevándose a cabo se incluye la dotación de anteojos, audífonos para sordera, terapia de lenguaje si se estima que pueden mejorar la condición del enfermo (no necesariamente revertir el padecimiento). Otros, aunque no se avocan a atender a la persona con una enfermedad demencial, sí están dando a cualquier persona mayor de sesenta años varios paliativos económicos: descuentos en casas comerciales, descuentos en los servicios de transporte, asesoría legal, psicológica y de trabajo social gratuitas, entre otros.

En algunos lugares hay agrupaciones de tipo civil o religioso cuyos miembros voluntarios proporcionan desinteresadamente servicios valiosos y efectivos. Por ejemplo, hay un programa llamado "Alimentos sobre ruedas" cuya función es llevar diariamente una comida caliente a personas que viven solas y que no pueden salir de su casa, y al mismo tiempo los voluntarios comprueban que la persona se encuentra bien. Sin embargo, la ayuda es limitada cuando la persona tiene alguna enfermedad demencial y no pueden hacerse cargo de su supervisión.

Existen otros programas también a cargo de ciudadanos voluntarios que brindan apoyo tanto a la familia como al enfermo para que pueda seguir activo y conviviendo con otras personas. El siguiente es un ejemplo de este tipo de apoyo:

> *El señor Gil, que siempre había sido un hombre muy activo, sufría ahora una ligera demencia que lo obligó a dejar su trabajo por lo que se aburría mucho en su casa. Su hija consiguió que lo admitieran como voluntario mayor en una casa de descanso cercana en donde jardineaba y desyerbaba los arriates. Se sentía activo y útil y el personal le recordaba a menudo lo que a continuación debía hacer.*

En otras partes de este libro hemos hablado ya de otros recursos posibles, que podrían ya existir en su localidad, o que podría pugnarse por que se crearan. Aun cuando de momento no necesite usted este tipo de apoyos, es conveniente que averigüe con qué podría contar en un momento dado.

LA AYUDA DE VECINOS Y AMIGOS

A menudo los amigos y los vecinos se ofrecen a ayudar a cuidar a una persona confusa y aunque su disposición es buena se retractarán si se les exige demasiado.

Cuando se recurre a los vecinos y a los amigos en busca de ayuda hay que facilitarles las cosas para que se sientan a gusto ayudando. En primer lugar hay que informarles sobre la condición del enfermo. Algunas personas se sienten muy incómodas cuando tienen que estar cerca de un enfermo perturbado, y como las enfermedades demenciales son extrañas para mucha gente, los que le ayudan necesitan comprender el porqué de la conducta del enfermo. Tal vez usted no quiera dar a saber todas sus aflicciones a esas personas a quienes usted no conoce bien y será mejor que las comparta con amigos más íntimos que también estarán más dispuestos a oírlas.

Siempre que sea necesario pedir su ayuda, avíseles con cierta anticipación para que ellos puedan planear sus actividades. Absténgase de criticarlos si su labor estuvo lejos de ser perfecta, y no olvide agradecérsela.

Sea razonable al solicitar ayuda para no incomodar mucho a los que se presten a darle apoyo. Por ejemplo, a un vecino no le será muy gravoso darle una vuelta al enfermo para cerciorarse de que no necesita nada; en cambio a un amigo que deba atravesar la ciudad en automóvil le resultará muy molesto.

Por último, la ayuda que otros le brinden, además de hacer que se sientan útiles y productivos no deberá inquietar al enfermo.

APOYO EN EL HOGAR

El apoyo en el hogar en la forma de participación en los cuidados del enfermo por parte de familiares, amigos, vecinos, correligionarios, voluntarios o personal pagado como trabajadoras domésticas o de enfermería posibilita continuar atendiéndolo en el seno del hogar. Desafortunadamente en muchos casos este apoyo es escaso, nulo o muy caro. Además la gente suele negarse a cuidar "enfermos seniles". Una trabajadora social puede ayudarle poniéndolo en contacto con los recursos existentes.

Las personas que le ayuden, además de estar familiarizados con las enfermedades demenciales, deberán saber cómo evitar o responder a las reacciones catastróficas. *Usted deberá instruirlos* respecto a lo que el enfermo puede o no puede hacer y prevenirlos de que el enfermo puede darles información equivocada. Usted deberá dejar muy en claro todo tipo de cuidado especial que necesite el enfermo, y la manera de localizarlo a usted o a un familiar responsable en caso de una emergencia.

La habilidad de la persona para cuidar al enfermo deberá ser indudable si el enfermo tiene otras complicaciones tales como insuficiencia cardiaca o respiratoria, tendencia a atragantarse o a caerse o sufre ataques. Si el enfermo a menudo se trastorna, usted tendrá que hablar con su médico para tratar de reducir esta conducta. En la página 146 hemos abordado los problemas que surgen cuando el enfermo rechaza a la persona que acude a cuidarlo.

Es común que entre los amigos, familiares o miembros de la misma iglesia se encarguen de llevar algo de comer durante un tiempo corto, por ejemplo, si usted se enfermara.

También se podría conseguir a alguien que llegara a la casa a estar con el enfermo y que a la vez se encargara de preparar la comida; podría ser una mujer mayor que necesite trabajar, pero que no tiene un entrenamiento formal de ninguna especie.

Por lo general, para conseguir este tipo de ayuda se puede preguntar a los amigos, poner un anuncio en el periódico o acudir a la bolsa de trabajo de los estudiantes de la universidad local.

> *Un muchacho preparatoriano, en vez de cuidar niños se encargaba de cuidar a una señora con enfermedad demencial mientras sus familiares salían a descansar en la tarde. La señora vagaba por toda la casa, pero estaba tranquila siempre y cuando el muchacho no dejara de tocar himnos religiosos en el piano.*

Contratar estudiantes es una buena opción pues son amables y pacientes, tal vez hayan adquirido experiencia con sus abuelos y necesitan el trabajo. Obviamente que, como con todo aquél que lleve a su casa, deberá informarse de sus referencias y cerciorarse de que está enterado de lo que son las enfermedades demenciales y desea cuidar a una persona confusa. Esté usted presente al principio durante varios días antes de dejarlo solo con el enfermo. Aclare con él sin lugar a dudas sus honorarios (que serán más altos en las zonas metropolitanas) y sus responsabilidades antes de contratarlo. No cabe esperar que la misma persona se encargue del aseo de la casa y de cuidar al enfermo por el mismo salario y lo cierto es que una empleada doméstica no podrá hacerlo. Si para usted mismo es difícil, para otra persona sin su experiencia será imposible.

Otra manera de organizar apoyo es el intercambio de servicios entre dos o tres familias que por turno se encargan de cuidar a los enfermos. Un ejemplo de este tipo de colaboración sería que usted cuidará en su casa a dos enfermos una tarde a la semana y la semana siguiente otra persona cuidara en su propia casa a los enfermos mientras usted sale por la tarde. Esto es posible sólo cuando los enfermos son tranquilos y no se dedican a vagar; es más, suelen disfrutar la compañía de otras personas. Las reglas de estos servicios de intercambio también deben quedar muy claras.

174

Varias familias podrían organizarse para entrenar a una o dos personas en el manejo de los enfermos. Con este entrenamiento, podrían auxiliar a varias familias organizando sus horarios de trabajo.

Las asociaciones de enfermeras visitadoras o las agencias para la atención de enfermos en el hogar envían profesionales de enfermería, trabajo social y medicina física a realizar trabajos especiales y de evaluación. Por ejemplo, una enfermera podría llevar un registro del estado del paciente, cambiar un catéter, bañar al enfermo y poner inyecciones. El terapeuta de lenguaje se encargará de la rehabilitación de una persona que haya quedado con trastornos del lenguaje debido a un infarto cerebral. Un fisioterapeuta por su parte se encargará de los ejercicios gimnásticos del enfermo. Otro personal auxiliar lleva a cabo la preparación de alimentos, el arreglo personal y las compras. Los gastos por estos servicios muchas veces son cubiertos por los seguros contra enfermedad.

LA ATENCIÓN FUERA DEL HOGAR

Otra manera de obtener ayuda para cuidar al enfermo es arreglar que él esté parte del tiempo en algún lugar. Hay varios recursos para esto, alguno de los cuales tal vez exista en su localidad. Las mejores fuentes de información sobre estos recursos son una trabajadora social, el centro de salud, o la oficina de protección a la senectud. Desafortunadamente, tal y como sucede al tratar de conseguir recursos para la atención en el hogar, es difícil encontrar sitios donde acepten cuidar personas con enfermedades demenciales y a veces el familiar debe entrenar al personal para que pueda atender a su enfermo.

No es raro que como familiar del enfermo uno salga descorazonado después de visitar una de estas estancias diurnas o casas de recuperación. El señor Meneses lo expresa de la siguiente manera:

> *"Fui a conocer la estancia diurna porque en el hospital me aseguraron que era excelente. Sin embargo, nunca llevaría a Alicia a ese lugar, lleno de gente vieja y enferma. Un viejo iba arrastrando una bolsa refunfuñando, otro babeaba todo el tiempo, varios estaban sentados en esas sillas con una charola enfrente para sujetarlos, otros se aferraban a la charola o dormían".*

Es angustiante tener frente a uno a un grupo de personas inválidas o de ancianos y la percepción que tenemos de nuestro ser querido está matizada por el recuerdo de cómo era.

Tal vez sienta usted que un programa de ese tipo no ofrece la atención individualizada que usted puede brindarle en su propio hogar. Sin embargo, podemos asegurarle por experiencia que el hecho de salir de la

175

casa y estar con otras personas beneficia al enfermo y podría sentirse a gusto si el sitio no le impone muchas demandas y puede hacer amigos con otros enfermos.

Si siente reacciones adversas al visitar este tipo de recursos, convendría que platicara con los familiares de personas que ya asisten regularmente a ellos. Pregúnteles qué lugares de los que visitaron les gustaron y cómo han llegado a aceptar cosas que al principio les molestaban. Usted deberá sopesar la importancia de que usted tenga unas horas de descanso y los beneficios que podría significar para el enfermo contra la inquietud que le causa ponerlo en ese medio.

Llevarlo a un sitio diferente puede trastornar al paciente confuso por lo cual su introducción deberá ser gradual y usted deberá estar preparado para un período de ajuste (ver Capítulo 4).

Tipos de estancias

Los siguientes son ejemplos de programas que ya existen en los Estados Unidos de Norteamérica y que constituyen recursos valiosos para la atención parcial, fuera del hogar, de personas con enfermedades demenciales.

Hay programas de nutrición y recreación en los que se proporciona una comida caliente y entrenamiento durante varias horas todos los días de la semana. Los grupos son pequeños, generalmente no dan atención médica, no dan medicamentos y no admiten personas violentas, inquietas ni incontinentes. Su personal está constituido de legos y paraprofesionales. Son apropiados para personas con una confusión leve o moderada.

Los programas de atención diurna para adultos ofrecen varias horas al día de recreación estructurada para personas con facultades limitadas. Dan estímulo mental al enfermo dentro de sus capacidades. Parece que cuando los enfermos se adaptan al programa de atención diurna gozan más la vida, duermen mejor y en la casa son más fáciles de manejar. Opinamos que figuran dentro de los recursos más importantes para las familias.

Los centros de atención diurna para adultos varían en personal, servicios que ofrecen y enfermos que aceptan. Los requisitos para su autorización varían de acuerdo con las leyes locales. Algunos funcionan sin licencia y sin la supervisión del estado.

Su costo varía de acuerdo con los fondos de que dispongan, que pueden ser estatales o federales. Algunos ajustan sus tarifas según los ingresos y posibilidades del enfermo o su familia. Algunos programas están conectados con hospitales estatales o federales, asilos, centros de salud mental, iglesias, servicios psiquiátricos o instituciones de protección a la familia. En algunos hay una enfermera o una trabajadora social de guardia.

Es difícil encontrar centros adecuados de atención diurna para personas con demencia. Algunos programas admiten sólo personas mayores de 60 ó de 65 años; algunos centros se especializan en pacientes hemipléjicos, ancianos alcohólicos y otros individuos que sean "potencialmente rehabilitables". A veces con la ayuda de algún profesional como médico, enfermera, o trabajadora social, es posible conseguir que admitan a un enfermo demencial en alguno de estos centros.

Los hospitales que sólo funcionan durante el día ofrecen servicios médicos y terapia ocupacional y recreativa para personas con algún deterioro, que viven en su casa. El personal está constituido por enfermeras, trabajadoras sociales, médicos y otros profesionales. Los recursos económicos de los hospitales para pacientes externos a veces están destinados sólo a pacientes rehabilitables y el tiempo que una persona puede permanecer dentro del programa a menudo se limita al periodo de su evaluación y tratamiento.

11
Usted y el enfermo como miembros de una familia

En los Capítulos del 2 al 10 hemos abordado diferentes formas de ayudar y atender al enfermo; sin embargo, usted y su familia también son importantes. Una enfermedad demencial crónica impone a la familia una carga muy pesada pues significa entre otras cosas, una gran cantidad de trabajo, sacrificios económicos y aceptar la realidad de que un ser querido jamás volverá a ser el de antes. Pero esto no es todo; también significa que las responsabilidades y relaciones dentro de la familia cambiarán, que esto podría dar lugar al surgimiento de controversias, y que usted que tiene a su cargo al enfermo, se vea abrumado, descorazonado, abandonado, enojado y deprimido. Usted y el enfermo al igual que otros miembros cercanos a éste interactúan como parte de un sistema familiar que puede ser presa de *stress* debido a la enfermedad demencial. Por todo lo anterior, es conveniente considerar los cambios que pueden suscitarse en el seno familiar e identificar los sentimientos que puedan experimentarse pues, a veces, el simple hecho de saber que lo que uno está viviendo otros lo han vivido ya le aligera a uno el peso. Otras veces, el reconocer lo que está sucediendo le sugiere a uno ideas para mejorar la situación.

Es importante aclarar que la mayoría de las familias se encargan de cuidar a sus enfermos viejos todo el tiempo posible, y que simple y sencillamente no es verdad que la mayoría de los estadounidenses —en cuyo país se estudiaron los pacientes, motivo de este libro— abandonan a sus viejos o los "depositan" en asilos. Se ha comprobado que si bien muchos ancianos no viven con sus hijos, su relación con ellos es estrecha o son atendidos por ellos. Por lo general, los familiares hacen todo cuanto está de su parte, a menudo un gran sacrificio personal, para atender a sus miembros enfermos y viejos antes de empezar a buscar apoyos. Desde luego que, como en todo, también hay familias que no se interesan en absoluto por sus viejos enfermos, otras que por enfermedad o por otros problemas no pueden hacerse cargo de ellos, y unas cuantas que simplemente no desean hacerlo. Asimismo hay algunos viejos que no tienen familiares que velen por ellos. Sin embargo, en la mayoría de los casos las familias hacen todo lo posible por cuidar a sus viejos.

Casi todos los miembros de la familia sienten un acercamiento y sentido de cooperación al trabajar juntos en la atención de un pariente con enfermedad demencial; sin embargo, las presiones de velar por un enfermo a menudo dan origen a conflictos en el seno familiar o reavivan antiguas desavenencias, como en los siguientes ejemplos:

El señor Ortega decía: "No podemos ponernos de acuerdo en lo que debemos hacer. Yo quiero que mi madre se quede en la casa mientras que mi hermana insiste en que la llevemos al asilo. Ni siquiera concordamos en lo que está mal".

Por su parte, la señora Gaytán comentaba: "Mi hermano nunca viene y se niega a hablar del asunto. Yo sola debo hacerme cargo de mi madre".

Además, la carga de cuidar al enfermo llega a ser agobiante y lo llena a uno de angustia.

La señora Frías lo expresa así: "Me deprimo tanto que me pongo a llorar. Me paso toda la noche despierta y preocupada. Soy tan infeliz".

Ser testigo de la declinación de un ser querido es una experiencia dolorosa; es por eso que en este capítulo hablaremos sobre algunos de los problemas que encaran las familias, y en el Capítulo 12 abordaremos algunos de los sentimientos que se generan.

Es importante reconocer que no todo será tristeza. Muchas son las familias que experimentan un gran orgullo al aprender a resolver situaciones difíciles y un redescubrimiento entre sus miembros al trabajar juntos en el cuidado de su enfermo. Al dar apoyo a una persona con problemas de la memoria disfrute el mundo que rodea al enfermo; es posible que renueve la alegría de compartir las cosas simples de la vida, como jugar con un chachorro o disfrutar las flores; o que descubra una nueva fe en usted, en los demás o en Dios. La mayoría de los procesos demenciales progresan lentamente; así es que usted y su enfermo pueden esperar muchos años satisfactorios.

La señora Morales decía: "A pesar de que ha sido difícil, también me ha servido de muchas maneras: me ha dado confianza ver que puedo manejar las cosas que mi esposo siempre se encargó de hacer, y los chicos y yo nos hemos unido más desde que él se enfermó".

Como el objetivo de este libro es ayudarle a resolver los problemas que probablemente afrontará en su labor, es natural que casi todo lo que anotamos se refiera a sentimientos y situaciones desagradables; tenga presente en todo momento que es una visión unilateral que refleja sólo parte de lo que para usted es la vida.

Usted y su familia experimentan sentimientos y problemas que afectan a todos. Sin embargo, para mayor claridad hemos organizado las interacciones por temas separados como son: cambio de roles dentro de la familia; cómo afrontar los cambios de roles de los conflictos familiares que pueden surgir; sus propios sentimientos y la manera de cuidarse a usted mismo.

CAMBIO DE ROLES

Los roles, las responsabilidades y las expectativas dentro de la familia cambian cuando uno de los miembros se enferma. Por ejemplo:

"Lo peor de todo es llevar la cuenta de la chequera", comentaba una señora. *"Hemos estado casados treinta y cinco años y hasta ahora tengo que aprender a llevar la chequera".*

Un hombre dijo: "Me siento como un tonto lavando ropa interior de mujer en la lavandería".

Una hija comentaba: "¿Por qué mi hermano no me ayuda turnándose conmigo para cuidar a mi madre?"

Un hijo decía: "Mi padre siempre ha sido el jefe de la casa. ¿Cómo le digo ahora que no puede conducir?"

Los roles son diferentes de las responsabilidades por lo que es muy útil reconocer qué significa rol para cada uno de la familia. Las responsabilidades son las tareas que cada uno tiene asignadas en la familia, mientras que los roles se refieren a lo que uno es, a cómo lo ven los demás y a lo que se espera de uno (por ejemplo, señora de la casa, madre y "la persona a la que todos concurren)". Los roles de uno se establecen a través de los años y no siempre son fáciles de definir. Las tareas a menudo simbolizan nuestros roles. En los ejemplos de arriba, los miembros de la familia describen tanto el haber tenido que realizar nuevas tareas (como lavar la ropa y llevar la cuenta de la chequera) como el cambio en sus roles (encargada del dinero, encargado de la casa, jefe de la familia).

Aprender a hacer labores que antes no le correspondían a uno es difícil cuando a la vez hay que afrontar las crecientes necesidades del enfermo, las propias y las de la familia. Sin embargo, es todavía más difícil aceptar y adaptarse al cambio de roles. Cuando uno comprende que las responsabilidades de cada persona pueden cambiar como también los roles y las expectativas, es más fácil entender los sentimientos y problemas personales que llegan a surgir en la familia. A uno le sirve recordar que en otras épocas de la vida ha salido airoso de cambios de roles que se han hecho necesarios, y que esta experiencia presente le servirá para ajustarse a nuevas responsabilidades.

A continuación damos cuatro ejemplos de cambios de rol en las relaciones familiares durante la atención del proceso demencial de uno de los miembros:

1. Las relaciones entre los cónyuges cambian cuando uno de ellos se enferma. Unas veces el cambio es triste y doloroso, pero otras es una experiencia enriquecedora:

Juan y María Delgado llevaban 41 años de casados cuando Juan se enfermó. Él había sido siempre el jefe de la familia; la sostenía económicamente, se encargaba de las cuentas y tomaba la mayoría de las grandes decisiones. María siempre se sintió apoyada en su esposo. Cuando él se enfermó, ella se dio cuenta que ni siquiera sabía cuánto dinero tenían, los seguros con que contaban ni llevar la cuenta de la chequera. Se les fueron amontonando las cuentas por pagar, y cuando ella consultó a Juan, éste se enojó y empezó a gritarle.

Para su aniversario de bodas María preparó un pavo con la intención de festejar y olvidar momentáneamente lo que les estaba sucediendo. Cuando le dio a Juan el cuchillo eléctrico para que cortara el pavo, Juan lo aventó y le gritó que ese cuchillo no servía y que por su culpa se había arruinado el pavo. Tratando de mantener la calma, María tomó el cuchillo y entonces se dio cuenta de que no tenía idea de cómo cortar el pavo. María lloró y Juan se enfureció. Ninguno de los dos tuvo ganas de cenar esa noche.

Con este incidente, María se dio cuenta de que Juan había perdido una facultad más y esto la hizo consciente de repente de que su esposo ya no era el jefe de la casa y se sintió abrumada y perdida. A lo largo de su matrimonio María siempre había recurrido a Juan para solucionar los problemas y ahora se daba cuenta que, al mismo tiempo de encarar la enfermedad debía aprender a hacer las cosas que él siempre se había encargado de realizar.

Aprender tareas y obligaciones nuevas implica energía y esfuerzo y esto se suma al trabajo que uno de por sí debe realizar. Hay cosas que uno no desea aprender; por ejemplo, pocos son los hombres que quieren aprender a lavar la ropa o a llevar las cuentas si jamás se encargaron de administrar el dinero.

Además de encargarse de las tareas del enfermo, el darse cuenta de que uno las debe hacer porque él ya no puede, simboliza todos los tristes cambios que están aconteciendo. Para María, encargarse de cortar el pavo significaba que Juan había perdido su status de jefe de familia.

Un cónyuge puede darse cuenta gradualmente que está solo con su problema: ha perdido a su pareja, con la cual compartía las cosas María ya no podría apoyarse en su marido; a los sesenta años tuvo que empezar a valerse por sí misma y se vio forzada a ser independiente sin nadie que la ayudara. No es de extrañar que se haya sentido tan abrumada. Sin embargo, al mismo tiempo, aprender nuevas habilidades le fue dando gradualmente un sentido de realización. Ella misma lo expresaba así: "Realmente me sorprendí a mí misma al ver que podía hacerme cargo de las cosas a pesar de sentirme tan confundida; me sirvió mucho saber que podía arreglármelas yo sola".

A veces los problemas parecen insalvables porque implican tanto un cambio de roles como la necesidad de aprender nuevas tareas. Además de reconocer que el cambio de roles o papeles causa angustia, usted podría necesitar algunas sugerencias prácticas para afrontar sus nuevas responsabilidades.

Si debe hacerse cargo del trabajo doméstico, hágalo gradualmente y aprenda con la práctica. Sin embargo, puede ahorrarse la frustración de quemar la cena y de arruinar la ropa pidiendo consejos a los expertos. En las oficinas locales de protección al consumidor se puede obtener información excelente sobre la manera de comprar, de preparar alimentos de temporada, y en general consejos prácticos para el hogar. Una enfermera o una ama de casa podría ser una buena fuente de información. En las tiendas de autoservicio puede encontrar recetas de cocina sencillas.

> La señora Merino relata: "Sé que mi esposo no puede seguir administrando el dinero, pero el hecho de quitarle la chequera es como despojarlo del resto de su masculinidad. Sé que debo hacerlo, pero se me hace tan difícil".

Si el hecho de quitarle a alguien que uno ama este símbolo de independencia es difícil, se vuelve todavía peor si uno no sabe manejar dinero. Llevar las finanzas del hogar realmente no es difícil, ni siquiera para los que aborrecen las matemáticas. Puede consultar en la biblioteca obras sobre estos asuntos. En cuanto a los bienes y adeudos de usted y su cónyuge, puede averiguarlos recurriendo al banco y a un abogado. A veces una persona ha sido muy reservada en cuanto a sus asuntos financieros y al enfermarse olvida todo. En el Capítulo 15 encontrará algunos de los recursos potenciales que usted deberá buscar.

Si no sabe o no le gusta manejar, pero debe hacerse cargo de esto, tome un curso de manejo pues así se le facilitará la vida.

2. La relación de un padre con enfermedad demencial y sus hijos adultos debe cambiar. Los cambios que ocurren cuando un hijo adulto debe asumir la responsabilidad y el cuidado de un padre se llaman a veces "inversión de roles". Tal vez esto puede descubrirse mejor como un cambio de roles y responsabilidades en el cual el hijo adulto gradualmente asume la responsabilidad del padre y al mismo tiempo el rol del padre cambia de acuerdo a esto. Estos cambios pueden ser difíciles. Usted, el hijo adulto, puede sentir tristeza al ver cómo decae alguien a quien usted admira. Tal vez también se sienta culpable por "imponerse".

"No puedo decirle a mi madre que ya no puede vivir sola", decía la señora Gómez. "Sé muy bien que tengo que hacerlo, pero siempre que trato de hacerla entender, ella se las arregla para hacerme sentir como la niña chiquita que se ha portado mal".

En diferentes grados, como adultos muchos seguimos viendo a nuestros padres como tales, y a nosotros mismos como los hijos menos seguros, menos capaces y menos "adultos". En muchas familias los padres parecen mantener este tipo de relación con sus hijos adultos mucho tiempo después de que éstos se sienten maduros por derecho propio.

No todo el mundo ha tenido una buena relación con sus padres y si un progenitor no ha sido capaz de hacer que sus hijos adultos se sientan maduros, seguramente existirá entre ellos mucha infelicidad y conflicto. En una relación así, si el progenitor sufre una enfermedad demencial su proceder les parecerá exigente y manipulador. Tal vez los hijos se sientan culpables, enojados, atrapados y utilizados, todo esto a la vez.

Lo que parecen exigencias para usted tal vez no lo sean a los ojos del enfermo. Tal vez él sienta que "con un poquito de ayuda" podrá mantener su independencia, y tal vez seguir viviendo solo. A medida que se da cuenta de su deterioro, esta actitud puede parecer la única apropiada para responder a su sentimiento de pérdida.

Cuando se trata de la atención física del enfermo, los hijos muchas veces se sienten avergonzados si deben bañar a la madre o cambiar la ropa interior del padre, por ejemplo. Si tiene que hacerlo, procure que su progenitor conserve su dignidad mientras usted realiza estos cuidados necesarios.

3. El enfermo debe ajustarse al cambio de rol en la familia. Muchas veces esto significará ceder parte de su independencia, responsabilidad y autoridad, algo que a todos nos parece difícil. (Ver también el

Capítulo 4). El enfermo se descorazonará y deprimirá al darse cuenta que sus facultades están desapareciendo.

El rol que el enfermo ha tenido durante muchos años dentro de la familia y su personalidad influirán sobre los nuevos papeles que asumirá al estar enfermo. Sin embargo, se puede hacer que conserve su posición de miembro importante de la familia. Consúltele, háblele, escúchelo, aunque sea incomprensible lo que diga; las acciones de este tipo le hacen sentir que aún se le respeta.

4. Al cambiar la función del enfermo en la familia, las expectativas de cada miembro hacia los demás también cambiarán. Las relaciones y expectativas de los miembros de la familia se basan en los roles que se han ido estableciendo y se han conservado a través de los años. Los cambios a menudo conducen a conflictos y malentendidos que muchas veces hacen salir a flote desavenencias y resentimientos, así como desacuerdos en las expectativas de un miembro hacia otro. No obstante, cuando se logra resolver los problemas y ajustarse a los cambios, los familiares adquieren un acercamiento mayor, aunque durante años hubieran estado distanciados.

POR QUÉ SURGEN LOS CONFLICTOS FAMILIARES

La señora Prado dice: "Mi hermano se desentiende por completo de mi madre —él que siempre fue su consentido. Ni siquiera viene a verla. Toda la carga recae sobre mí pues mi hermana anda tan mal en su matrimonio que no quiero que pase mucho tiempo con ella. Así es que la que se encarga prácticamente de todo soy yo".

El señor Vargas expresa así su punto de vista: "Mi hijo quiere que ponga a su madre en un asilo. No entiende que después de 30 años de matrimonio simplemente no puedo hacerlo".

Por su parte el hijo lo ve en forma diferente. "Mi padre no está siendo sensato. No puede encargarse de mi madre en esa casota de dos pisos. Un día de estos ella se va a caer y él tiene una enfermedad del corazón de la cual no quiere nunca hablar".

La señora Ríos se queja: "Mi hermano dice que si mantengo más activa a mi madre se pondrá mejor, que debo responderle cuando se pone impertinente; pero todo esto sólo empeora las cosas. Él no vive con ella y siempre es más fácil criticar desde la comodidad de su casa".

División de responsabilidades

La responsabilidad de atender a una persona con una demencia por lo general no se comparte equitativamente entre todos los miembros de la familia. Al igual que la señora Prado tal vez se dé cuenta que carga toda la responsabilidad de velar por el enfermo. Hay muchas razones por las cuales es difícil dividir la responsabilidad por igual, entre otras, que a veces algunos miembros viven lejos, tienen mala salud o no pueden contribuir económicamente; otro impedimento definitivo es que las relaciones en su propio hogar, con sus hijos o su cónyuge, no sean propicias.

Muchas veces en las familias se siguen los estereotipos de la división de labores, sin considerar realmente lo que es más conveniente. Así, se exige que las hijas (o las nueras) se encarguen de cuidar a los enfermos, no importa los quehaceres y compromisos de aquéllos como tener hijos pequeños, un empleo de tiempo completo, no tener cónyuge, etc.

Aunque no a nivel consciente, los roles establecidos mucho tiempo atrás, las responsabilidades y las expectativas mutuas determinan en gran parte las responsabilidades que cada uno asume frente al enfermo; por ejemplo:

"Mi madre me crió; ahora me toca a mí cuidarla".

"Fue una buena esposa y ella habría hecho lo mismo conmigo".

"Yo llegué tarde a su vida. ¿Qué tanta responsabilidad me corresponde a mí y qué tanta a sus primeros hijos?"

"Él fue siempre muy duro conmigo, abandonó a mi madre cuando yo sólo tenía 10 años y ahora ha legado su dinero a una institución. Yo no le debo absolutamente nada".

A veces las expectativas no son lógicas y no están basadas en la manera más práctica o justa de arreglar las cosas.

Otras veces los miembros de la familia no ayudan porque no pueden aceptar o encarar la realidad de la enfermedad. Para todo el mundo es doloroso ver la declinación de un ser querido, pero algunas personas sufren mucho más. Pero para los encargados del enfermo esta falta de aceptación no es más que un simple abandono del enfermo.

El miembro de la familia que tiene la responsabilidad de la atención del enfermo podría no querer participar el estado de cosas a los demás sea porque no quiere su ayuda o porque considera que sería imponerles la carga.

La señora Nieves lo explicaba como sigue: "Vacilo mucho para llamar a mis hijos; ellos están deseosos de ayudar, pero tienen su propia familia y su profesión".

Y la señora Pérez decía: "No me gusta llamar a mi hija porque no hace más que decirme lo que piensa que estoy haciendo mal".

Cada miembro está convencido de que tiene la razón en cuanto a la manera de hacer las cosas, muchas veces porque no todos entienden lo que le está sucediendo al enfermo ni lo que se espera para un futuro.

Los familiares que no comparten la experiencia cotidiana de convivir con una persona que sufre un proceso demencial no tienen ni siquiera una remota idea de lo que realmente significa estar al lado del enfermo por lo que no se solidarizan y se muestran hipercríticos. Para los que están fuera es difícil darse cuenta de lo agotador que es el cuidado diario del enfermo. Con frecuencia, además, la gente no se da cuenta de nuestros sentimientos hasta que los expresamos.

EL PROPIO MATRIMONIO

Cuando el enfermo es un padre o padre político, es importante considerar el efecto que tendrá la enfermedad sobre su matrimonio. Un matrimonio no siempre es fácil de llevar, y es aún más difícil si hay que atender a una persona con una enfermedad demencial. Puede significar una mayor carga económica, menos tiempo para platicar, para salir o incluso para hacer el amor. Puede implicar involucrarse con los parientes políticos y dedicar menos tiempo a los hijos. Tal vez también signifique introducir en su vida a una persona difícil aparentemente exigente y enferma.

Puede ser difícil presenciar una enfermedad demencial. Es comprensible que uno vea al pariente político enfermo y tema que su cónyuge también se ponga igual y uno tenga que pasar nuevamente por lo que ahora está viviendo.

Es fácil que el hijo o hija se vea en medio de las necesidades del progenitor enfermo, las expectativas de hermanos o hermanas (o del otro progenitor) y las necesidades y demandas del cónyuge y de los hijos. Es muy fácil descargar las frustraciones y el agotamiento en aquellos a quienes más amamos: nuestra pareja y nuestros hijos.

El cónyuge del enfermo también puede ocasionar problemas. Tal vez esté enfermo, enojado e hipercrítico, o quizá incluso abandone a su cónyuge enfermo. Todos estos problemas sumarán tensiones al matrimonio que les ha abierto su hogar, por lo que deben discutirse con todos los miembros de la familia.

Una buena relación sobrevive durante un tiempo el embate del *stress* y de las dificultades, pero pensamos que es importante que esposo y esposa encuentren el tiempo y la energía para estar juntos, hablar, alejarse y gozar su relación de la manera como siempre lo han hecho.

CÓMO AFRONTAR LOS CAMBIOS DE ROLES Y LOS CONFLICTOS EN LA FAMILIA

Cuando la familia no se pone de acuerdo, o cuando toda la carga recae sobre una persona, los problemas son mayores. El trabajo de atender a una persona crónicamente enferma es demasiado para una sola persona. Es importante que toda la familia colabore con usted; que usted tenga tiempo para descansar lejos del enfermo, que le den apoyo y estímulo, que contribuyan económicamente y que realicen parte de las tareas que implican el cuidado del enfermo.

Si lo que usted recibe son críticas y escasa ayuda de parte de su familia, no guarde resentimientos. En vez de esto, considere la conveniencia de tomar la iniciativa y hacer que las cosas cambien en su familia, algo que es difícil de lograr cuando las desavenencias son muy grandes o cuando hay conflictos muy arraigados que entorpecen las relaciones.

¿Cómo manejar los cambios de roles que ocurren con una enfermedad demencial crónica? Primero, reconozca que éstos son aspectos de las relaciones familiares. El simple hecho de saber que los roles en las familias son complejos y con frecuencia no se reconocen ni se aceptan y que los cambios pueden ser dolorosos, le ayudará a sentirse menos asustado y abrumado. Reconozca que ciertas tareas pueden simbolizar roles importantes en la familia y que es el cambio del rol, más que la tarea específica, lo que puede ser doloroso.

Infórmese lo más que pueda respecto a la enfermedad. Las creencias de los miembros de la familia respecto a la enfermedad afectan la ayuda que ofrecen e influyen en los desacuerdos respecto a los cuidados del enfermo.

Piensen qué responsabilidades y funciones aún puede conservar el enfermo y cuáles debe delegar. Por ejemplo, aunque la enfermedad de Juan significa que ya no podrá rebanar el pavo o tomar muchas decisiones, su rol de esposo amado y respetado de María no tiene por qué cambiar. Tenga presente lo que aún puede hacer el enfermo y lo que ya es difícil para él.

Naturalmente, lo que deseamos es que el paciente siga tan independiente como sea posible; sin embargo, si, nuestras expectativas superan sus capacidades él se sentirá muy mal. A veces él mismo sobreestima sus capacidades. Si no puede realizar alguna tarea, simplifíquesela de modo que él pueda realizar una parte de ésta.

Hay que reconocer que los roles que uno tiene en la vida no son fijos, sino que son procesos cambiantes. A medida que la enfermedad avance tal vez usted tenga que afrontar nuevas y mayores responsabilidades que le harán sentir muchas veces desesperación por el agobio de las tareas; todo esto es parte del proceso de duelo que acompaña a una enfermedad crónica.

Platique su situación con personas de otras familias que estén pasando por lo mismo. Al reunirse, las familias forman grupos de apoyo y dentro de sus muchas ventajas pueden compartir sus lágrimas y sus risas, sus experiencias en el cuidado del enfermo y su crecimiento espiritual. Sirve mucho darse cuenta que otras familias están luchando con cambios similares. Ríase un poco de sí mismo, por ejemplo, si se le quema la comida; trate de ver el lado amable de las cosas.

En el seno familiar traten de ayudarse unos a otros. Cuando una ama de casa lleva a cuestas la responsabilidad de cuidar cotidianamente a un enfermo crónico tiene una gran necesidad de estímulo y amor de parte de su esposo, lo cual podría traducirse en ayuda en el trabajo doméstico o cuidando a ratos al enfermo y cuando ella sale, así como encargándose del resto de la familia.

Las tareas del cuidado del enfermo podrían llegar a ser de tal magnitud que la agoten por completo. Dése cuenta de ello, acéptelo y trate de hacer otros arreglos. Parte de su responsabilidad de tomar las decisiones es decir incluso el momento en que sienta que debe renunciar a su papel de enfermera número uno.

Una junta de familia

Reúna a la familia para analizar las cosas. En caso necesario válgase de un mediador (que podría ser el médico del enfermo o un consejero). El objeto de la junta es llegar a acuerdos definidos respecto al trabajo y al dinero que cada miembro aportará para hacer frente al problema.

Existen algunas reglas básicas para que la junta de familia transcurra bien, que es bueno sugerir desde un principio: deben asistir todos inclusive los niños que resultarán afectados por la decisión; cada miembro tendrá la palabra sin que se le interrumpa y todos deberán escuchar aunque no estén de acuerdo.

En caso de que haya desacuerdo respecto al estado del paciente, o respecto a la manera de manejar el caso, podrían pedirle al médico que les explicara de lo que se trata y también hacer que todos leyeran este libro y otros escritos similares. Es sorprendente cómo esto reduce la tensión entre los miembros de la familia.

En la junta es conveniente incluir los siguientes puntos: los problemas que existen; lo que cada uno en la familia está haciendo en la actualidad; lo que necesita hacerse y quién se encargará de hacerlo, tarea por tarea; cómo se ayudarán mutuamente; qué significarán los cambios para cada miembro. Deberán discutirse también las siguientes cuestiones prácticas:

¿Quién será el responsable de la atención diaria del enfermo? ¿Dejarán de invitar amigos a la casa? ¿Dejarán de salir de vacaciones? ¿Estarán los padres ocupados mucho tiempo atendiendo al enfermo? ¿Quién tomará la decisión de internar al paciente? ¿Quién será el responsable del dinero del enfermo? Si el cónyuge del paciente también se mudará a la casa del hijo o hija, ¿cuál será su función en el arreglo familiar? Prever y discutir las cuestiones de posible desacuerdo antes de que surjan los conflictos les ahorrá tensiones.

También es importante hablar de otros temas prácticos que pueden causar graves problemas familiares: los asuntos de dinero y de la herencia, aunque se considere de mal gusto y falta de tacto hablar de ellos cuando el familiar está enfermo. Los problemas respecto a quiénes serán los herederos, aunque a veces se oculten, son factores reales para determinar las obligaciones de cada miembro; deben por lo tanto, sacarse a la luz. Hágase a usted mismo las siguientes preguntas:

¿Saben todos cuánto dinero tiene y lo que heredará el enfermo? Es sorprendente la frecuencia con la que un hijo piensa: "Papá tiene esos bonos que compró hace años, es dueño de su casa, y además tiene la pensión del seguro social; yo creo que con todo eso está muy bien económicamente". Sin embargo, el hijo que lo tiene a su cuidado sabe: "la casa necesita techo nuevo, los viejos bonos mineros ya no valen nada y la pensión que le da el seguro social apenas le alcanza para vivir. Yo tomo de mi bolsillo para pagar los medicamentos".

¿Existe un testamento? ¿Sabe o sospecha alguno de los familiares que el enfermo no lo ha considerado en su testamento? ¿Existe entre los miembros de la familia el sentimiento de que algunos están especialmente interesados en el dinero, las propiedades y las posesiones personales del enfermo? Nada de esto es extraño y es mejor encararlo abiertamente. Los resentimientos ocultos siempre están latentes y pueden surgir como conflictos al activarse con el desgaste físico y emocional que impone la atención del enfermo.

¿Cuánto cuesta atender al enfermo y quién está pagando los gastos? Además de los gastos de la atención médica, hay muchos otros gastos "ocultos" cuando el enfermo reside en el hogar de alguno de sus hijos. Hay que considerar los gastos por alimentos especiales, medicinas, dispositivos de seguridad en las puertas y ventanas, cuidadores, transporte, adaptación del cuarto del enfermo, pasamanos y barras de sostén en el baño; muchas veces la señora de la casa debe abandonar su empleo para encargarse de cuidar al enfermo.

¿Han investigado cuánto costaría internar al enfermo? (ver también Capítulo 16). Muchas veces cuando alguien dice: "Mamá debería poner

a papá en un asilo'' no sabe que esto privaría a su mamá de la mayor parte de sus ingresos, dejándola casi en la miseria.

¿Existe el sentimiento entre los hijos de no haber recibido en el pasado equitativamente el dinero de los padres? Veamos el siguiente ejemplo:

"Papá le costeó a mi hermano la universidad y también le pagó el enganche de su casa. Sin embargo, ahora mi hermano no se hace cargo de él; yo soy el del trabajo y los gastos de atenderlo".

En algunas familias a veces se oye: "No hay manera de hacer que la familia se reúna a hablar de esas cosas. Mi hermano no lo discute ni por teléfono; si nos reuniéramos a discutirlo, seguramente resultaría una gran pelea". Si su familia es de éstas, seguramente estará muy descorazonado pues sabe que no contará con ella. En un caso así lo que suele ser muy efectivo es recurrir a un mediador ajeno a la familia, por ejemplo, un consejero, el párroco o ministro, un trabajador social o el médico del enfermo, para que les ayude a manejar el problema y para lograr un arreglo equitativo (ver Capítulo 13).

Una de las ventajas de buscar un consejero es que ve las cosas objetivamente y con esto ayuda a la familia a mantener la discusión en los problemas que deben encarar sin permitir que se desvíe para ventilar asuntos pasados. El mediador puede convencer a todos sobre la necesidad de que la familia discuta los asuntos que le competen. A veces el abogado de la familia puede llenar este papel eficientemente; sin embargo, debe ser alguien genuinamente interesado en hacer que los conflictos se resuelvan y no llevarlo a usted a litigar en contra de su propia familia. Desde luego que si deben recurrir a un mediador, hay que dejar muy en claro desde un principio que éste no deberá ser parcial ni favorecer a ninguno de los miembros.

Usted necesita a su familia y ahora es el momento propicio para olvidarse de antiguas rencillas en bien de su ser querido que está enfermo. Tal vez no es posible que resuelvan todos sus desacuerdos pero sí que a través de la discusión encuentren por lo menos un par de cosas en las que sí concuerden. Esto va a animarlos muchísimo y tal vez hará que las cosas vayan mejor en su próxima reunión.

LOS HIJOS DE LA PERSONA ENCARGADA DEL ENFERMO

Si hay hijos en la casa pueden surgir problemas especiales. Ellos tienen una relación con el paciente y también sentimientos complicados, que tal vez no expresen, respecto a la enfermedad y a los roles de cada miembro de la familia. Es preocupación común de los padres el efecto que tendrá sobre sus hijos el estar cerca de una persona con demencia. Parte de la zozobra estriba en las conductas indeseables que los niños pudieran imitar. Es difícil saber qué decirle a un niño respecto al comportamiento "raro" del abuelo.

Los niños generalmente están conscientes de todo cuanto sucede, son excelentes observadores y aunque se les oculten las cosas, pueden darse cuenta de que algo anda mal. Afortunadamente, los niños también son muy flexibles. Incluso los niños más pequeños se beneficiarían con una explicación veraz en un lenguaje comprensible para ellos. Esto ayudará a que no tengan miedo. Acláreles que la enfermedad de la abuela no es contagiosa como las paperas y que ni ellos ni sus padres se contagiarán. Dígale al niño directamente que nada de lo que él hizo "causó" la enfermedad. A veces los niños se sienten culpables de las cosas que suceden en su familia.

Es mejor involucrar activamente a los niños en lo que está sucediendo en la familia e incluso encontrar la forma de que ellos puedan ayudar. Los niños pequeños suelen relacionarse muy bien con el enfermo y pueden establecer lazos amorosos muy especiales. Trate de crear una atmósfera en la cual el niño se sienta inclinado a hacer preguntas y a expresar abiertamente sus sentimientos. Tenga presente que aunque sienten tristeza y aflicción por el enfermo, también disfrutan sin inhibiciones sus conductas infantiles. Mientras más tranquilo se sienta usted frente a la enfermedad mejor podrá explicarle al niño en qué consiste.

A menudo los amigos del niño lanzarán comentarios hirientes respecto a "su abuelo o abuela deschavetado". Instrúyalos para que puedan afrontarlos.

Si un niño llegara a copiar alguna conducta indeseable del paciente, no la sostendrá por mucho tiempo siempre y cuando los padres no hagan un gran escándalo y él esté recibiendo suficiente atención y cariño. Claramente explíquele (tal vez varias veces) que el abuelo tiene una enfermedad que hace que no controle sus actos; pero que él no está enfermo y, por lo tanto, sí puede y debe controlarlos.

Los niños se asustan cuando presencian conductas extrañas e inexplicables y llegan a pensar que algo que hicieron ellos mismos, o que hagan en el futuro, empeorará la condición del enfermo. Es importante que lo tranquilice respecto a estas ideas.

Una familia con niños de 10 a 16 años nos participó los siguientes pensamientos basados en su propia experiencia:

No dé usted por sentado que sabe lo que un niño está pensando. Lo que acontece en la mente de un niño no es lo que los adultos creemos. Cualquiera que haya estado cerca de los niños puede citar ejemplos de esto.

Los niños, incluso los más pequeños, sienten pesar, tristeza y compasión. Sienten los efectos de la enfermedad del abuelo que ahora presencian mucho tiempo después de que él se haya ido a residir a un asilo. Sigan conversando y discutiendo con ellos.

Hagan el esfuerzo de involucrar a todos los niños por igual en la atención del enfermo. Esto les dará un sentido de responsabilidad y hará que no se sientan excluidos.

La persona más allegada al enfermo necesita estar consciente de los niños y de la repercusión que en ellos puede tener la tristeza y angustia que le embargan. No es raro que la persona que atiende al enfermo esté a tal grado abrumada de trabajo que se olvide de los niños. Tenga presente que esto puede causarles tanto dolor como la misma enfermedad.

Quizás el problema mayor cuando hay niños en la casa es que la madre debe dividir su tiempo y sus energías entre el enfermo y los niños. Con objeto de afrontar esta doble carga usted necesita todo tipo de ayuda posible —la del resto de la familia, los recursos de la comunidad— y tiempo libre para reponer energías emocionales y físicas. No sería extraño que de repente se viera ante la disyuntiva de descuidar a los niños o descuidar a una persona exigente e "infantil" que sufre una enfermedad demencial.

A medida que la enfermedad empeore, su dilema crecerá. El paciente requerirá más y más atención y su conducta podría estar perturbada a tal grado que los niños ya no se sentirán a gusto en su casa. Muchas veces no se puede tener la energía física y emocional que se necesita para satisfacer las necesidades de los niños y los adolescentes y además las del enfermo. Los niños que viven en una situación así sufren mucho por el estado del enfermo. Tal vez llegue a ser necesario tomar la dolorosa decisión de llevar a éste a un asilo para crear en la casa un medio mejor para los niños. Si ha de hacerse discutan con ellos lo que esto traerá consigo y lo que significará para cada miembro de la familia, por ejemplo, "habrá menos dinero, pero ya no estará el abuelo gritando en la noche", "tendremos que mudarnos a otra casa más chica y cambiarlos a ustedes de escuela, pero podrán volver a traer a sus amigos a la casa".

Los adolescentes

Los adolescentes suelen sentirse avergonzados por el comportamiento extraño del enfermo y dejar de invitar a sus amigos a la casa; pueden resentir las exigencias que le impone a usted el enfermo, y sentirse lastimados porque el enfermo ya no los recuerda. También pueden ser extraordinariamente compasivos, responsables y altruistas. Tienen con frecuencia sensibilidad y bondad, lo cual es muy refrescante y útil. Ciertamente

193

tendrán sentimientos encontrados. Como usted, pueden sentir la pena de ver a una persona que aman cambiar tan drásticamente a la vez que se sienten resentidos y avergonzados. Los sentimientos contradictorios conducen a conductas contradictorias que confunden a los miembros de la familia. Los años de la adolescencia son difíciles para los muchachos, existan o no problemas familiares. Sin embargo, muchos adultos recuerdan que compartir los problemas de la familia les ayudó a madurar como adultos.

Asegúrese que el adolescente comprende la naturaleza de la enfermedad y lo que está sucediendo. Sea honesto con respecto a la situación. No es bueno para los jóvenes ocultarles los hechos con la idea equivocada de protegerlos. Los adolescentes deben estar presentes en las reuniones familiares, en conferencias de salud y en las consultas médicas para que puedan comprender lo que está aconteciendo.

Reserve tiempo para alejarse del enfermo, cuando usted no esté cansado o enojado, para estar con los adolescentes y escuchar sus intereses. Recuerde que ellos tienen una vida aparte de esta enfermedad y de esta situación. Igualmente, trate de que haya espacio en la casa para ellos y sus amigos, lejos del enfermo.

Recuerde que usted puede ser menos paciente o más sensible debido a todo lo que está sucediendo. Insistimos en que sus descansos alejado del enfermo contribuirán a que conserve la calma con sus hijos y la situación en general.

Finalmente es necesario que tanto el abuelo que va a residir con ustedes como los hijos sepan claramente que usted y no el abuelo es el encargado de fijar las reglas de la casa y de la disciplina de los hijos. Esto evitará muchos conflictos como: "¿por qué el abuelo dice que no puedo salir con mi novio?" o "la abuela dice que debo apagar la tele".

12

Cómo afecta atender a una persona deteriorada

Los familiares de los enfermos nos han dicho que experimentan muchos sentimientos al atender a una persona con una enfermedad demencial crónica. Se sienten tristes, descorazonados y solos. Se sienten enojados, culpables o esperanzados. Ante una enfermedad crónica es comprensible la desazón emocional. A veces la familia del enfermo se encuentra abrumada por sus sentimientos.

Los sentimientos humanos son complejos y varían de una persona a otra. En este capítulo hemos tratado de evitar tanto simplificar los sentimientos como dar soluciones sencillas. Lo que pretendemos es recordarle que no es extraño experimentar tantos sentimientos.

REACCIONES EMOCIONALES

Todos tenemos diferentes maneras de manejar nuestras emociones; algunos experimentan cada sentimiento intensamente y otros no tanto. La gente piensa que ciertos sentimientos son inaceptables y que no debieran tenerlos o que nadie podría entenderlos. A veces se sienten muy solos.

A menudo sentimos que a la vez que queremos a alguien también nos disgusta, o que queremos que esté en nuestra casa y a la vez en el asilo. Aunque absurdos, estos sentimientos contradictorios son frecuentes, si bien muchas veces no nos damos cuenta de que los tenemos.

Las emociones intensas asustan a mucha gente, tal vez porque es incómodo tenerlas, o porque creen que los llevará a reaccionar bruscamente, o les preocupa el "qué dirán". Nada de esto es novedad y la mayoría responderemos en forma similar varias veces en la vida.

No hay una forma "correcta" de manejar las emociones; sin embargo, es importante reconocer nuestros sentimientos y entender por qué los tenemos ya que los sentimientos influyen sobre la forma en que juzgamos las cosas. Los sentimientos no reconocidos o no aceptados llegan a determinar las decisiones de una manera que uno ni entiende ni reconoce. Uno puede reconocer y aceptar ante sí mismo y ante los demás los sentimientos, pero a uno le toca decidir si los expresa o no así como cuándo y dónde los expresa, o si se guiará por ellos.

La gente a veces teme que no expresar los sentimientos causa ciertas enfermedades "por *stress*". Suponga que con frecuencia se enoja por la conducta de una persona con enfermedad demencial, pero decide que no le gritará porque eso sólo empeoraría la situación. ¿Tendrá usted por ello úlceras, o migrañas, o hipertensión? Los investigadores no están de acuerdo con respecto a la relación que hay entre la expresión de sentimientos y las enfermedades. Sin embargo, hasta ahora, no se conocen las causas de enfermedades como úlcera, migrañas o hipertensión. No hemos observado que estas enfermedades sean más comunes entre los familiares de los pacientes con demencia. Sí creemos que a medida que las familias reconocen que las conductas irritantes de la persona confusa son síntomas de su enfermedad, se sienten menos frustrados y enojados y pueden cuidar mejor al enfermo.

Al leer esta sección tenga presente que cada persona y cada familia es diferente. Tal vez usted no tenga estos sentimientos, pero queremos abordarlos para ayudar a las personas que sí los tienen. En vez de leer todo el material, consúltelo cuando crea que esta sección en particular le ayudará.

Enojo

Es comprensible que usted se sienta frustrado y enojado porque esto le ha sucedido a usted, porque debe hacerse cargo del enfermo, porque los demás no saben ayudarle, por la conducta irritante del enfermo y porque se siente atrapado en esta situación.

Algunas personas con enfermedades demenciales presentan conductas en extremo exasperantes que en ocasiones parecen imposibles de soportar. Es natural que usted se enoje con el enfermo y que a veces reaccione gritándole o discutiendo con él.

La señora Palacios se había propuesto no enojarse con su esposo. Habían sido felices en su matrimonio y comprendía que él no podía valerse por sí mismo ahora que estaba enfermo. Nos dice:

"Fuimos a cenar a la casa de mi nuera. Nunca me he sentido a gusto con mi nuera y no creo que ella entienda el estado de Paco. Al llegar a la puerta de la casa, Paco vio a su alrededor y dijo 'Vámonos a la casa'. traté de explicarle que nos habían invitado a cenar, y todo cuanto comentó fue: "Vámonos a la casa; nunca me ha gusta estar aquí'. Nos sentamos a cenar en un ambiente tenso. Paco no habló una sola palabra en la mesa y no quiso quitarse el sombrero. Inmediatamente después de terminar de cenar me volvió a pedir que nos fuéramos de ahí. Mi nuera se fue a la cocina y empezó a aventar los trastes. Mi hijo nos llevó con él a su cuarto de trabajo y todo el tiempo Paco estuvo vociferando, 'Vámonos de aquí antes de que nos envenene'.

Mi hijo dice que estoy dejando que su padre me arruine la vida, que no tiene razón de actuar así y que no está enfermo sino resentido y amargado por la edad, y me pide que haga algo.

Todo el trayecto de regreso a casa estuvo criticando mi manera de manejar. Ya en la casa empezó a preguntame la hora. Yo le dije, 'Paco, por favor cállate; ponte a ver la televisión', pero él replicó, '¿Por qué nunca quieres platicar conmigo?' Claro que acabé gritándole una y otra vez".

Episodios como éste exasperan hasta a la persona más paciente. A veces parece que escogen el momento en que uno está más cansado para empezar a discutir.

Las cosas más irritantes parecen ser cosas nimias, pero éstas van sumándose día tras día.

La señora Jácome dice: "Nunca me he llevado muy bien con mi madre y desde que vino a vivir con nosotros las cosas han sido terribles. A medianoche se levanta y empieza a empacar su ropa. Entonces yo me levanto y le hago ver que es medianoche, que ahora vive conmigo. Luego me pongo a pensar, si no me voy a dormir mañana estaré muy mal en mi trabajo. Ella insiste en que "tiene que regresar a su casa", y yo en que ahora vive conmigo. Y todas las noches, a las dos de la madrugada, empieza la pelea".

En ocasiones una persona con demencia suele hacer algunas cosas muy bien y parece que se opone a hacer otras, aparentemente similares. Cuando uno siente que el enfermo podría hacer más por sí mismo, o que está tomándole a uno el pelo es normal que uno se ponga furioso, como en el siguiente ejemplo:

La señora García dice: "En la casa de mi hermana, mi madre acomoda muy bien la vajilla en la máquina lavaplatos y pone muy bien la mesa. En mi casa se niega a hacerlo o lo hace terriblemente mal. Ahora estoy segura de que se enoja porque salgo a trabajar.

Uno también se puede enfurecer cuando tiene la responsabilidad principal del cuidado del enfermo y se da cuenta que los demás miembros de la familia no ayudan lo suficiente, sólo se dedican a criticar y nunca vienen de visita.

De la misma manera, uno se enoja con los médicos y otros profesionales. A veces con toda razón y otras sin ella, como cuando uno sabe que están haciendo cuanto está de su parte, pero de todos modos se enoja.

Las personas que tienen una fe religiosa le reclaman a Dios por permitir que estas cosas les sucedan a ellas. Luego sienten que es pecado enojarse con Dios o abandonar su fe. Tales sentimientos pueden privarlos de la fortaleza y el consuelo que tanto necesitan en estos momentos de tribulación. Sin embargo, este tipo de luchas es parte de la experiencia de la fe:

Un ministro protestante declaraba: "No sé por qué Dios me ha hecho esto. No he sido perfecto, pero he tratado siempre de mejorarme. Amo a mi esposa. Sé que no tengo derecho de pedirle cuentas a Dios y por eso crece mi aflicción. Pienso que debo ser una persona muy débil para cuestionar sus mandatos".

No permita que nadie le haga sentir culpa por enojarse con Dios. Existen muchos escritos serios y significativos que abordan los sentimientos de ira contra Dios en momentos de pesar. La lectura de esos libros así como hablar sinceramente con su ministro, párroco o rabino podría consolarlo.

Recuerde que es humano enojarse cuando hay que hacer frente a las cargas y pérdidas que acarrea una enfermedad demencial.

Tenga presente, sin embargo, que expresarle su enojo al enfermo sólo servirá para empeorar la situación. Por su enfermedad él no puede responder de manera racional. Se puede observar que mejora la conducta del enfermo cuando se hallan otras maneras de manejar tanto las frustraciones como los problemas en sí.

El primer paso para disipar su ira es darse cuenta de lo que puede esperar razonablemente de una persona con demencia y de lo que le está sucediendo a su cerebro que está ocasionando su conducta exasperante. Si no está seguro de que el enfermo pueda dejar de actuar como lo está haciendo, pregúntele al médico o a otro profesional. Por ejemplo:

Un terapeuta ocupacional descubrió que la hermana de la señora García tenía una máquina lavaplatos antigua que su madre había aprendido a manejar mucho tiempo antes de enfermarse, mientras que la de la señora García era un modelo reciente, razón por la cual no podía manejarla. El daño cerebral de la enferma le impedía aprender habilidades nuevas, inclusive las más sencillas.

Puede modificarse el comportamiento irritante del enfermo cambiando el ambiente o la rutina diaria. Sin embargo, simplemente recordar que el comportamiento aberrante es el resultado del daño cerebral y que la persona no puede evitarlo, basta para que el enojo cese.

Hay una diferencia entre enojarse con *la conducta* de la persona y enojarse con *la persona misma,* que está enferma y no puede controlar su manera de actuar. Desde luego que actúa de manera enervante, pero sus actos no están dirigidos a usted personalmente. Una enfermedad demencial imposibilita las conductas deliberadamente agresivas ya que el enfermo ha perdido la habilidad de actuar con un propósito. El esposo de la señora Palacios no estaba insultando a propósito a su familia. Su conducta era resultado de la enfermedad.

A veces consuela saber que otras familias e inclusive los cuidadores profesionales encaran los mismos problemas:

La señora Cortés refiere lo siguiente: "Yo no quería poner a mi esposo en un centro de atención diurna, pero tuve que hacerlo. Me sirvió mucho saber que sus preguntas constantes también enojaban a los profesionales que lo atendían, entrenados como están para manejar a los enfermos. No nada más yo me enojaba".

Muchas personas están de acuerdo en que hablar con los familiares de otros enfermos sobre sus respectivas experiencias les hace sentirse menos frustrados y enojados.

También sirve encontrar otras salidas para las frustraciones tales como hablar con alguien del asunto, limpiar el clóset, desyerbar el jardín, partir leña, todo aquello que le sirva para manejar estos estados de ánimo. Un programa de ejercicio vigoroso, una caminata larga, o unos minutos para relajarse totalmente podrían ser muy efectivos.

Desesperación

No es extraño que los familiares del enfermo se sientan impotentes, débiles o desmoralizados ante la enfermedad demencial crónica. Estos sentimientos empeoran cuando uno no puede encontrar médicos y otros profesionales que entiendan lo que son estas enfermedades. Hemos visto que tanto los familiares como los enfermos tienen muchos recursos personales para vencer los sentimientos de desesperación. Si bien usted no puede curar al enfermo, sí está muy lejos de ser impotente. Hay muchas maneras de mejorar la vida tanto del enfermo como de la familia. Aquí anotamos algunos puntos de partida:

— Las cosas a menudo parecen peores cuando se ven en conjunto. Concéntrese en cambiar cosas pequeñas que sean susceptibles de modificarse.

— Viva cada día según se presente.

— Infórmese acerca de la enfermedad. Lea y hable sobre la manera como otras personas hacen frente a la situación.
— Platique con los miembros de otras familias que encaran problemas similares.
— Participe en grupos de intercambio de información, apoye la investigación y haga que otras personas colaboren.
— Discuta con su médico, trabajador social, psicólogo o clérigo acerca de sus sentimientos.

Vergüenza

La conducta de un persona que sufre una enfermedad demencial es embarazosa y los extraños casi nunca entienden lo que está sucediendo.

La señora Martínez refiere: "Cuando digo que mi esposo tiene enfermedad de Alzheimer siempre me preguntan '¿enfermedad de qué?' 'De Alzheimer', les repito, y se los deletreo. Si mi esposo tuviera un tumor cerebral lo entenderían; pero parece que nadie ha oído hablar de esta enfermedad".

El señor Gutiérrez comenta: "Cuando vamos al supermercado mi esposa se dedica a bajar las cosas de los estantes, como niña chiquita y la gente nada más la mira".

La hija de la señora Juárez dice: "Cada vez que tratamos de bañar a mi madre, ella abre la ventana y pide auxilio a gritos. ¿Qué vamos a decirle a los vecinos?

Estas experiencias son embarazosas, pero gran parte de la vergüenza que ahora está usted sintiendo desaparecerá cuando hable con otras familias en la misma situación. En esas reuniones de grupo los participantes acaban riéndose de cosas como estas.

Es conveniente explicarle a los vecinos de qué se trata porque se obtiene su comprensión. Hay una razón más por la que es importante hacerlo y es que aunque estas enfermedades son comunes, mucha gente sigue pensando que "la senilidad" es el resultado natural del envejecimiento. Si usted habla de ella estará contribuyendo a sacar a la luz a esta enfermedad. Su vecino podría conocer también a alguien que la padezca y necesite tratamiento.

Nunca falta alguien insensible que pregunte: ¿Por qué hace eso?, o ¿Qué le sucede? Y a veces lo más efectivo es contestar ¡Nada que le interese!

"Yo sigo saliendo a cenar fuera de casa con mi esposa. A mí no me gusta cocinar y ella disfruta mucho la salida. Simplemente no hago caso de las miradas de la gente. Esto es algo que siempre nos gustó hacer y seguiremos disfrutándolo", expresa un marido valiente.

Culpa

No es extraño que los familiares del enfermo sientan culpa tanto por la manera como trataron al paciente en el pasado como por la vergüenza que sienten por su conducta "extraña" ahora que está enfermo, por perder los estribos, por no querer asumir la responsabilidad, por pensar en llevarlo al asilo, y por muchas otras razones, algunas triviales y otras de verdadero peso, como la queja siguiente:

"La enfermedad de mi madre arruinó mi matrimonio y no puedo perdonarla".

Pueden sentirse culpables de sus estallidos ocasionales de ira cuando el enfermo los frustra.

"Me sacó de quicio y le di un manazo, aunque sé bien que está enfermo y no puede controlar su forma de ser".

Puede aparecer el sentimiento de culpa por estar un rato con los amigos, lejos del enfermo que es una persona amada con quien solía hacer muchas cosas.

A veces el sentimiento de culpa es vago y difícil de identificar, como cuando el enfermo lo infunde al decir "Prométeme que nunca me llevarás al asilo", o "No me tratarías así si me quisieras".

Se siente culpa también cuando una persona cercana a nosotros, que siempre nos ha disgustado, sufre una enfermedad demencial:

"Nunca quise a mi madre y ahora tiene esta terrible enfermedad. Si por lo menos hubiera podido acercarme a ella cuando pude haberlo hecho".

Ocasionalmente los familiares preguntan si algo que hicieron o que dejaron de hacer pudo haber causado el padecimiento, o la persona que tiene a su cuidado al enfermo se siente responsable si se empeora. Piensa quizá que si la hubiera mantenido más activa o si hubiera pasado más tiempo con ella no se habría empeorado. También existe la creencia de que una hospitalización o una operación quirúrgica fue lo que desató la enfermedad.

Cuando uno no reconoce a los sentimientos de culpa, como lo que son se ofusca y no puede tomar decisiones claras para el futuro ni sobre lo que más conviene al enfermo y al resto de la familia. Si uno reconoce estos sentimientos no lo toman por sorpresa ni son difíciles de manejar.

El primer paso es admitir que los sentimientos de culpa *son* un problema y nos afectan. Si los sentimientos de culpa lo están ofuscando, usted debe elegir entre seguir yendo en círculos con un pie atrapado en la culpa, o dar el paso de decir "Lo hecho, hecho está" y hacer borrón y cuenta nueva. Los sentimientos de culpa nos hacen buscar maneras de remediar lo pasado en vez de permitirnos admitir el hecho de que hay que dejar el pasado en paz y hacer planes basados en lo que ahora es lo que más conviene. Por ejemplo:

La señora Díaz nunca había querido a su madre. Tan pronto pudo se independizó y sólo la visitaba en ocasiones especiales. Cuando su madre se enfermó, la trajo a vivir con ella. La madre trastornada desorganizó a su familia, mantenía despiertos a todos por la noche, acosaba a los niños y agotaba a la señora Díaz. Cuando el médico recomendó que la llevara a un asilo, la señora Díaz se enfadó. Simplemente no podía resignarse a llevarla al asilo a pesar de que claramente era lo mejor para todos.

Cuando en una relación de este tipo uno no reconoce los sentimientos de culpa, la manera de actuar y decidir se tergiversa. Ante una enfermedad crónica uno tiene la oportunidad de ser sincero consigo mismo y aclararse si quiere o no al enfermo, y después de esto decidir si quiere darle a éste cuidados y respeto sin dejarse influir por el hecho de no quererlo. No podemos controlar lo que sentimos por alguien; algunas personas no nos agradan, pero podemos controlar nuestro proceder con ellas. Cuando la señora Díaz pudo afrontar el hecho de que no quería a su madre y la culpa que esto le causaba, pudo dar el siguiente paso e hizo arreglos para internarla en un buen asilo.

Cuando el enfermo dice cosas como "Prométeme que nunca me llevarás a un asilo" conviene recordar que a veces el enfermo *no puede* tomar decisiones responsables y que a usted le toca hacerlo y actuar no sobre la base de la culpa sino de la responsabilidad.

No todos los sentimientos de culpa se origina en cuestiones mayores ni tampoco impiden las decisiones lúcidas. La culpa proviene a menudo de verdaderas simplezas como enojarse con el enfermo, o haberle hablado con brusquedad cuando usted tenía mucha prisa. Ofrecerle disculpas bastará para borrar la mala impresión y ambos se sentirán bien otra vez. Es más, como el enfermo tiene tan mala memoria olvidará el incidente mucho antes que usted.

Si piensa que usted fue el causante de la enfermedad o de que se empeorara el enfermo, convendría que leyera extensamente acerca de la enfermedad y que hablara de ello con el médico.

En general, la enfermedad de Alzheimer es un padecimiento progresivo y ni usted ni su médico podrán evitar su evolución. En cuanto a una demencia por infartos múltiples, podría no ser posible detener o revertir el deterioro del cerebro. Por lo tanto, mantener activa a la persona enferma no detendrá el proceso demenciante aunque sí podría servir para que usara sus capacidades restantes.

El estado de una persona puede volverse aparente por vez primera después de una enfermedad o de una hospitalización. Sin embargo, al examinar detenidamente el caso, a menudo se descubre que el inicio ocurrió en realidad varios meses, o incluso años antes. Por ahora, la identificación temprana de la enfermedad de Alzheimer no tiene importancia para detener o revertir su evolución.

Si no se siente muy tranquilo o a gusto de tratar de distraerse y alejarse a ratos de toda la situación de cuidar al enfermo, recuerde que es importante para el bienestar de éste que la vida de usted tenga significado y sentido de realización, y que no se centre en la atención del enfermo. Usted tendrá ánimos de seguir adelante si descansa y tiene la compañía de sus amigos.

Si piensa que sus sentimientos de culpa le están impidiendo tomar decisiones lúcidas hable con alguna persona que verdaderamente entienda la situación, tal vez un consejero, un ministro, o bien con otras familias en igualdad de circunstancias que usted. Saber que la mayoría de la gente hace cosas parecidas sirve para ver a los sentimientos de culpa en su perspectiva correcta.

La risa, el amor y la alegría

Un enfermedad demencial no pone fin súbitamente a la capacidad de sentir amor y alegría, ni tampoco a la capacidad de reír. Por lo que toca a la persona que cuida al enfermo, a pesar de que la vida en ocasiones parece cargada de fatiga, frustración y congojas, tampoco pierde la capacidad de sentir tales emociones. La felicidad podría parecer fuera de lugar en momentos de grandes tribulaciones, pero lo cierto es que brota de manera inesperada. La letra de una canción escrita por la Hermana Miriam Theresa Winter de las Hermanas Misioneras Médicas, lo refleja muy bien:

> *Ví gotas de lluvia en mi ventana.*
> *La alegría es como la lluvia.*
> *la risa corre por mi dolor,*
> *se desliza y se pierde,*
> *pero regresa otra vez.*
> *La alegría es como la lluvia.*

Podría decirse que la risa es un don que ayuda a nuestra cordura en momentos de dificultad. No hay razón de sentirse mal por reírse de los errores que comete una persona confusa. Es probable que ella también se ría aunque no esté muy segura de saber lo que a usted le hace gracia.

Afortunadamente el amor no depende de las capacidades intelectuales. Limítese junto con los demás a compartir sus expresiones de afecto con la persona desvalida.

Pesar

Al avanzar la enfermedad y cambiar la persona uno siente la pérdida de una relación que era importante para uno. Se sufre al ver que el ser querido ya no es el que era, y uno se siente triste y descorazonado. Una simpleza es suficiente para que brote el llanto pues parece como si las lágrimas y la tristeza se le fueran acumulando a uno adentro. Uno oscila entre sentimientos de esperanza y de tristeza, y parece que esta última muchas veces está ligada a depresión o fatiga. Todos estos sentimientos forman parte del duelo que significa presenciar el deterioro gradual de alguien a quien amamos.

Cuando el duelo va asociado a la muerte es un dolor intenso al principio que paulatinamente va disminuyendo, mientras que el duelo asociado a una enfermedad crónica parece prolongarse indefinidamente. La esperanza de que el enfermo mejore parece alternar con la ira y la tristeza que causa su condición irreversible. Justamente cuando uno piensa que se ha "adaptado" a la situación, el estado del enfermo. Ya sea que el luto sea por la muerte o por, ver a la persona deteriorarse, el luto es un sentimiento asociado con pérdida de aquellas cualidades de la persona que eran importantes para usted.

Los familiares nos han dicho que es su tristeza por perder poco a poco a un ser querido empeora porque tienen que ver cómo sufre el enfermo al percibir su deterioro:

> La señora Pardo dice: "A veces quisiera que se muriera para que todo acabara. Es como si se fuera muriendo a pedazos, día tras día. Siempre que sobreviene algo nuevo creo que ya no tendré fuerzas para soportarlo; luego me acostumbro, pero de nuevo sucede algo. Sin embargo, sigo con la esperanza de que tal vez algún otro médico lo pueda curar, o de que surja algún tratamiento nuevo, o que ocurra un milagro. Me parece estar bajo la piedra de un molino emocional que lentamente me va triturando".

Hay ciertos cambios que origina una enfermedad demencial que parecen especialmente difíciles de soportar pues simbolizan lo que el enfermo es para nosotros; así se oye: "Él ha sido siempre el de las decisiones importantes," o "Ella siempre fue un persona tan amigable." Cuando el enfermo se vuelve incapaz de hablar o de entender con claridad, su familia siente intensamente la pérdida de un compañero. Todos estos cambios precipitan sentimientos de tristeza imposibles de comprender por la gente que no mantiene vínculos estrechos.

En las parejas se presentan varios problemas especiales que abordaremos más adelante.

Otro punto que hay que mencionar es que la sociedad entiende y acepta la profunda tristeza que conlleva un deceso, no así la que acarrea una enfermedad crónica la cual casi siempre es mal entendida por amigos y vecinos, en especial cuando el enfermo parece estar muy bien, como lo demuestran sus comentarios: "Da gracias que todavía tienes a tu marido," "Sé fuerte", "No te amilanes".

No hay antídotos para paliar el pesar de la pérdida. Tal vez lo único que llega a ser de alguna utilidad es compartir los sentimientos con otras familias que también estén viviendo la singular tragedia de una enfermedad demencial. A veces se opta por no cargar a otros con congojas que les son ajenas; sin embargo, compartir sus sentimientos podría tranquilizarle y también darle la fortaleza que necesita para continuar atendiendo a su enfermo.

Depresión

La depresión es un sentimiento de tristeza y desaliento. A veces cuesta trabajo diferenciar la depresión de la tristeza, o la depresión de la ira, o la depresión de la preocupación. Los familiares de un enfermo crónico a menudo se sienten tristes, deprimidos, desanimados, sin energía, día tras día, semana tras semana. También llegan a sentir apatía, desgano, angustia, nerviosismo e irritabilidad. Asimismo suelen perder el apetito y presentar insomnio. Es doloroso experimentar depresión, nos sentimos desdichados y ansiamos algo que nos cure la tristeza.

Una enfermedad crónica afecta profundamente nuestras emociones y es una razón de por sí suficiente para sentirnos abatidos. A veces la intervención de un consejero logra reducir la depresión, pero obviamente no cura la situación que la causa sino sólo sirve para afrontarla con otra actitud. Muchas familias encuentran cierto alivio compartiendo sus experiencias y emociones con otras familias en grupos de apoyo. A otros les basta con alejarse unas horas del enfermo y realizar alguna actividad que les agrade en especial como algún pasatiempo o reunirse con sus amigos. Cuando no se puede descansar lo suficiente, la fatiga empeora los sentimientos de abatimiento. Si consigue un ayudante para que se quede con el enfermo mientras usted descansa, su estado de ánimo mejorará aunque no desaparecerán los sentimientos de desaliento.

En algunas personas la depresión es más grave o diferente de los sentimientos naturales de pesar que causa la situación y en tal caso será necesario consultar al médico. Si usted o algún miembro de la familia presenta alguno de los síntomas que mencionamos en la sección "Señales de alarma" (Capítulo 13) es importante que acuda al médico para que lo atienda o lo envíe con algún consejero.

Sentimientos de soledad

A veces un miembro de la familia se siente solo al hacer frente a esta situación. Una mujer desesperada nos pidió que escribiéramos sobre "el sentimiento de soledad que invade cuando uno debe atender a alguien con quien se compartía todo".

Todos somos individuos y nadie puede entender verdaderamente lo que cada quien experimenta. Sin embargo, el sentimiento de soledad es un sentimiento ingrato que aparece fácilmente al hacer frente a una enfermedad demencial. La manera de sentirse menos solo es vincularse estrechamente con la familia y los amigos y reunirse con otras personas en igualdad de circunstancias que le harán darse cuenta que comparten con usted sentimientos similares de soledad. Aunque obviamente nadie podrá sustituir la relación que tenía con su enfermo, gradualmente encontrará amor y apoyo en sus amigos y familiares.

Preocupación

¿Quién es aquél que no tiene preocupaciones? Podríamos llenar muchas páginas si mencionáramos todo aquello que causa preocupaciones a una familia, todas ellas preocupaciones verdaderas y muy serias. Cuando la preocupación se combina con la depresión y el cansancio habrá que ensayar otras formas de manejar los problemas. La vida en familia es fuente común de preocupaciones, pero cada persona tiene su propia manera de afrontarlas; así hay unas que no hacen caso de los problemas serios mientras otras se consumen en trivialidades. Sin embargo, la mayoría estamos dentro de estos dos extremos y hemos descubierto que quedarnos despiertos en la noche dándole vueltas al asunto en la cabeza no resuelve el problema y en cambio sí nos agota. Hasta cierto punto es inevitable preocuparnos, pero tratemos de no ver las cosas más grandes de lo que son.

> *Una mujer nos comentó cómo las maneja: "Me pregunto qué sería lo peor que podría suceder. . .quedarnos sin dinero y perder la casa. Sin embargo, sé que la gente no va a permitir que nos muramos de hambre o que estemos sin un techo. Siempre dejo de preocuparme cuando pienso en lo peor que podría suceder".*

Tener esperanza y ser realista

Al luchar con una enfermedad demencial fácilmente persigue uno todo cuanto ofrezca una posibilidad de curación o cae en períodos de desaliento y sentimientos de derrota. A veces uno rechaza las malas noticias que nos da el médico y prefiere buscar una segunda, una tercera o más opiniones con sus consecuentes gastos. No es raro que uno empiece a reírse sin razón o que niegue lo que está sucediendo, reacciones por lo general normales cuando nuestra mente hace esfuerzos para manejar algo que quisiéramos que no hubiera ocurrido.

Desde luego que no prestarle atención al problema podría poner en peligro al enfermo, por ejemplo si continúa manejando el auto o vive solo cuando ya no puede hacerlo. Es sensato buscar otras opiniones médicas, pero es inútil, extenuante y caro buscar muchas.

Esta mezcla de esperanza y desaliento es común en muchas familias. El problema se complica cuando los médicos dan información contradictoria acerca de las enfermedades demenciales.

La mayoría de las familias encuentran una paz razonable haciendo una transacción entre el tener esperanza y salirse de la realidad. ¿Cómo lograrlo? No sabemos si estamos muy lejos, o muy cerca, de un descubrimiento importante y los milagros ocurren, aunque son raros.

Pregúntese si sólo está yendo de un médico a otro y si su manera de reaccionar no está dificultando más las cosas o arriesgando el bienestar del enfermo.

Ponga el asunto en manos de un solo médico que sea de toda su confianza. Debe ser alguien enterado de los padecimientos demenciales y que se mantenga al tanto de los adelantos de la investigación. Evite caer en manos de charlatanes que prometan curaciones milagrosas.

Manténgase informado sobre los progresos de la investigación de las enfermedades demenciales.

REACCIONES FÍSICAS

Fatiga

La fatiga a menudo acompaña a la depresión y es difícil saber cuál apareció primero. Quien debe cuidar a una persona deteriorada sufre fatiga con mucha frecuencia porque no descansa lo suficiente. Al cansancio se agregan los sentimientos de depresión y ésta por su parte hace que uno se sienta más cansado.

Haga todo lo posible por no trabajar de más.

La señora Lozano nos cuenta lo siguiente: "Mi esposo se levanta en la noche, se pone el sombrero y se va a sentar al sofá. Al principio yo luchaba por hacer que regresara a la cama; ahora lo dejo que se quede ahí sentado, y si se quiere acostar con el sombrero puesto, lo dejo. Antes lavaba las ventanas dos veces al año y ence-

raba los pisos una vez por semana; ahora ya no me preocupo por eso. Tengo que usar mi energía en otras cosas".

Es importante para la salud de usted que el enfermo duerma de noche, o que si se despierta pueda andar por la casa sin peligro (ver Capítulo 7). Si además de todo el trabajo del día usted no duerme por atender al enfermo terminará agotado. Claro que no siempre podrá descansar lo suficiente, pero tenga muy presente su salud. A través del libro le damos sugerencias para hallar maneras de no agotar su energía.

Enfermedad

La enfermedad acompaña a la depresión y a la fatiga. Parece que las personas desanimadas y cansadas se enferman con más frecuencia que las que están en buen estado de ánimo y descansadas. De igual forma, las que no se sienten bien se cansan y se desaniman más. Si usted se enfermara las cosas se pondrían bastante difíciles: ¿quién cuidaría al enfermo? Lo más seguro es que nadie más y que usted, a pesar de su mal estado de salud, tendría que seguir con sus rutinas con la esperanza de que su condición no empeore.

El cuerpo y la mente no son entidades separadas, ni una esclava de la otra, sino partes de una persona completa; y una persona completa puede ser menos vulnerable —no invulnerable— a la enfermedad.

Haga todo lo posible por reducir su fatiga y descansar lo suficiente, mantenga una dieta balanceada y haga ejercicio.

Salga de vacaciones para alejarse algún tiempo de sus responsabilidades como encargado del enfermo.

Evite excesos contra usted mismo, como sería abusar del alcohol, los fármacos o la comida. Consulte a un buen médico periódicamente para detectar cualquier problema oculto, como hipertensión, anemia e infecciones crónicas.

Pocas personas nos cuidamos y procuramos conservarnos con buena salud cuando no tenemos otros problemas serios. Si uno está atendiendo a una persona que padece una enfermedad demencial lo que casi siempre hace es ponerse en último lugar pues no hay tiempo, energía ni dinero suficientes. Sin embargo, por su propio bien y el del enfermo, haga todo cuanto pueda por conservar su buena salud.

SEXUALIDAD

Podría parecer insensible pensar en la propia sexualidad cuando existen tantos asuntos apremiantes. Sin embargo, todos tenemos la necesidad vital de ser amados y acariciados, y la sexualidad es parte de nuestra existencia. Aunque en presencia de una enfermedad demencial cohabitar a veces es un problema, parece que persiste como una de las cosas buenas que una pareja puede seguir disfrutando. Esta sección está dirigida a aquellas parejas para quienes las relaciones sexuales se han vuelto un problema.

Si su pareja está deteriorada

A pesar de la llamada revolución sexual, la mayoría de la gente, médicos inclusive, se sienten incómodos cuando deben abordar el tema de la sexualidad, especialmente cuando se trata de la sexualidad de los ancianos y de los inválidos. Esta turbación, además de las falsas creencias que imperan, condenan al cónyuge de una persona con una enfermedad demencial a la soledad y al silencio. Aunque hay muchos artículos sobre la sexualidad humana, no ayudan mucho; además, con los amigos no se puede abordar el tema, y si alguien se arma de valor y le pregunta al médico, lo más seguro es que éste cambiará el tema a la primera oportunidad.

Al mismo tiempo, los problemas sexuales, como muchos otros problemas, son casi siempre más fáciles de afrontar si uno los reconoce y los discute con alguna persona que los comprenda.

El cónyuge de una persona enferma puede encontrar imposible disfrutar una relación sexual cuando han cambiado tan drásticamente muchos otros aspectos de la relación de pareja. Mucha gente disfruta de las relaciones sexuales sólo cuando la relación de pareja es buena. Tal vez no pueda hacer el amor con una persona con la cual ya no comparte, por ejemplo, la conversación. Puede parecer "incorrecto" disfrutar del sexo con una persona que ha cambiado tanto.

Si usted está abrumado por la tarea de cuidar al enfermo, sí está agotado y deprimido, tal vez pierda interés por el sexo. A veces el enfermo está deprimido y no le interesa hacer el amor. Si esto ocurre al principio de la enfermedad, antes de que se haya establecido el diagnóstico correcto, casi siempre se malinterpreta como un problema de la relación de pareja.

A veces el enfermo, a quien usted ha atendido y cuidado durante todo el día, de repente le dice: "¿Quién es usted?", ¿Qué está haciendo en mi cama?" Esto puede ser muy deprimente.

A veces la conducta sexual de una persona con trastorno cerebral cambia de tal modo que el cónyuge difícilmente la puede aceptar o manejar. Cuando el enfermo no recuerda las cosas más que unos cuantos minutos tal vez aún es capaz de hacer el amor, pero olvidará casi de inmediato que acaba de tener un acto sexual y dejará a su cónyuge desolado y triste. Unas cuantas experiencias de este tipo harán que el cónyuge decida dar por terminado para siempre este aspecto de su vida.

La pérdida de la memoria suele hacer que una persona que antes era tierna y considerada se olvide de los preámbulos felices de la relación sexual. Esto también descorazona terriblemente al compañero.

Ocasionalmente una lesión cerebral hace que el enfermo se vuelva sexualmente exigente. Es devastador muchas veces para el cónyuge que el enfermo que tanta atención y cuidados necesita en otros aspectos exija tener relaciones sexuales frecuentes. Cuando cambia la conducta sexual de una persona con una enfermedad demencial lo más seguro es que el cambio esté relacionado a la lesión o daño cerebral y ella no puede controlarlo. No se trata pues de una agresión intencional a su relación.

A menudo lo que el cónyuge echa más de menos no es el coito sino todas las demostraciones de afecto, los abrazos, las caricias, los besos, que se dan entre dos personas. A veces, por razones prácticas, el cónyuge sano prefiere dormir en otro cuarto, además de que no es raro que el enfermo que antes era una persona cariñosa, no acepte las demostraciones de afecto.

La señora Bernal nos contó lo siguiente: "Antes dormíamos abrazados pero ahora, en cuanto le paso el brazo, él lo rechaza con violencia".

¿Qué se puede hacer para afrontar los problemas sexuales? No existe una respuesta fácil.

Es importante que hable usted con el médico de cómo la enfermedad está afectando el área sexual y otros aspectos de la conducta. si busca ayuda con un terapeuta, asegúrese que sea una persona calificada. Como la sexualidad es un tema difícil algunos terapeutas no se sienten a gusto hablando sobre el tema y dan consejos equivocados. El terapeuta debe tener experiencia con los problemas sexuales de las personas inválidas y estar consciente de sus propios sentimientos respecto a la actividad sexual de los ancianos y los inválidos. Existen excelentes terapeutas que no se escandalizarán o sorprenderán con lo que usted les pregunte; sin embargo, hay otros muy insensibles y usted deberá evitarlos.

Si su padre deteriorado vive con usted

Hasta ahora hemos hablado de los problemas del cónyuge de una persona con enfermedad demencial. Sin embargo, es uno de sus progenitores y vive en casa de usted, el aspecto sexual de su estado puede desquiciarse, y esto afectará otras áreas de la relación de pareja. Tal vez usted acabe el día tan cansado que ya no querrá hacer el amor, o quizá ya no salen juntos y consiguientemente pierdan el romance que precede al acto amoroso. Tal vez el padre confuso vague por la casa en la noche, chocando con cosas, tocando puertas o gritando. El más pequeño ruido podría despertar al enfermo que tanto trabajo costó que se durmiera. El acto sexual puede convertirse en un acto apresurado si usted está cansado o bien puede no darse en absoluto.

Las relaciones se enriquecen con todo lo que interviene en ellas; por ejemplo, hablar, trabajar, hacer frente a las dificultades y hacer el amor. Una relación firme puede sobrevivir a pesar de que se pospongan las cosas, pero no por mucho tiempo. Es importante que usted encuentre el tiempo y la energía para sostener una buena relación. Revise con cuidado el Capítulo 13. Por último, procure encontrar la manera de crear el romance y el espacio privado que se necesita en momentos en que ninguno de los dos esté agotado.

EL FUTURO

Es importante que haga planes para el futuro: éste acarreará cambios en el enfermo que serán menos dolorosos si usted está preparado para hacerles frente.

Algunas parejas hablan del futuro cuando ambos aún están bien de salud y esto simplifica las cosas si uno de los cónyuges debe seguir solo. El que una persona enferma puede planear la manera como quiere disponer de sus posesiones contribuye a veces a que sienta que se trata de su vida y que aún tiene cierto control sobre el final de ésta. Sin embargo, no todo el mundo quiere hablar de estas cosas, así que en ningún momento debe hacérseles presión.

Los miembros de la familia podrían también discutir lo que podría acarrearles el futuro, abordando sólo un punto cada vez que se reúnan. Sin embargo, si hablar del tema resulta muy doloroso para éstos tendrá que hacer los planes usted solo.

A continuación mencionamos algunos de los puntos que conviene tomar en consideración (ya los hemos tratado en otros capítulos del libro).

— El estado del enfermo a medida que avance la enfermedad y aumente su incapacidad física.
— La atención y cuidados que necesitará.
— Lo que la persona que se encarga de él sinceramente puede seguir dándole.
— El estado emocional del cuidador.

— Las responsabilidades que debe cumplir el encargado del enfermo en su propia vida (cónyuge, hijos, un empleo que exijan su tiempo y energía).

— El efecto de esta enorme responsabilidad que ha venido a sumarse a su matrimonio, hijos y carrera.

— A quién recurrir en busca de ayuda.

— Qué tanto puede ayudar el resto de la familia.

— Cómo se financiará la atención del enfermo.

— Cuánto dinero quedará después de pagar los gastos de la atención del enfermo. Es importante hacer planes a futuro en lo relativo al dinero, especialmente si las entradas son limitadas. La atención de un paciente severamente enfermo es muy cara (ver Capítulo 15).

— Las previsiones legales que se han tomado para el cuidado y el bienestar del enfermo.

— Es adecuado para la atención de un inválido el entorno físico (¿Es una casa grande y difícil de mantener? ¿Tiene escaleras que el enfermo no puede subir y bajar? ¿Está lejos de las tiendas? ¿Está en una zona en donde la delincuencia es un problema?).

Con el paso del tiempo, usted que ahora atiende al enfermo, podría cambiar. En muchos aspectos podría dejar de ser la misma persona que era antes de la enfermedad, o perder a sus amigos, abandonar sus pasatiempos, o cambiar su filosofía e ideas en el proceso de aprender a aceptar esta enfermedad crónica. ¿Qué le deparará el futuro? ¿Qué debe hacer para prepararse para lo que acontezca?

Usted como cónyuge solo

Esta sección fue difícil de escribir. Sabemos que las parejas piensan en su futuro, pero no podemos ofrecer respuestas "correctas", pues cada individuo es único. Sin embargo, hay varios factores que es conveniente tomar en consideración.

El modo de vida cambia. A veces un cónyuge siente que ni forma una pareja (puesto que ya no pueden seguir haciendo cosas juntos ni cuenta uno con el otro de la misma manera) ni es viudo(a).

Muchas parejas descubren que los amigos los abandonan, algo especialmente doloroso para el cónyuge sano. Las "parejas amigas" a menudo se retiran simplemente porque la amistad se basaba en la relación entre cuatro personas. Cuando uno de los cónyuges ya no puede participar, pero necesita que el otro lo cuide es difícil establecer nuevas amistades. Además algunas personas no desean hacer amigos nuevos cuando son cónyuges sin cónyuge.

Casi siempre el cónyuge sano tiene que afrontar solo el futuro pues según las estadísticas las enfermedades demenciales acortan la vida de las víctimas, y es probable que el enfermo fallezca antes que su pareja o que llegue a estar a tal punto inválido que necesite ser internado en una institución.

Es importante que cuando llegue la hora de quedarse solo, usted tenga amigos e intereses propios.

Un hombre nos contó que trató de escribir un relato de lo que es vivir al lado de una persona con una enfermedad demencial. Nos dijo: "Me di cuenta que estaba narrando la historia de mi propio deterioro. Dejé de trabajar para poder cuidarla y no tenía tiempo para dedicarme a mis propios asuntos. Gradualmente dejamos de frecuentar a nuestros amigos".

A medida que la enfermedad progresa el enfermo requerirá mayor atención por lo que usted tendrá que dar más de su propia vida para cuidarlo. Los amigos desaparecen y ya no hay tiempo para uno, de modo que puede terminar encontrándose solo con un inválido.

Si el enfermo debe estar en un asilo, o cuando muera, ¿qué va a ser de usted? ¿Estará "deteriorado" por haberse aislado, por no tener intereses en la vida, por haber quedado solitario y exhausto? Usted necesita tener amigos y hacer lo imposible por no interrumpir las actividades que siempre le han interesado mientras hace frente a la enfermedad demencial pues le darán la energía que necesita y la posibilidad de cambiar el tipo y ritmo de su trabajo como encargado del enfermo. Va a necesitar muchísimo estos recursos cuando quede solo.

La relación marital entre los cónyuges cambia. Los problemas de estar solo, pero no soltero son reales. Sin embargo, la relación por lo general sigue siendo importante. Para unos esto significa un compromiso a una relación que ha cambiado; para otros significa establecer una nueva relación con otra persona.

Un esposo afirmaba: "Siempre la cuidaré, pero he empezado a salir con otra persona. Mi enferma ya no es la persona con quien me casé".

Una esposa lo expresaba así: "Fue una decisión terriblemente difícil, pero más difícil aún fue el sentimiento de culpa".

Y otro esposo comentaba: "Para mí lo más importante es cuidarla, cumplir mi promesa. Es cierto que ya no es la misma persona, pero también esto es parte de nuestro matrimonio. Trato de tomarlo como un reto".

A veces sucede que una persona se vuelve a enamorar mientras cuida a su cónyuge enfermo. Si éste fuera su caso, tendrá que tomar decisiones difíciles respecto a sus propias convicciones y valores. Tal vez le convendría hablar con las personas cercanas a usted, pero la decisión "correcta" será aquella que a usted le parezca "correcta".

No todos los matrimonios transcurren felizmente. Cuando un matrimonio iba mal al grado de estar pensando en el divorcio, y uno de los cónyuges se enferma, la enfermedad puede hacer todavía más difícil la decisión. Un buen consejero podrá ayudarlo a aclarar sus sentimientos ambivalentes.

Finalmente, si está pensando hacer nuevas relaciones, divorciarse o volverse a casar, no será el primero ni el último en hacerlo. Muchas personas afrontan y resuelven estas cosas.

13

Cómo cuidarse a sí mismo

El bienestar del enfermo depende directamente del bienestar de usted. *Es esencial por lo tanto que encuentre maneras de procurarse atención para que no se agoten recursos emocionales y físicos.*

Cuando uno se encarga de cuidar a una persona con una enfermedad demencial se siente triste, descorazonado, frustrado, atrapado, atado al enfermo y abrumado. Aunque la fatiga se presenta por muchas razones, la causa principal, es casi siempre no estar descansando lo suficiente. Tal vez esté haciendo a un lado sus propias necesidades de descanso, de estar con algunos amigos o a solas para atender al enfermo.

A lo largo del libro hemos dado sugerencias para modificar las conductas que nos exasperan. Si bien ayuda en mucho modificar el comportamiento del enfermo, hay algunas conductas imposibles de cambiar que tal vez le destrocen los nervios. Para seguir soportando la situación usted necesita descansar lo suficiente y a veces alejarse del enfermo.

Debe cuidarse, reunirse con amigos para divertirse, para hablar con ellos sobre sus problemas y para distraerse. Tal vez necesite ayuda adicional para ventilar sus sentimientos de desilusión o para analizar las desavenencias familiares. Una buena idea es hablar con otras familias en igualdad de circunstancias sobre sus preocupaciones, hacer nuevos amigos, o dedicarse a apoyar la creación de mejores recursos para las personas afectadas por enfermedades demenciales.

TÓMESE TIEMPO LIBRE

"Si pudiera alejarme de la enfermedad de Alzheimer", decía la señora Herrera. "Si pudiera irme a alguna parte donde dejara de pensar en ella durante un tiempo".

Es absolutamente esencial —para usted y el enfermo— que usted pueda alejarse y descansar del trabajo y la responsabilidad de atenderlo. Debe disponer de tiempo para descansar y para hacer lo que usted desee, que podría ser ver la televisión sin interrupciones, dormir toda la noche, salir una vez a la semana o tomar unas vacaciones. No podemos menos que subrayar la importancia de esto. Cuidar intensivamente a una persona con una enfermedad demencial es una tarea agotadora y emocionalmente abrumadora.

Es importante que usted cuente con otras personas para hablar y compartir el trabajo y los problemas. Sabemos que es difícil a veces encontrar la forma de cuidarse a sí mismo. Tal vez no tiene amigos que lo apoyen, la familia no quiere ayudar y es imposible alejarse del enfermo. Las cosas se complican cuando el enfermo no admite que otra persona se quede con él más que usted, o cuando no se puede pagar el costo de un cuidador auxiliar. Hay que tener tiempo e inventiva para encontrar maneras de llenar sus propias necesidades, pero recuerde que es sumamente importante que lo haga.

El señor Cortés ideó el siguiente plan: Consiguió que en una estancia diurna se hicieran cargo de su esposa una vez a la semana comprometiéndose él a entrenar al personal para que pudieran cuidarla. Su hijo, que residía lejos de ellos, se ofreció a pagar los gastos que esto originara, y sus vecinos a ayudar a vestir a la enferma la mañana de esos días".

Tal vez tenga que aceptar un plan aunque no cumpla con todo lo que usted quisiera: la atención podrá no ser como la que usted le da al enfermo; o los cambios alterar al enfermo; o los miembros de la familia enojarse porque se les pide que ayuden; o hacer sacrificios económicos para poder pagar a un ayudante. Usted debe estar dispuesto a hacer arreglos y todo cuanto sea necesario para poder alejarse del enfermo.

La señora Herrera continuó relatando su caso: "Desde hacía tiempo habíamos planeado ir a Francia cuando él se retirara. Cuando me di cuenta que él jamás podría hacerlo, decidí ir sin él. Lo dejé a cargo de mi hijo, y como no sabía andar sola, hice el viaje en grupo. Él lo habría querido así. Cuando regresé estaba muy descansada y preparada para encarar cualquier cosa que la enfermedad deparara".

Obséquiese algo especial

Algunas personas para levantarse el ánimo de vez en cuando se obsequian a sí mismas algo especial como sería una revista, o un vestido nuevo, escuchar una sinfonía o ver un juego de pelota (con audífonos), ver una puesta de sol, o en vez de cocinar ordenar la comida a su restaurante favorito.

Los buenos amigos a menudo nos dan su optimismo, comprensión y apoyo de una manera maravillosa por lo que contar con ellos le alentará a continuar con su tarea en medio de las épocas más difíciles. Recuerde que es necesario mantener sus vínculos con ellos, y también hacer nuevos contactos sociales. Trate de no sentir culpa por mantenerse o establecer amistades propias.

La gente que no tiene contacto estrecho con el enfermo muchas veces no puede admitir que sufra un padecimiento "si se ve tan bien". Otros suelen apartarse con miedo de las "enfermedades mentales" y la mayoría no sabe cómo reaccionar ante una persona con trastornos de la memoria o una conducta extraña. Tal vez desee explicarles que la persona tiene una enfermedad orgánica, que causa un deterioro mental paulatino. La persona no puede evitar su conducta, pero no esta "loco o "psicótico". No hay evidencia de que la enfermedad sea contagiosa. Es una enfermedad y no el resultado inevitable de la vejez.

Poner al tanto a los viejos amigos sobre el estado del paciente puede ser doloroso, especialmente cuando no residen cerca y no han visto el deterioro paulatino que causa un proceso demencial.

Evite el aislamiento

¿Qué puede hacer usted si está percibiendo que poco a poco se aísla y se está quedando solo? Buscar nuevos amigos en una época en la que una persona se siente cansada y desanimada significa esfuerzo y energía; sin embargo, es tan importante que hay que hacerlo. Empiece por encontrar un recurso pequeño. Las cosas pequeñas darán entrada a otras. Únase a un grupo de discusión formado por familiares de enfermos, o bien organice uno. Renueve sus lazos con su iglesia o sinagoga pues sería una buena fuente de consuelo y apoyo. Las comunidades religiosas ofrecen un buen medio para hacer nuevas amistades e incluso ayuda práctica.

Al ir ganando espacio para usted lejos del enfermo, emplee este tiempo en hacer cosas con otras personas. Es más fácil hacer amistades cuando uno realiza actividades en unión de otros. No abandone completamente las ocupaciones que tenía antes de empezar a cuidar a su enfermo, pues cuando ya no lo tenga que atender usted va a necesitar amigos y actividades:

"Me gusta ir a la Logia Masónica, y lo hago una vez al mes. Cuando Alicia deba ingresar al asilo, seguramente le dedicaré más tiempo a la Logia. Todavía tengo amigos ahí".

"Yo toco el violín y por ahora no puedo pertenecer al cuarteto, pero sigo en contacto con los demás músicos y estudio un poco. Cuando tenga más tiempo, habrá un lugar para mí en la sinfónica local".

También podría realizar actividades nuevas como unirse a un grupo local sobre la enfermedad de Alzheimer o buscar deliberadamente otras actividades como lo hacen muchas personas en su misma posición.

"Mi esposa empezó con la enfermedad demencial casi al jubilarme yo. Me dediqué a cuidarla y no hacía otra cosa. Se me ocurrió que debía hacer ejercicio y decidí unirme a un grupo local de personas mayores. Para poder reunirme con el grupo llevo a mi esposa a una estancia diurna".

BUSQUE AYUDA ADICIONAL SI LA NECESITA

La señora Estrada dice: "Estoy bebiendo más de la cuenta y me está preocupando. Juan y yo solíamos tomar un coctel al regresar a casa en la tarde. Ahora desde luego él ya no toma, pero yo siento que necesito el coctel de siempre y otro más a la hora de acostarme".

Cuando uno tiene a su cargo a un enfermo crónico, los sentimientos de fatiga, desconsuelo, pesar, desesperación, culpa y ambivalencia son normales, pero llegan a ser abrumadores y casi constantes. Por eso, no es difícil que la capacidad de la persona encargada del paciente se agote al punto de que las cosas se escapen de su control. Este sería el momento de buscar asesoría profesional.

Las señales de alarma

Cada persona es diferente y cada una enfrenta los problemas a su manera. Lo que para una podría ser una respuesta favorable para otra podría no serlo. Hágase las siguientes preguntas: ¿Me siento tan triste y tan deprimido que no estoy actuando como debiera? ¿Me despierto en la noche y le doy vueltas y vueltas al asunto durante varias horas? ¿Estoy bajando de peso? ¿Me siento exhausto casi todo el tiempo? ¿Me siento muy aislado y solo con mi problema? Si responde afirmativamente a una o a varias de estas preguntas usted necesita que le ayuden a hacer más manejables sus sentimientos.

¿Estoy bebiendo demasiado? Pregúntese si la bebida está interfiriendo con sus tareas, con la familia, su trabajo, o de otras formas. En caso afirmativo, significará que usted está bebiendo demasiado. ¿Está bebiendo tanto que no puede cuidar bien al enfermo? ¿Tienen que hacerle su trabajo otras personas? Le sugerimos que recurra a Alcohólicos Anónimos, que es una organización de autoayuda efectiva. Seguramente le ayudarán a resolver problemas prácticos, como conseguirle un medio de transporte o una persona que cuide al enfermo mientras usted asiste a las reuniones. Llámeles, explíqueles sus circunstancias especiales y pídales su ayuda.

¿Está ingiriendo píldoras para poder cumplir con todo su trabajo diario? Los tranquilizantes y las píldoras para dormir deben usarse sólo bajo la supervisión estrecha de un médico y durante un tiempo corto. Jamás ingiera píldoras estimulantes (anfetaminas) para tener más energía. Si ya está usando en forma regular tranquilizantes, píldoras para dormir o estimulantes, pídale al médico que le ayude a suspenderlas pues algunas crean adicción y una suspensión abrupta podría poner en peligro su vida.

No hay razón para sentir vergüenza, pero *sí* para buscar ayuda *ahora mismo*.

El exceso de café, aunque no se compara con el peligro de tomar anfetaminas, es malo para el organismo y puede reducir la capacidad para manejar la tensión (el té negro y la mayoría de los refrescos tienen cafeína).

¿Tiende a gritar o a llorar mucho? ¿Está perdiendo la paciencia con el enfermo? ¿Llega a pegarle? ¿Generalmente acaba más enojado y frustrado después de hablar con sus amigos y familiares acerca de estos problemas? ¿Le irrita la mayoría de la gente, entre otros, sus amigos, familiares, médicos y compañeros de trabajo?

¿Qué debe entenderse por gritar o llorar mucho? Mientras una persona siente que cualquier llanto ya significa llorar demasiado, para otra llorar es una buena manera de "sacar de adentro las penas". Cada quien sabe cuando su estado de ánimo está rebasando los límites que para él son normales.

En cuanto al enojo y la frustración, son respuestas normales cuando se atiende a alguien con una conducta difícil. Sin embargo, cuando el enojo empieza a extenderse a otras personas, o cuando los vierte uno sobre el enfermo, conviene buscar maneras de manejar las frustraciones para no ahuyentar a los que le rodean y para que la conducta del enfermo no empeore.

¿Está pensando en el suicidio?

"Hubo un tiempo en que consideré hacerme de una pistola, matar a mi esposa y suicidarme yo", nos dijo el señor Covarrubias.

La idea del suicidio puede surgir cuando una persona se siente abrumada, impotente y sola. Cuando alguien siente que no tiene manera de escapar de una situación o cuando siente que ha perdido irrevocablemente lo que le daba sentido a la vida, podría pensar en el suicidio. Igualmente, cuando alguien siente que no hay esperanzas de salir de un laberinto y que ni él ni nadie puede hacer nada para solucionarlo, el presente resulta intolerable y el futuro incierto, oscuro, vacío y carente de sentido.

Un hombre que intentó suicidarse nos dijo lo siguiente:

"No sé cómo llegué a ese extremo. Las cosas han sido difíciles, pero me alegro de no haber muerto. Mis percepciones debieron estar muy mezcladas".

Considerar que uno percibe que las cosas son irremediables es importante. Si usted se está sintiendo así, recurra a una persona cuya percepción de la situación sea diferente de la suya y con quien usted pueda hablar (de ser posible un terapeuta).

¿Siente que no puede controlar la situación o que ha llegado al borde del precipicio? ¿A menudo siente pánico, está nervioso o asustado? ¿Cree que le servirá de algo hablar del asunto con alguien que lo entienda? Si la respuesta a varias de estas preguntas es afirmativa, podría significar que la carga que lleva sobre los hombros es demasiado pesada y que no tiene la ayuda suficiente.

El terapeuta

Muchas veces uno se da cuenta que todo lo que necesita es alejarse más tiempo del enfermo o contar con más ayuda para atenderlo, pero que no hay manera de conseguir ni lo uno ni lo otro y que está atrapado en la situación. En un caso así es buena idea buscar a una persona entrenada para ayudarlo a sentirse menos presionado y con quien discutir poco a poco las dificultades que está afrontando. Como el terapeuta no está atrapado como usted en la situación, podrá ver alternativas funcionales que a usted no se le han ocurrido y, al mismo tiempo, usted sentirá que tiene un contacto vital con esta persona a quien podrá recurrir si empieza a sentirse desesperado. La familia y los amigos también ayudan mucho, pero como están muy cerca de la situación podrían ni ver las cosas objetivamente.

¿Debe acudir con un terapeuta? ¿Necesita "ayuda"? Casi todos somos gente sana sólo que a veces no podemos lidiar con el exceso de problemas. Tal vez nos sintamos abrumados o desesperados. En ese caso puede servirnos hablar de nuestros problemas y de lo que sentimos. Un consejero puede ayudar mucho a la familia que está luchando con una enfermedad demencial. La asesoría puede provenir también de grupos de apoyo, de un guía religioso, de un amigo objetivo, de una trabajadora social, una enfermera, un psicólogo o un médico.

Al buscar asesoría externa lo más difícil es dar el primer paso: *"No puedo salir de la casa porque no consigo quien se quede con el enfermo; además él es terrible con todos menos conmigo. No puedo conseguir asesoría porque no puedo conseguir un empleo porque no puedo salir de la casa, y por otra parte, ¿qué puede hacer un consejero?*

Este tipo de pensamiento circular es en parte producto de toda la situación y en parte la manera como su abatimiento le hace ver las cosas. Un buen consejero puede ayudarle a separar objetivamente el problema en partes más manejables, y entre ambos pueden ir haciendo cambios poco a poco.

A veces se piensa que recurrir a un consejero es señal de debilidad e incapacidad; sin embargo, para poder soportar el peso que lleva, usted debe valerse de toda la ayuda que pueda conseguir y en ningún momento es un reflejo de su fortaleza.

Existe la idea de que un consejero le remueve a uno asuntos de la infancia y lo "analiza". Sin embargo, muchos terapeutas abordan directamente y de manera práctica lo que le está preocupando a uno "aquí y ahora". Investigue primero cómo trabaja el terapeuta que piensa consultar.

Los psiquiatras son médicos, pueden prescribir fármacos y tienen conocimientos de los problemas físicos que acompañan a los problemas psíquicos. Los psicólogos, los trabajadores sociales, las enfermeras psiquiátricas, los padres de las iglesias y varios otros profesionales pueden ser excelentes para impartir terapia o asesoría.

La selección de un consejero debe ser muy cuidadosa. Escoja a una persona cuyos servicios usted pueda pagar, que esté enterado de los padecimientos demenciales y con quien usted se sienta a gusto. Usted tiene la responsabilidad de discutir con él todo cuanto le preocupe respecto a su relación con él, como sería el pago de sus honorarios, si le disgusta la manera como está enfocando el asunto, si teme que comentará lo que usted dice de sus familiares. Si pasado un tiempo usted no siente que le está beneficiando, dígaselo, y en caso dado, cambie de terapeuta.

Su médico, un guía espiritual o sus amigos seguramente podrán recomendarle a un consejero terapeuta. Si no puede conseguir a la persona idónea a través de estos conductos, recurra a la sociedad médica, o a los servicios de higiene mental de su localidad.

UNIRSE CON OTRAS FAMILIAS: UN PASO IMPORTANTE

Muchas familias se sienten solas ante la enfermedad, tropiezan con muchas dificultades para hallar médicos y otros profesionales que entiendan su problema, y no disponen de la información que necesitan. Para llenar este vacío de comunicación, en algunas partes las familias han creado diferentes organizaciones de voluntarios. Estos grupos tienen como fin ayudarse unos a otros, compartir soluciones de los problemas que implica el manejo de los enfermos, intercambiar información, apoyar la legislación y la investigación así como educar a la comunidad. Estas organizaciones reciben a toda persona preocupada por las enfermedades demenciales, de las cuales la enfermedad de Alzheimer es la más común. Los familiares nos han dicho lo importante que es para ellos el entrar en contacto con otras familias que están encarando estos problemas. En los Estados Unidos el número de los grupos de apoyo está aumentando rápidamente. Estos grupos ofrecen amistad, información acerca de estos padecimientos y sobre los médicos y los recursos que existen en cada área: en ellos, todos los miembros tienen la oportunidad de intercambiar ideas.

Algunas organizaciones publican boletines que son de gran ayuda para las personas que por residir en sitios apartados no pueden asistir a las reuniones. En estos boletines se dan ideas sobre la manera de afrontar la situación, información sobre los cambios en las políticas legales y en la cobertura de los seguros así como sobre los resultados recientes de la investigación.

Es a través de la organización de la comunidad como se conseguirá dirigir la atención de los legisladores a las necesidades de los pacientes y sus familiares.

CÓMO REUNIR Y ORGANIZAR UN GRUPO DE APOYO

Si en su localidad no existe un grupo de apoyo, considere la posibilidad de formar uno. Puede empezar buscando dos o tres familias y, de ser posible, un profesional que les auxilie como sería un guía religioso, un trabajador social o una enfermera. No es difícil hallar estas familias; casi siempre basta correr la voz para reunir a las primeras dos o tres. Si desea más puede acudir a los asilos, las asociaciones de enfermeras, de trabajadoras sociales y a las oficinas de atención a la senectud y a la familia.

La primera tarea del grupo podría ser recabar información de otros grupos e intercambiar de manera informal sus ideas. A continuación ofrecemos varias sugerencias para iniciar un grupo de apoyo:

1. Fijen desde la primera vez que se junten un tiempo límite para cada reunión y apéguense a él. Las reuniones que se prolongan se convierten en una carga. Por la misma razón, si se sirve algún refrigerio, éste debe ser simple.

2. Fijen un orden del día específico y simple para cada reunión, por ejemplo: "Discusión informal de problemas", o "Elección de dirigentes". De esta manera el grupo se concentrará en los puntos por tratar.

3. Eviten abarcar mucho cada vez; unos cuantos objetivos concretos y alcanzables no abrumarán a la gente que ya de por sí está bajo presión en su vida.

4. Manténganse informados. Averigüen lo que los otros grupos están haciendo.

5. Comprométanse a no divulgar la información personal que en forma confidencial manejarán dentro del grupo.

6. Es bien sabido que las personas tienen diferentes maneras de reaccionar frente a una crisis. Dejen claro desde un principio que los miembros no deben erigirse en jueces.

7. No permitan que una sola persona acapare la conversación; todos deben tener la oportunidad de hablar.

Las personas que tienen un enfermo a su cuidado dispondrán de muy poco tiempo para organizar un grupo, no así aquellas cuyo ser querido ha tenido que ser internado en un asilo, o muerto, y cuya participación en el grupo sería de gran ayuda. Hay también algunos profesionales que trabajan con ancianos que desean formar parte de un grupo y que aportarán sus conocimientos. Las universidades, las diversas organizaciones de profesionales, los ayuntamientos y las iglesias locales suelen ser buenos patrocinadores de los grupos, y a veces tienen personal con experiencia en organizar grupos de voluntarios.

Grupos guiados

Muchas organizaciones y hospitales han establecido grupos de discusión para los familiares de los enfermos. A los familiares les parecen muy efectivos. Son grupos pequeños presididos por un terapeuta, aunque también los puede conducir cualquier persona que tenga experiencia en terapia grupal.

Grupos no guiados

Los grupos de apoyo pueden funcionar sin un profesional que los guíe. Sus objetivos deben ser de apoyo mutuo y no deben usarse como grupos de terapia. Normalmente consiste en 4 a 10 personas. Para manejar el liderazgo del grupo es bueno que cada vez se reúnan en diferente casa y el dueño de ésta funja como líder; de esta manera la dirección pasa a todos y cada uno de los miembros. Conviene que todos los miembros se comprometan a participar regularmente en un número determinado de reuniones. En la primera reunión discutan los puntos 1, 5, 6 y 7 de la lista que presentamos antes, "Cómo reunir y organizar un grupo de apoyo". Tengan presente además que no es un grupo de terapia sino de intercambio y apoyo mutuo. Todos deben tener la oportunidad de hablar y nadie debe monopolizar la discusión. En un buen grupo de apoyo los miembros evitan darse consejos y se concretan a escuchar con interés y empatía y a dar información.

ACTIVISMO

Hemos venido haciendo hincapié en la necesidad de contar con recursos para hacer frente a las enfermedades demenciales. Sin embargo, la cruda realidad es que *no* existen tales recursos o son insuficientes; que los médicos y otros profesionales muchas veces no están informados de las enfermedades que causan demencia; que los gobiernos estatales y federales así como las compañías de seguros a menudo tienen leyes y reglamentos discriminatorios contra las personas que sufren demencia y que no se dedican fondos para sufragar la atención de los enfermos ni la investigación. Se estima que en los Estados Unidos de Norteamérica existen dos millones de personas con una enfermedad demencial y unos dos millones más sufren un deterioro cognoscitivo moderado. Es claro que la falta de interés que existe hacia estas enfermedades, y la creencia de que la "senilidad" ni siquiera es una enfermedad carecen de fundamento, son injustas y llevan a acciones y a leyes discriminatorias.

Cuando el público y los legisladores reconozcan por fin que las demencias son enfermedades y cobren conciencia de las necesidades de los pacientes y sus familiares se podrá disponer de recursos efectivos y de los fondos adecuados. Es necesario que las personas enteradas de las enfermedades demenciales aboguen por la creación de nuevos y mejores recursos y porque se cambien las políticas discriminatorias vigentes. Tal vez usted quisiera ayudar a educar a todos aquellos que no están informados de la demencia. En tal caso, las siguientes sugerencias podrían servir para que sus esfuerzos fueran más efectivos:

1. Discuta sus puntos de vista con los legisladores de su estado y federales y pregúnteles qué podría hacer usted para apoyar el cambio. Partícípeles por escrito sus argumentos también a las organizaciones nacionales de atención a la senectud y a la familia.

2. Forme un grupo con otras familias. Póngase en contacto con la Asociación para el Estudio de la Enfermedad de Alzheimer y Trastornos Relacionados. Póngase en contacto y trabaje con otros grupos que propugnen por lo mismo.

3. Dé información escrita y bibliográfica acerca de estos temas a la gente, incluyendo a los médicos con quien entre en contacto. En las bibliotecas hay libros con los lineamientos para hacer un activismo efectivo. Consúltenos para lograr que su voz sea más efectiva.

14.
Información para los niños
y los adolescentes

Este capítulo se escribió para los niños y jóvenes que viven con una persona con una enfermedad demencial o que conocen a alguien que la sufre. La mayoría de los jóvenes lectores podrán entender asimismo la mayor parte del libro.

Es importante que entiendas qué es lo que está mal con la persona y por qué actúa como lo hace. Es más fácil no enojarse con el enfermo cuando comprendemos por qué hace ciertas cosas. También es importante que entiendas que actúa así porque está enfermo, no porque quiere ni por tu culpa. La persona tiene una enfermedad que destruye parte del cerebro y al perder un gran número de células nerviosas el cerebro no puede funcionar normalmente. Es por esto que la persona olvida nombres, es torpe o no puede hablar correctamente. La enfermedad ha dañado las partes del cerebro que sabían hacer estas cosas.

Las partes del cerebro que rigen su conducta también se han dañado, así es que los enfermos no pueden controlar sus actos, ni pueden valerse por sí mismos. Algunos enfermos no parecen estar mal ni actúan en forma extraña, pero critican todo el tiempo a los demás porque no pueden recordar lo que hacen.

Tal vez te preocupe qué va a suceder con la persona o te preguntes si algo que tú hagas la empeore, especialmente si no entiendes lo que está ocurriendo. Nada de lo que tú hagas puede empeorarla. Se puede enojar o irritar momentáneamente por tu causa, pero esto no empeora su enfermedad.

Si tienes dudas respecto al padecimiento del enfermo, pregúntale a tus padres. Lee también otras partes de este libro y repasa sus capítulos de vez en cuando. Para aclarar tus dudas con tus padres elige un momento en el que no estén ni muy ocupados ni demasiado cansados. Recuerda que a veces los adultos tienden a no dar a conocer las malas noticias a los jóvenes.

Casi siempre, al leer y hablar de estas enfermedades uno descubre malas noticias, como que el enfermo no va a curarse. Tal vez reacciones sintiéndote muy mal por todo el problema. Si hay cosas que realmente no quieres saber, no crees que de todos modos debes informarte de ellas. Muchas personas tienen sentimientos contradictorios: quizá te de lástima el enfermo, pero al mismo tiempo estés enojado por que está viviendo en tu casa. Tu estado de ánimo también puede variar. A veces querrás borrar de tu mente toda la situación y no saber nada de ella. La mayoría de estas reacciones son el resultado normal de afrontar problemas.

Incluso en las mejores circunstancias, vivir con una persona afectada por un padecimiento demencial es difícil. He aquí algunos puntos que los jóvenes consideran problemáticos:

> *"No tengo privacía: mi abuelo entra en mi cuarto cuando quiere".*
> *"No debo hacer ruido y no puede poner mi estéreo. En cuanto entro a la casa debo guardar silencio o mi abuelo se altera".*
> *"Su manera de comer me revuelve el estómago".*
> *"No puedo traer a mis amigos a la casa porque mi abuelo se molesta, y no quiero traerlos porque él hace cosas de loco".*
> *"Me quitaron mi habitación para dársela a él".*
> *"Todos dependen más de mí, y siento que tengo más responsabilidades".*
> *"Todos están muy ocupados con el abuelo y terminan tan cansados que ya nunca hacemos nada divertido en familia".*
> *"Me da miedo lo que hace".*
> *"Me da miedo que se muera".*
> *"Me siento desanimado todo el tiempo".*
> *"Mis padres se enojan conmigo más seguido que antes".*

Tal vez tú tengas algunos de estos problemas y no podrás resolverlos solo, necesitarás la asesoría de tus padres. Lo que más conviene a veces es escoger la situación que más te esté perturbando y pedirle a tu familia que te ayude a cambiarla. Casi siempre es posible hacer concesiones de ambas partes para mejorar las cosas. Por ejemplo, ponerle una chapa con llave a la puerta de la recámara, o conseguir audífonos para oír el estéreo. Si el problema es haberse quedado sin recámara, podrías hacer en compañía de tus amigos una adaptación en la azotea para reunirte con ellos lejos del enfermo.

Algunos jóvenes nos han dicho que el peor problema no es la conducta del enfermo, sino la forma en que actúan sus padres o el cónyuge del enfermo.

"El abuelo no me molesta. Es mi abuela la que todo el tiempo me está diciendo que haga lo que ella hacía a mi edad".

"Mi abuelo no hace nada; las que discuten todo el tiempo son mi madre y mi abuela".

Tal vez éstos sean tus problemas. Tu abuelo(a) es cónyuge de una persona enferma y está muy preocupado. Aunque no esté enojado, tal vez se esté sientiendo triste y esto le hace perder la paciencia fácilmente. Lo mejor que puedes hacer es tratar de comprender, pues su mal carácter proviene de las preocupaciones y la tristeza que le da la enfermedad. Si la abuela te molesta con sus exigencias, pregunta a tus padres qué hacer ante estas presiones. Si las cosas se vuelven muy difíciles, busca a algún adulto, si es necesario ajeno a la familia, con quien puedas hablar de todo lo que te aflige.

Hasta aquí hemos estado pensando en que el enfermo es un abuelo ya que por lo general cuando alguien presenta una enfermedad demencial ya tiene hijos adultos. Sin embargo, a veces el enfermo es uno de los padres y en tal caso las cosas en verdad son muy difíciles. Esperamos que este libro te sirva, aunque ningún libro puede resolver los problemas que están sucediendo en la *propia* casa y con la *propia* familia.

Es importante que los jóvenes y el progenitor sano hablen sobre lo que está sucediendo y los problemas que está suscitando la enfermedad; es muy útil que también cuenten con alguien más con quien hablar algunas veces. Si el progenitor sano no puede buscar ayuda, tú tendrás que pedirle al médico o a tus profesores que te ayuden. Nadie que tenga un progenitor con una enfermedad demencial debe estar solo ante la situación.

Reunirte con los amigos de algún grupo como los *"scouts"*, la comunidad religiosa, de la escuela o del equipo deportivo, te dará la oportunidad de alejarte de los problemas de tu casa y de distraer la mente divirtiéndote con jóvenes de tu edad.

No todo es negativo cuando alguien tiene una enfermedad demencial. Los jóvenes a menudo aportan excelentes ideas para resolver problemas. De la misma manera, tal vez por su cercanía a los años de la niñez, los jóvenes son muy comprensivos con las personas que presentan confusión mental. La experiencia en su conjunto les ofrece una oportunidad de madurar y seguramente recordarán estos años con orgullo.

Cuando te sientas atrapado en una situación que no puedas controlar, recuerda que sí puedes controlar la manera de reaccionar ante la situación. A ti te toca decidir cómo una situación difícil afectará tu vida.

Si bajan tus calificaciones escolares, te estás peleando mucho con tus padres, si sientes que te hacen a un lado, necesitas hablar del problema con alguna persona con quien sea fácil comunicarse, que podrían ser los mismos padres, otros adultos amigos o los profesores. Si no puedes hablar con tus padres, tal vez algún profesor te puede poner en contacto con un consejero o terapeuta. A algunos muchachos les parece ridículo hablar con un consejero; sin embargo, cuando uno consulta a un consejero o a alguna otra persona que sepa escuchar, ocurren cosas como las siguientes:

— Se puede averiguar lo que está sucediendo.
— Uno se puede desahogar.
— Si se habla con los padres en presencia del consejero no terminarán peleados.
— Se puede descubrir lo que los padres están pensando.
— Uno puede hablar todo lo que quiera desde su punto de vista.
— Uno puede preguntar cosas en privado, por ejemplo, el futuro que le espera al enfermo.

Nada de esto resolverá el problema, pero sí hará más fácil vivir con el problema.

15

Cuestiones legales y financieras

Abordar en detalle los asuntos legales y financieros que surgen al atender a una persona con una enfermedad demencial rebasa los propósitos y alcances de este libro. Sin embargo, hemos delineado algunos de los factores más importantes que deben considerarse. Para las cuestiones particulares tendrá que buscar asesoría legal y financiera profesional.

UNA EVALUACIÓN DE SUS RECURSOS ECONÓMICOS

Hay muchos factores que deben tomarse en cuenta al hacer una evaluación a futuro de sus finanzas, entre otros, la naturaleza de la enfermedad y sus circunstancias. La atención de un enfermo crónico puede ser muy caro. Si el enfermo depende de un ingreso fijo, la inflación se lo comerá. Es importante que, cuenten o no con ingresos bajos, determine sus medios económicos y los aumentos potenciales, tanto actuales como a medida que la enfermedad avance, de los costos de la atención para planear las finanzas futuras del enfermo. Si usted es su cónyuge, las finanzas de usted también dependerán de los planes y decisiones que tome ahora.

Gastos potenciales

Ingresos que potencialmente dejarán de recibir
porque el enfermo dejará de trabajar.

Porque la persona que se encargue de atenderlo tendrá que dejar su empleo.

Porque pierda el enfermo sus derechos sobre incapacidad o de jubilación.

Por pérdida del valor del dinero debido a la inflación.

Gastos potenciales de alojamiento
Porque deberán cambiarse a otra casa más a propósito para atenderlo.

Por hacer adaptaciones a la casa para poder alojar al enfermo con comodidad y sin peligros (nueva cerradura, dispositivo de seguridad, rampas para silla de ruedas, etc.).

Por pago de servicios institucionales: centro de cuidados diurnos, casa de descanso, hospital, etc.

Atención médica
Enfermera, médicos, seguro médico, exámenes periódicos, evaluaciones, terapeuta ocupacional, fisioterapeuta, medicamentos.
Equipo (cama de hospital, silla de ruedas, etc.).

Servicios domésticos auxiliares
Para el aseo, para cuidar al enfermo, etc.
Alimentación (incluirán preparación de alimentos o comidas fuera de casa)
Transporte
Servicios de chofer o de taxi.
Impuestos
Gastos legales
Consultas al abogado o al notario.
Varios
Ropa adecuada, utensilios, equipo de enfermería, pañales desechables, etc.
Asilo

Recursos potenciales del enfermo

Tome en cuenta pensiones, seguro social, cuentas de ahorro, bienes muebles e inmuebles, automóviles y otras fuentes de ingresos o capital.

A veces los enfermos guardan en secreto sus asuntos financieros. Al final de este capítulo mencionamos la manera como pueden investigarse.

Recursos del cónyuge del enfermo, los hijos y otros parientes

(Ver también el Capítulo 11)
Las disposiciones legales respecto a los derechos y responsabilidades de los miembros de una familia son complejos y hay que consultarla con un abogado o con un trabajador social bien informados.

En algunos casos una mujer divorciada puede tener derecho a ciertos beneficios, por ejemplo la pensión alimentaria.

La ley hace ciertas distinciones entre los derechos del esposo y los derechos de la esposa. Es importante conocer las disposiciones legales que podrían afectar la situación económica del cónyuge sano al perder su capacidad legal el enfermo y al fallecer éste, especialmente cuando el régimen por el que están casados es de sociedad conyugal. Hable con un licenciado para planear cuanto antes la protección legal de los bienes de la pareja.

Recursos provenientes de instituciones de seguros

Los seguros (de vida, contra accidentes y enfermedades, de grupo, de la seguridad social, etc.) con un recurso para afrontar las exigencias económicas de una enfermedad crónica. Estudie detenidamente la cobertura de las pólizas de seguro pues a veces contienen exclusiones que afectan el pago debido a padecimientos crónicos o demenciales. De la misma manera averigüe con una trabajadora social las prestaciones a las que tiene derecho el enfermo y sus parientes por estar asegurado en alguna institución de seguridad social.

Averigüe qué pólizas de seguro adquirió el enfermo y si puede considerarlas como recursos. Algunas pólizas no se tienen que seguir pagando si el asegurado se incapacita.

Exención de impuestos

Las personas de edad avanzada disfrutan de algunas exenciones de impuestos. En México acuda a la Oficina Federal de Hacienda para recabar información actualizada a este respecto. Desde luego están exentas de impuesto las percepciones por ciertas prestaciones sociales así como los ingresos por jubilaciones, haberes de retiro y pensiones.

Las deducciones de impuestos por los gastos de la atención de una persona con una enfermedad demencial hacen una diferencia significativa en la economía familiar. Incluya en el renglón de deducibles los recibos por honorarios médicos y hospitalarios del enfermo así como de la persona que cuide al enfermo mientras usted está ausente.

Si no sabe qué gastos tiene derecho a deducir, consulte con un contador al elaborar su declaración de impuestos.

Recursos provenientes de instituciones estatales, federales y privadas

Hay diversos servicios financiados con fondos estatales, federales y privados, tales como albergues, asilos, casas de descanso, clínicas de salud mental, centros de recreación y asesoría de trabajo social y legal, y cada uno define la población a la que sirve en términos específicos (tales como "sólo para mayores de 65 años con ingresos bajos").

Hay programas "piloto" y programas de "investigación"; los primeros tienen fondos durante un periodo corto de tiempo con objeto de probar su efectividad. Los segundos estudian a sus participantes de maneras específicas. A veces brindan excelentes servicios a bajo costo o gratuitos. La elección de participantes se hace con un criterio específico y sus procedimientos son muy estrictos para no causar daño a los sujetos de estudio. Si va a tomar parte en alguno deberá dar su firma de consentimiento en una hoja en la que se explica exactamente de lo que se trata la investigación, así como los riesgos que conlleva y los beneficios que se esperan. También tendrá usted la opción de retirarse del estudio en el momento que quiera.

CUESTIONES LEGALES

(Ver también el Capítulo 9)

Tarde o temprano el enfermo ya no podrá seguir reponsabilizándose de sus asuntos legales y financieros. Casi nunca pierde su capacidad súbitamente, por lo que aunque no pueda ya manejar su chequera podrá sin embargo, hacer testamento o dar su consentimiento para su atención médica. Sin embargo, al avanzar la demencia ya no podrá seguir tomando decisiones y alguien más deberá ejercer su responsabilidad legal.

La mejor forma de prepararse para su incapacidad (que todos podemos sufrir) es arreglando las cosas *antes* de que llegue el tiempo en que ya no pueda hacerlo. Una persona debe hacer testamento mientras legalmente es capaz de hacerlo. A esto se le conoce por *capacidad de testar* y significa que la persona sabe, sin coacciones de ningún tipo, que está haciendo un testamento, los nombres y relaciones de las personas que recibirán su herencia así como la naturaleza y extensión de su propiedad.

Una persona que aún es capaz de manejar sus propios asuntos (de acuerdo con la definición anterior) puede firmar un *poder notarial* para otorgar a un cónyuge, hijo o cualquier otra persona mayor de edad la responsabilidad de sus bienes. El poder notarial puede conferir autoridad amplia, o ser limitado. Cuando es limitado, el poder notarial sólo autoriza a una persona a hacer cosas específicas (por ejemplo, vender una casa o consultar las declaraciones de impuestos). Cuando un poder notarial tiene como fin autorizar a alguien a representar a una persona que puede quedar incapacitada totalmente, debe especificar que tendrá validez aunque el otorgante esté incapacitado.

Como un poder notarial autoriza a alguien a actuar en lugar de otra persona, el otorgante debe estar absolutamente seguro de que el apoderado efectivamente velará por los intereses del primero. El apoderado es legalmente responsable de actuar a favor de los intereses del otorgante; sin embargo, es bien sabido que algunos abusan de esta responsabilidad.

Es importante que usted consulte a un abogado acerca de los planes más convenientes para proteger al enfermo y sobre los poderes que debe firmar éste para que tengan valor legal.

Una persona que siente que su memoria empieza a fallarle pero aún tiene capacidad legal, se asegura con el testamento y el poder notarial de que, si empeora su situación, su vida continuará como la había planeado y que su propiedad será distribuida según sus deseos, y no según lo estipule la ley. El enfermo puede seguir manejando sus asuntos, o parte de ellos, todo el tiempo mientras no llegue el momento de que su apoderado se haga cargo de ellos.

Si el enfermo no extendió un poder notarial porque no quiso hacerlo, porque no encontró a alguien en quien confiar, o porque ya no tenía capacidad legal, será necesaria la intervención de un abogado. Los abogados se especializan al igual que los médicos en diferentes áreas (penal, mercantil, civil, laboral, etc.). Para evitar malas interpretaciones aclare con él sus honorarios y lo que éstos cubrirán. Asegúrese de que el abogado conoce y ejerce esta rama del derecho.

Si la persona ya es legalmente incapaz de hacerse cargo de sus bienes y negocios de manera efectiva, podría ser necesario nombrar un tutor que la represente. Esto lo hace un juez de lo familiar quien decide si la persona efectivamente es incapaz de encargarse de sus asuntos. El juez puede nombrar a un tutor legal para responsabilizarse sólo de los asuntos financieros. El tutor deberá dar cuenta periódicamente al juzgado sobre su actividad en estas cuestiones.

Si la casa pertenece a la pareja y uno de ellos queda incapacitado, y el cónyuge sano desea venderla necesitará un poder notarial o autorización legal del tutor encargado de la propiedad.

Si una persona ya no puede decidir por sí misma y necesita ser atendida en un hospital o en un asilo, estas instituciones aceptan la firma de consentimiento de su pariente más próximo: esposo o esposa, hijos. A veces, sin embargo, la tutela de una persona debe dictarla un juez, ordenar que se le dé la atención que amerite y enviarla al hospital. A menudo no se da la tutela de un enfermo a otra persona cuando está al cuidado de un cónyuge o de algún otro miembro de la familia.

CÓMO AVERIGUAR LOS BIENES QUE POSEE UNA PERSONA CON MEMORIA DETERIORADA

A veces una persona deteriorada olvida los bienes que posee y las deudas que ha contraído. Las personas suelen ser muy reservadas o desorganizadas en cuanto al archivo de sus documentos. Además, la suspicacia a veces es parte de la enfermedad por lo que el individuo esconde sus pertenencias; así, los familiares no tienen conocimiento de los recursos con que cuenta y que podrían usarse en su atención.

Un esposa comentaba: "Nunca pregunté acerca de las prestaciones del ejército y no sabía que podían hacerse cargo de él en el hospital militar. Gasté muchísimo mensualmente en su hospitalización".

Las deudas aparecen solas, a menudo a través del correo. Si encuentra una cuenta pendiente de pago, llame a la compañía acreedora y explíqueles sus circunstancias para arreglar la manera en que pagará usted el adeudo. Si una persona confusa está extraviando el correo, usted puede hacer que le detengan las cartas en la oficina de correos.

En cuanto a los valores, siempre son más fáciles de encontrar. Revise el correo reciente, busque en lugares obvios como el escritorio, la oficina, la ropa y donde se archiven papeles. Busque por todas partes. Una mujer le pidió a sus nietos que se unieran con ella en "la búsqueda de un tesoro" y los chicos llegaron a los lugares más impensables. Revise agendas, pólizas de seguros, recibos, correspondencia legal y de negocios, copias de las declaraciones de impuesto de los últimos cuatro o cinco años. Todo esto puede servir para hallar la pista de los recursos de una persona. Los valores pueden ser de muchos tipos:

Cuentas bancarias. Busque talonarios de cheques, estados de cuenta, libretas de ahorros, libros de caja, notificaciones de pago de intereses, cuentas mancomunadas. La mayoría de los bancos no dan informes de cuentas, préstamos o inversiones a alguien cuyo nombre no aparezca en la cuenta; sin embargo, sí dan información parcial (como si hay una cuenta a nombre de algún individuo) si se le dirige una carta al gerente avalada por su médico o abogado explicando la naturaleza de la incapacidad del cuentahabiente y la razón por la cual se necesita la información. Los bancos informarán sobre el monto de una cuenta o acerca de las transacciones que se están llevando a cabo únicamente a una persona legalmente autorizada, aunque casi siempre es posible averiguarlo al revisar los papeles que pueda encontrar.

Acciones, bonos, certificados de depósito, bonos del ahorro, fondos mutualistas de inversión. Busque los documentos y títulos, avisos de pagos vencidos, de pago de dividendos, retiro de fondos, recibos. Los fondos mutualistas de inversión son cuentas que se abren a nombre de un corredor. Busque algún registro de compra o venta.

Pólizas de seguros (de vida, de incapacidad, de enfermedad). Casi siempre son los valores que más se pasan por alto. Las pólizas de seguro de vida y de enfermedad pueden aportar un pago total y otros beneficios. Busque pólizas, pago de primas y cheques a nombre de la compañía aseguradora. Póngase en contacto con ésta para obtener información completa de la póliza en cuestión. Algunas compañías sólo requieren para esto la presentación de una carta de un médico o un abogado, en tanto que otras pedirán una prueba de que el solicitante está autorizado legalmente para recabar la información.

Cajas de seguridad. Busque llaves, cuenta o recibo. Se necesita autorización legal para abrir una caja.

Beneficios del ejército. Acuda a las oficinas del ejército para informarse de los beneficios a que tiene derecho el enfermo si perteneció a éste.

Bienes inmuebles (casas, negocios, terrenos, predios rurales, granjas, ranchos, condominios). Busque escrituras, papeletas de catastro y pago de impuestos prediales, pólizas de seguros. Las casas y terrenos son objeto de registro en el Registro Público de la Propiedad.

Pensiones de retiro e invalidez. También se pasan por alto con mucha frecuencia. Acuda a las instituciones de seguridad social a las que pertenece el enfermo. Los empleados del gobierno y los militares suelen tener beneficios especiales. Busque en algún currículum del enfermo la relación de trabajos desempeñados.

Bienes muebles (automóviles, alfombras, joyas, libros, cuadros, efectivo, antigüedades, obras de arte, lanchas, equipo de fotografía y otros bienes negociables). Además de localizar lo anterior busque pólizas de seguro, listas de objetos valiosos. Muchos de éstos son tan pequeños que pueden esconderse fácilmente y otros estar a la vista y, por lo mismo, pasar inadvertidos.

Testamento. Si el enfermo hizo testamento, éste debe tener una lista de sus bienes. Si no ha escondido el testamento, generalmente estará en una caja de seguridad, una caja fuerte o en poder del abogado.

Préstamos personales. Busque documentos que los amparen (letras de cambio, pagarés), cheques extendidos, correspondencia; pagos de pensión alimentaria.

Cuentas en bancos extranjeros. Busque estados de cuenta, pagos de intereses, notificaciones del banco.

Herencia. Averigüe si el enfermo es heredero de alguien.

Lote en el cementerio. Busque papeles de propiedad.

16

Asilos y otros tipos de alojamiento

Aun cuando existan los medios asistenciales, los familiares suelen encargarse de atender y cuidar a su enfermo en casa. Cuando una persona tiene una demencia ligera puede continuar viviendo en forma independiente si se le brinda cierta ayuda, y ella misma lo preferirá así. Actualmente las parejas o los individuos de edad avanzada pueden residir en una variedad de lugares en los cuales obtienen diferentes grados de servicios y asistencia. Estos varían de un país a otro. Para el caso de México puede acudir a pedir informes a la Asociación Mexicana de Alzheimer y Enfermedades Similares*, o al Instituto Nacional de la Senectud. También puede consultar la sección amarilla del directorio telefónico; sin embargo, es preferible acudir a estas dos instituciones. En el Instituto Nacional de la Senectud cuentan con un directorio actualizado de servicios disponibles.

¿DEBEN MUDARSE DE CASA?

En el Capítulo 4 hablamos de cómo preparar al paciente para los cambios de residencia.

A veces, el encargado del enfermo decide mudarse a un apartamento donde sea más fácil atenderlo. Para elegir el sitio más adecuado conviene tomar en cuenta lo siguiente:

1. Los costos del cambio de casa (casa nueva, mudanza, impuestos por la propiedad que venda).

2. ¿Trabajará usted menos para asearla y mantenerla? ¿Podrá conseguir ayuda doméstica?

*En la página 277 hay un directorio de instituciones a las cuales puede acudir en la Ciudad de México.

239

3. ¿Estará cerca de médicos, hospitales, centros comerciales y áreas de recreación?

4. ¿Cómo resolverá el transporte?

5. ¿Estará más cerca, o más lejos, de amigos y parientes que podrían auxiliarlos?

6. ¿La nueva casa será segura para el enfermo? (bajo índice de delincuencia, casa sin escaleras, supervisión y timbres para pedir auxilio, vigilancia).

A continuación mencionamos brevemente los servicios que hay disponibles en los Estados Unidos.

Villas o condominios residenciales para personas de edad avanzada. Estas instalaciones se han planeado para personas jubiladas que pueden vivir independientemente. Para un condominio se paga una hipoteca y una cuota mensual para cubrir los servicios de mantenimiento del edificio, de las áreas de recreación, los sistemas de seguridad y de transporte a las áreas comerciales. En los apartamentos se paga el alquiler. Las villas residenciales pueden ser condominios o casas de alquiler. En estos tipos de alojamiento hay sistemas para pedir auxilio así como servicios médicos; sin embargo, por lo general no ofrecen atención especial a personas enfermas o que padecen confusión mental.

Otro tipo de alojamiento público está dirigido a personas de bajos ingresos, el costo del alquiler de la vivienda es bajo, suelen contar con medios de transporte y están localizados cerca de centros recreativos. Por lo general no tienen cabida las personas que no pueden vivir independientemente. Las vacantes se ocupan según una lista de espera.

Albergues. Son apartamentos o cuartos para personas que no pueden vivir en forma independiente, pero que no necesitan supervisión constante. Los departamentos están dotados de sistemas de seguridad como pasamanos, rampas para sillas de ruedas y timbres para pedir auxilio. Ofrecen además sistemas de transporte, servicio de comedor, trabajadores sociales y evaluación médica periódica de los residentes. Algunos *albergues* cuentan con una enfermera de guardia o tienen una clínica en el mismo edificio. Las personas con padecimientos demenciales deben por lo general ser capaces de encargarse de su atención personal, no andar vagando por las instalaciones ni molestar a los demás. Estos apartamentos son financiados por varios programas y su costo varía.

Casa de huéspedes o pensiones. Proporcionan un cuarto, servicios de limpieza y alimentos; sus cuotas varían mucho al igual que la inspección oficial de la que son objeto, que puede ser desde la más estricta hasta su total ausencia según las normas vigentes en la localidad. Este tipo de alojamiento está proliferando, ya que constituyen la única opción para muchas personas mayores que están siendo desplazadas de los hospitales psiquiátricos estatales los cuales están dejando de tener secciones para la atención de ancianos. Aunque algunas de estas casas suelen ser excelentes y estar atendidas por personas preocupadas por el bienestar de los residentes, es mejor cerciorarse bien de la calidad de los servicios que realmente reciben las personas.

Hogares de ancianos sufragados por la Iglesia. Son comunidades de atención vitalicia que ofrecen servicios de limpieza, comedor y algún tipo de cuidados personales, pero no cuentan con servicios médicos ni de enfermería. Los hay también que funcionan como asilos. Algunos son excelentes y la mayoría son instituciones no lucrativas y de caridad.

Albergues vitalicios. Por un enganche o cuota de inscripción y el pago de mensualidades se proporciona un alojamiento similar al que ofrecen las villas de retiro. Al declinar una persona la trasladan a una sección protegida en donde se le imparten cuidados profesionales de enfermería. Una vez que se acepta a una pareja o a un individuo, la organización les proporciona atención vitalicia, aun cuando el cliente se quede sin dinero. Generalmente son organizaciones lucrativas que ponen a trabajar en cuentas de inversión las cuotas de ingreso y tienen calculada la obtención de ganancias antes de que el cliente fallezca. La cuota inicial para la atención vitalicia puede ser para pagar los servicios y en este caso no se reembolsa al cliente, o ser un enganche para la adquisición de la propiedad. Estas organizaciones suelen proporcionar servicios excelentes además de que constituyen una buena inversión.

En algunos lugares existen programas de hogares adoptivos para adultos incapacitados. Al enfermo se le atiende como si fuera un miembro de la familia; recibe alimentos, alojamiento, transporte al médico, asistencia de trabajo social y supervisión. Cobran una cuota. Dependiendo del programa, pueden ser excelentes o inadecuados.

CÓMO EVALUAR UN ALOJAMIENTO

1. El lugar debe ser limpio y seguro (revise la cocina y el baño).
2. Averigüe los costos y lo que estos cubren. Pregunte acerca de los cargos adicionales.
3. Compruebe que el personal sabe lo que son las enfermedades demenciales y la manera de atender a estos enfermos.
4. Determine la cantidad y el tipo de supervisión, recreación, alimentos, transporte, apoyo social y médico que proporcionan y si esto llena las necesidades de su enfermo.
5. Averigüe quien será el responsable de darle los medicamentos al enfermo.

6. Revise las normas sanitarias que lo rigen y las visitas de inspección que realizan las autoridades sanitarias.

7. Pregunte qué hacen en caso de una emergencia médica.

8. Pregunté qué sistemas de alarma y contra incendio existen y qué planes tienen para evacuar a los pacientes.

9. Pregunte en qué casos se le puede pedir a un residente que abandone el lugar.

10. Revise con todo cuidado lo consignado en el contrato en caracteres diminutos y si es ambiguo pregúntele a un abogado.

Los establecimientos de todos tipos que ofrecen buenos servicios tienen listas de espera. Conviene que con tiempo prevea varias alternativas pues de esta manera el enfermo podrá estar dentro de una lista de espera y usted tener tiempo de evaluar la eficiencia real de un programa, y en todo caso, suspender su solicitud si así lo cree pertinente.

Cuesta dinero obtener un buen servicio. Los costos pueden ser cubiertos por el individuo, donaciones de caridad y fondos públicos. Rara vez hay dinero suficiente proveniente de estas tres fuentes para otorgar servicios de buena calidad para todos los que los necesitan.

Los prestadores de servicios de estas instituciones seguramente harán las cosas de una manera diferente de la suya. Tendrá que aceptar estas diferencias si quiere que le ayuden. Recuerde también que una persona olvidadiza y confusa puede dar informaciones imprecisas de lo que está viviendo ahí.

Asilos e instituciones para la atención a largo plazo

Tarde o temprano la familia ya no podrá seguir dándole al enfermo toda la atención que requiere pues al avanzar el padecimiento se hace más difícil seguir asistiéndolo en el hogar. Cuidar a una persona con una enfermedad demencial se convierte entonces en un trabajo de 24 horas y requiere los servicios de individuos con entrenamiento profesional.

Llevar al asilo a su enfermo puede ser una decisión difícil de tomar y a menudo requiere tiempo; por lo general los familiares optan por esto después de haber probado todo y a menudo es la decisión de más responsabilidad que la familia puede tomar.

Los miembros de la familia sufren cuando tienen que aceptar la declinación inevitable de un pariente (cónyuge, progenitor, o hermano) y tienen sentimientos encontrados: por una parte se sienten aliviados al darse cuenta que por fin han tomado la decisión, y por otra, les asalta un sentimiento de culpa por imponer estas tareas tan abrumadoras a otras personas. Los familiares también sienten mucha ira porque no existen alternativas para la atención del enfermo.

Muchas personas no quieren llevar a un ser querido al asilo y aunque no todas las familias quieren y cuidan a sus viejos, las estadísticas muestran claramente que la mayoría no "deposita" a sus ancianos en los asilos sino que hacen todo cuanto pueden por posponer o evitar internarlos, y que no los abandonan en los asilos sino que los visitan regularmente.

Solemos pensar en los viejos tiempos cuando las familias cuidaban a sus mayores en el propio hogar; sin embargo, lo cierto es que antes eran pocos los que llegaban a edades verdaderamente avanzadas como para que los familiares tuvieran que hacer frente a una enfermedad demencial. Se consideraba viejos a los que tenían 50 ó 60 años y los hijos que se hacían cargo de ellos eran considerablemente más jóvenes de lo que usted será cuando su padre necesite asistencia entre la séptima y octava décadas de su vida. Hoy día los hijos de un padre deteriorado a menudo tienen más de 60 años.

La palabra "asilo" despierta imágenes negativas en la mente de muchos; sin embargo, casi siempre dan una buena atención y es la mejor alternativa para una persona enferma. No todos los asilos merecen la mala reputación que en general tienen, pero la publicidad que se les ha hecho ha puesto de manifiesto la necesidad de hacer grandes cambios para mejorar la calidad de los servicios.

No es raro que los familiares estén en desacuerdo con el plan de internar al enfermo en un asilo, y la única manera de llegar a un acuerdo es que todos se reúnan para discutirlo pues los conflictos surgen cuando algunos no conocen todos los hechos. La familia en conjunto debe tomar en cuenta por lo menos los siguientes tres puntos: el costo del asilo y la manera como lo van a pagar, las características del asilo que hayan seleccionado, y los cambios que el traslado del enfermo acarreará en la vida de cada uno de los miembros de la familia.

Para el enfermo el paso al asilo es un cambio mayor y su capacidad de responder a él dependerá del estado en que se encuentre. Trate de ayudarlo a participar en lo posible en los preparativos y a ajustarse al cambio.

Después de tomar la decisión se inicia un proceso de cuatro pasos:

1. Investigar todos los recursos de financiamiento.

2. Llevar al enfermo a revisión médica pues la mayoría de los asilos exigen un examen médico reciente. También podría ser necesario obtener una evaluación del nivel de atención que necesita el enfermo.

3. Escoger un asilo apropiado.

4. Realizar el traslado y adaptarse a los cambios que esto acarreará tanto a usted como al enfermo.

El pago de la atención

La atención en un asilo es cara. Antes de decidir investigue los costos totales, cómo va a pagarlos y si esto representará una carga económica para los miembros de la familia. La familia podría solventar el costo de varias maneras: tal vez el paciente tiene un seguro contra enfermedad que pague parcial o totalmente el costo de la atención. En ciertos casos la seguridad social paga en parte el costo del asilo durante un periodo limitado de tiempo. Sin embargo al planear el pago no sobreestime este tipo de ayuda. Piense en otras fuentes de financiamiento.

Evaluación del nivel de atención que necesita un enfermo

Una vez tomada la decisión respecto al pago de los servicios del asilo, la familia puede continuar con el siguiente paso del proceso: la evaluación del nivel de atención que necesita el enfermo. Si éste ha estado bajo vigilancia médica estrecha este paso será muy simple. Los asilos requieren esta información médica básica y conocer el tratamiento a que está sujeto el enfermo; muchos de ellos exigen un examen físico reciente practicado por un médico del asilo y la prueba de que la persona no tiene tuberculosis.

La evaluación del nivel de asistencia que requiere un enfermo (definir la cantidad de atención de enfermería que necesita) para con base en esto determinar el tipo de servicios y de asilo que le corresponde. Una trabajadora social puede asistirlo en este requisito, al igual que su médico.

Algunas personas con enfermedades demenciales no son admitidas en los asilos porque su conducta amerita "custodia" más que una atención especializada.

Cada asilo tiene un número específico de camas para cada nivel de asistencia; sin embargo no todos los asilos prestan servicios a todos los niveles de asistencia. Una persona entra al asilo sólo cuando existe una cama disponible en el nivel de atención que requiere y, salvo contadas excepciones, no podrá ocupar una cama asignada para otro nivel de atención más especializada que la que necesita.

Ya en el asilo se le practicará al enfermo periódicamente una evaluación médica para determinar el nivel de atención que necesita. Los pacientes casi siempre empeoran cuando se les traslada de un asilo a otro y no siempre hay camas disponibles en el nivel apropiado. De la misma manera, si una persona presenta una mejoría podría no tener un lugar a donde ir, como en el ejemplo siguiente:

El señor Gómez tenía enfermedad de Alzheimer y lo internaron en un asilo porque se rompió una cadera. Al cabo de ocho meses su cadera sanó y la atención que recibió le hizo volver a caminar. Se determinó entonces que ya no necesitaba atención especializada de enfermería como para seguir en esa sección del asilo, pero no había una cama disponible en un nivel intermedio. Para entonces su demencia había ya empeorado y su familia no podía atenderlo en su casa. De pronto se vio que no tenía un lugar donde ir.

En busca de un asilo

El tercer paso de este proceso es encontrar un asilo apropiado. Si el enfermo pasa de un hospital al asilo, la trabajadora social del hospital le ayudará a efectuar el traslado así como con otros aspectos del cambio, inclusive a manejar los sentimientos que se originarán.

Si el paciente va de su casa al asilo, es conveniente que hable usted con una trabajadora social privada. Aunque en el directorio telefónico encontrará la lista de los asilos, es mejor que primero investigue los que le recomienden sus amigos y familiares.

Por teléfono concerte una cita para hablar con el director o administrador y visitar el asilo. Indague también telefónicamente si existen vacantes para el nivel de atención que requiera su enfermo. Los asilos generalmente tienen listas de espera. Averigüe también los costos.

No es fácil encontrar camas disponibles en los asilos buenos y por lo general no aceptan más pacientes que los estipulados en sus reglamentos. Pudiera darse el caso de que usted tuviera que aceptar internar a su paciente en uno que no reuniera todo lo que usted espera.

Al visitar un asilo observe y pregunte qué servicios brindan, su calidad, el costo de la atención y si cuentan con autorización. No dé nada por sentado. Afine los detalles de los costos de atención y no deje sin aclarar lo que no entienda. Todos los acuerdos deben quedar por escrito y usted conservar una copia. Aclare los siguientes puntos antes de firmar los papeles:

1. ¿Se le reembolsarán las cuotas pagadas por adelantado y la cuota de admisión si decide que no seguirá el paciente en el asilo?

2. ¿Cómo amparan las entregas de dinero que usted hace al asilo? ¿Extienden recibos? ¿Dan estados de cuenta?

3. ¿Aparece en el contrato escrito la fecha acordada para que el paciente ingrese y el tipo de atención que se le va a otorgar?

4. ¿Bajo qué circunstancias externan a un paciente del asilo? ¿Avisan con anticipación?

5. ¿Cómo procederán si se retrasa en los pagos o si cambia la forma de financiamiento?

6. ¿Si el paciente muestra alguna mejoría (por ejemplo de una enfermedad aguda) se le puede transferir a otro nivel de atención *dentro de la misma institución* a fin de que no lo cambien de asilo?

Si el personal se rehúsa a contestar estas preguntas será una indicación de la manera como tratarán al paciente ya internado.

Le damos en seguida una lista de preguntas que puede hacer al visitar los asilos; le servirá para evaluar la calidad de la atención que proporcionan. Llévela con usted. Hay tres preguntas vitales:

1. ¿Tiene el asilo autorización legal para funcionar?

2. ¿Está capacitado el administrador para funcionar como tal?

3. ¿Cumple el asilo con las normas contra incendio y evacuación de los pacientes? Es difícil movilizar a los ancianos débiles y enfermos en caso de un incendio. Debe haber extinguidores y mangueras de agua así como puertas de escape. Si no obtiene una respuesta afirmativa a estos tres puntos, no use ese asilo.

4. Si es un asilo privado, ¿aceptan que el pago de los servicios lo realice alguna dependencia oficial? ¿Aceptarán que el paciente se quede en el asilo si al principio usted paga directamente pero después alguna institución oficial los cubre?

5. ¿Tiene bien claro qué servicios quedan pagados con la tarifa básica y qué otros son adicionales (medicamentos, peluquería, pañales desechables, enfermeras especiales, etc.)?

6. ¿Cambian muy seguido de personal? Esto es indicativo de la manera en que el personal tiene satisfechas sus necesidades como trabajadores.

7. ¿Se ve contento y amigable el personal? Un personal contento indica que la institución está bien administrada y es más probable que un personal contento no volcará sus frustraciones sobre los enfermos.

8. ¿Se ve limpio el lugar incluyendo las cocinas y baños? Es imposible que esté impecable, pero en general debe verse limpio.

9. ¿Están equipados los baños y otras áreas con pasamanos, barras de sostén, pisos antirresbalantes y otros dispositivos de seguridad?

10. ¿De qué manera tienen resuelto el transporte de un paciente al hospital en caso de urgencia? ¿Cómo manejan los problemas médicos?

11. ¿Reúne el asilo las especificaciones oficiales sobre los estándares de seguridad y de atención médica?

12. ¿Está entrenado el personal para detectar los cambios en el funcionamiento mental de los enfermos y evaluarlos?

13. ¿Sabe el personal cómo manejar a las personas con enfermedades demenciales? Deben saber por ejemplo cómo actuar ante una reacción catastrófica, suspicacias, deambulación, etc. (Si no han recibido este entrenamiento, ¿se ven dispuestos a oír la información que usted les ofrezca?).

14. ¿Qué medidas existen para manejar la vagancia o la agitación de los pacientes? Es posible que vea a algunos pacientes restringidos por sujetadores. sin embargo no debe ser la manera usual de controlar la conducta. Muy rara vez es necesario usar sujetadores durante un tiempo prolongado ya que con técnicas de enfermería se pueden manejar la mayoría de los problemas. En algunos lugares existen normas oficiales para el uso de los sujetadores. En cuanto a los enfermos que caminan compulsivamente, deben estar seguros dentro del asilo, con vigilancia de las puertas y de las escaleras.

15. ¿Está accesible el asilo para que usted visite a su enfermo regularmente? ¿Permiten que el médico particular del enfermo lo visite?

16. ¿Permiten que los familiares se queden durante varias horas de visita? Si no es así, uno siempre se pregunta qué estará sucediendo cuando no hay familiares de visita. ¿Se permiten los niños de visita?

17. ¿Es un lugar agradable, con buena iluminación, con personal amable, los muebles cómodos, los objetos personales de los residentes están a la vista en sus cuartos? Es muy importante para el bienestar del enfermo que el ambiente sea agradable y que el personal sea comedido y paciente. Usted mismo debe sentirse a gusto cuando esté de visita.

18. ¿Cree usted que el paciente se va a sentir bien ahí? Algunas personas prefieren un asilo con un ambiente hogareño aunque huela un poco mal y los muebles estén raídos; otras en cambio les safisface más un lugar más nuevo.

19. ¿Pueden preparar dietas individuales? ¿Dan alimentos sanos, presentados atractivamente y adecuados para las personas mayores?

20. ¿Se les da el alimento adecuado? ¿Se asiste a la hora de comer a las personas que no pueden comer solas? ¿Se les dan refrigerios entre comidas? ¿Aceptan voluntarios para ayudar a dar de comer a los ancianos?

21. ¿Se cuida de cerca a las personas que tienen problemas para deglutir? No es recomendable el uso prolongado de sondas nasogástricas si mediante una buena técnica de enfermería el paciente podría comer.

22. ¿Qué asistencia le dan a los enfermos incontinentes? Siempre es mucho mejor un manejo eficiente de enfermería que el uso de catéteres.

23. ¿Reentrenan a los pacientes a controlar la vejiga y los movimientos intestinales cuando pueden beneficiarse con esto?

24. ¿Tienen programas para que dentro de las posibilidades de cada enfermo mantengan un buen nivel de interés y estén en estado de alerta?

25. ¿Realizan diariamente los pacientes ejercicio supervisado? Incluso los pacientes encamados o en sillas de ruedas necesitan hacer ejercicio, y los que pueden caminar deben hacerlo. El ejercicio podría reducir el nerviosismo de los pacientes con enfermedades demenciales.

26. ¿Se les ofrecen actividades sociales creativas y planeadas efectivamente? No basta que tengan cuarto de TV. Los residentes de los asilos necesitan programas estructurados tales como de música, recreación en grupo y salidas para mantenerlos interesados en actividades interpersonales según su nivel de capacidad.

27. ¿Disponen de servicios de fisioterapia, terapia de lenguaje, ocupacional o recreativa para los pacientes que los necesiten?

28. ¿Asisten los residentes regularmente a servicios religiosos? ¿Los visitan a menudo sacerdotes o ministros?

29. ¿Usan los residentes su propia ropa? ¿Tienen lugares privados y con llave para guardar sus cosas? ¿Gozan de áreas privadas para sus cartas o llamadas telefónicas, para recibir visitas y para visitas conyugales?

30. ¿Hay una trabajadora social en el asilo?

31. ¿Quién atiende las quejas?

32. Algunos estados de la Unión Americana han instituido una Carta de Derechos del Paciente. ¿La conocen y la ponen en práctica en el asilo?

Idealmente las respuestas a estas preguntas deben ser afirmativas, pero un servicio de tan alta calidad resultaría caro y difícil de encontrar. Si el enfermo es difícil de manejar, o si deben usar los servicios oficiales, seguramente no encontrarán un sitio ideal. Utilice las preguntas como una guía para decidir qué es para usted muy importante y qué puede aceptar bajo ciertas reservas.

El cambio al asilo

Muchas de las cosas que mencionamos en el Capítulo 4 son pertinentes cuando el paciente debe ingresar a un asilo.

Prepare a la persona diciéndole a dónde va a ir si cree usted que aún puede entenderlo. De ser posible anímelo a que seleccione los objetos personales que quiera llevarse (recuerdos, fotos, un radio, una cobija). Aun la persona más incapacitada o trastornada necesita sentir que es dueña de su vida y que todavía es importante. Usted tendrá que cerrar los oídos si le reclama en tono acusador este cambio. Si siempre que le habla del asilo él se altera, no creemos que sea conveniente seguírselo mencionando. Siga usted con los arreglos como algo de lo más natural. No lo engañe diciéndole que "van a ir de paseo" o "a visitar a alguien" pues esto hará aún más difícil su adaptación al asilo.

Si el asilo no resulta todo lo bueno que usted creyó y no tiene alternativa para el paciente, siga la recomendación del director de un asilo excelente que sugiere que lo mejor es no quejarse y tratar de establecer una relación amistosa con el personal. Esto puede significar ceder de su parte, pero fomentará la cooperación del personal. Ofrézcales información acerca de la demencia.

Si el paciente va a ser transferido del hospital al asilo, seguramente no habrá tiempo de buscar un sitio adecuado ni podrá preparar al paciente. Generalmente los arreglos deben hacerse en unas horas o cuando mucho días. Si éste fuera el caso, acompañe por lo menos al enfermo al asilo y trate de que al llegar encuentre ahí algunos objetos personales esperándole.

La adaptación a una nueva vida

El cambio al asilo significa una adaptación difícil para el enfermo. Lograr este ajuste requiere tiempo y energía de parte del personal, de los demás residentes y de la familia. Suele ser un proceso doloroso. Recuerde que llevarlo al asilo no tiene por qué significar el fin de la relación. El enfermo puede seguir siendo un miembro de la familia y sólo haber pasado a residir a un lugar que llena mejor sus necesidades. Hay varias sugerencias prácticas para que el ajuste a su nueva casa sea más fácil, aunque sabemos muy bien que lo más difícil de todo son los sentimientos que usted y su enfermo tendrán respecto al cambio.

Usted puede ayudar a su enfermo a orientarse en su nueva casa. Mientras está de visita, explíquele nuevamente por qué lo llevó ahí (dígale, por ejemplo, "Estás muy enfermo y no puedes estar en la casa") y las rutinas del nuevo lugar (déjeselas escritas si aún puede leer). Ayúdele a localizar el baño, el comedor, el cuarto de TV y el teléfono. Dígale cómo encontrar sus cosas en el clóset y alguna manera de identificar fácilmente la puerta de su cuarto. Decore éste con cosas que sean de él.

Dígale exactamente el día en que lo volverá a visitar y escríbaselo para que él lo use como recordatorio. Trate de invitarlo a reuniones familiares. Si no tiene una enfermedad aguda, llévelo de paseo, de compras, a la iglesia, a cenar o a pasar la noche con usted. Aunque se resista a regresar, no tardará en aceptar la nueva rutina y le servirá mucho saber que todavía es parte de la familia. A veces persiste la dificultad de hacer que regrese al asilo y en tal caso será mejor concretarse a visitarlo ahí.

Haga que continúe participando en reuniones familiares, por ejemplo en fechas especiales y en los cumpleaños. Aunque esté deprimido o trastornado, también deberán comunicarle las malas noticias. Raras veces sirve no participarles el fallecimiento de alguien, por ejemplo si su salud es muy precaria, pues extrañará las visitas del desaparecido y creerá que lo han abandonado. Si él no recuerda que alguien ha muerto, no insista en repetírselo pues no tiene caso.

Entre una visita y otra, llámele por teléfono. Esto le sirve para mantenerse en contacto y saber que no lo han olvidado. No espere que él pueda llamarle a usted.

Lleve a la visita álbumes de fotografías, algún vestido viejo del desván, o cualquier cosa que le haga recordar tiempos pasados y le estimule a hablar de ello. Si él siempre le cuenta la misma historia, acéptela pues si lo escucha le hará sentir que todavía es una persona importante. Háblele de la familia, los vecinos, las novedades. Aunque no esté muy consciente de los temas disfrutará el acto de oír y de hablar. Estar juntos es importante para él y para usted. Hay algunos enfermos a quienes no les interesa en absoluto los sucesos recientes. Si escucharlos le altera no insista en querer ponerlo al corriente de los últimos acontecimientos.

Preste atención a sus quejas, ya que así sentirá que usted se preocupa por él. Seguramente le dirá la misma queja una y otra vez debido a su mala memoria. De todos modos escúchela siempre; todo lo que él necesita es sentir su empatía. Investigue ponderadamente el motivo de su queja antes de llevarla al administrador del asilo o de resolverla usted. Recuerde que su manera de percibir las cosas puede no ser precisa.

Cante con él canciones viejas conocidas, y no se sorprenda si otros residentes se les acercan a oír o a tomar parte. La música es una manera maravillosa de compartir. Nadie va a recordar si usted no canta muy bien. Llévele también cintas con grabaciones de la familia o de los niños.

Evite mucho alboroto. Su llegada, como visita, las noticias y la conversación pueden sobre estimular a la persona deteriorada y precipitar una reacción catastrófica.

Haga cosas que le indiquen que usted se interesa por su nueva casa; recorra el lugar con él, léale el tablero de información, hable con su compañero de cuarto o con otros residentes y con el personal. Hágale notar el aroma de las flores y el canto de los pájaros cuando salgan de paseo.

Ayúdelo a cuidarse a sí mismo. Coman juntos, arréglele el cabello, frótele la espalda, tómele las manos, ayúdele a hacer algún ejercicio. Llévele algún bocadillo que puedan tomar juntos mientras está usted con él. No lleve comida que el personal deba almacenar. Si el enfermo tiene dificultad para comer, trate de ir a la hora de las comidas para ayudarle a comer. Si otros residentes interrumpen su acción dígales que no puede atenderlos en ese momento y cuide a su enfermo. En caso necesario pida que le asignen un sitio más privado para darle de comer a su enfermo.

De vez en cuando hágase acompañar a la visita por un niño (o lleve una mascota) si el enfermo lo disfruta y no se agita demasiado; pida autorización para esto en la administración antes de hacerlo. A los niños les sirve ver a las personas del asilo; prepárelo antes hablándole sobre las cosas que probablemente verá ahí y explíquele que los catéteres y sondas son para mantener las funciones orgánicas de los pacientes.

A veces una persona está tan enferma que ya no puede reconocer, hablar ni responder. Es difícil saber qué decirle a alguien en tal estado. Tómele las manos, dele masaje suave en la espalda o cante con él. Un clérigo hizo el siguiente comentario respecto a sus visitas al asilo:

> *"Estar ahí me ha hecho crecer. Estoy tan acostumbrado a hacer y hacer cosas; sin embargo, no hay nada que yo pueda hacer por esas personas. He aprendido simplemente a estar ahí, sentado, compartiendo mi presencia, sin necesidad de hacer, hablar o entretenerlos".*

Hacer visita de familia y amar a una persona que está en una institución en las últimas etapas de una enfermedad demencial no es fácil; sin embargo, usted encontrará su propio significado, de la misma manera como el hombre del ejemplo anterior lo descubrió.

Habrá también cambios en la vida de usted cuando su enfermo sea llevado al asilo. Si era su cónyuge y vivía con usted la adaptación será especialmente difícil. Seguramente usted habrá quedado exhausto de los preparativos y trámites del internamiento y encima de todo se sentirá triste. El traslado al asilo puede intensificar los sentimientos de pérdida y desconsuelo al igual que los sentimientos de culpa por no haber encontrado la manera de seguir atendiéndolo en su casa.

Los sentimientos contradictorios de desahogo y pesadumbre, culpa e ira saturan el ambiente familiar durante un tiempo.

Los familiares de los enfermos nos han referido que durante los primeros días se sentían perdidos, no sabían que hacer con su tiempo, no dormían bien ni lograban tranquilizarse lo suficiente como para ver la televisión.

Los viajes al asilo pueden resultar agotadores, especialmente si queda lejos de donde usted vive. Las visitas suelen ser deprimentes pues los pacientes recién llegados empeoran temporalmente hasta que se ajustan al nuevo lugar. Es igualmente deprimente ver a los otros residentes del asilo.

El personal del asilo debe atender a mucha gente, y es normal que su enfermo no reciba toda la atención individualizada que usted quisiera. Hay otras maneras de actuar del personal què seguramente le molestarán mucho a usted y no será raro que de vez en cuando se sienta furioso con ellos. Usted está en su derecho de discutir con el personal los motivos de su cólera y de obtener una respuesta sin por ello arriesgar el bienestar del enfermo. Ningún asilo debe externar a un residente porque los familiares cuestionen la atención que le están dando.

Si hay una trabajadora social en la institución recurra a ella para exponer sus quejas. Si no hay trabajadora social, dígaselas simple y tranquilamente al administrador o a la jefe de enfermeras.

A veces surgen problemas serios con la atención de los pacientes. A este respecto la señora Ríos comentaba lo siguiente:

> *"Mi padre tiene enfermedad de Alzheimer y tuvimos que internarlo en un asilo. Se enfermó gravemente y lo trasladaron al hospital donde dijeron que su condición había empeorado porque estaba deshidratado. Aparentemente en el asilo no le habían dado líquidos suficientes. Me siento hasta cierto punto culpable por no vigilar esto y no quiero llevarlo nuevamente a ese lugar donde no lo atienden como es debido".*

Usted bien sabe lo difícil que es atender a las personas que sufren una enfermedad demencial, especialmente en las últimas etapas de la enfermedad. Si la señora Ríos se queja del personal del asilo sólo conseguirá enemistarse; si quiere pasar al enfermo a otro asilo verá que no hay gran diferencia, o que no aceptan a pacientes con enfermedad de Alzheimer.

El dilema que usted, la señora Ríos y muchas otras familias encaran, no tiene tanto que ver con el asilo como con la política nacional, el sistema de valores, los presupuestos federales, etc. Todo esto irá cambiando gradualmente con los esfuerzos de todos. Y organizaciones como la Asociación de Alzheimer (ADRDA). Esperamos que usted no encare este tipo de dilemas, pero si le sucede, trate de participarle sus preocupaciones tranquila y sinceramente al administrador, a la jefe de enfermeras, o a la trabajadora social, y ofrézcales la información que usted tiene respecto a la atención de las personas con enfermedades demenciales.

Por lo general, la relación del paciente y sus familiares mejora después de que el enfermo se ha ido a residir al asilo, especialmente si era difícil atenderlo en el hogar. Como hay otras personas que se encargan de las tareas diarias, usted y el paciente pueden relajarse y disfrutarse mutuamente. Como usted ya no está cansado y puede alejarse del paciente y sus conductas irritantes, por vez primera disfrutarán de su relación.

Si otros miembros de la familia no visitan al enfermo tal vez se deba a que para ellos es muy doloroso sentir la vida del asilo y no saber qué decirle al enfermo. Si alguien de la familia reacciona así, trate de entenderlo, pues no podrá cambiarlo.

A veces los miembros de la familia pasan muchas horas en el asilo ayudando al paciente. Sólo usted podrá decir el tiempo que desea estar en el asilo. Pregúntese si parte de la razón de estar ahí no tiene que ver con sus sentimientos de soledad y congoja, y si no sería más conveniente que no estuviera tanto tiempo con el enfermo para dejar que se adapte a su nueva casa.

Con el paso del tiempo quedará atrás la fase aguda de la adaptación. Las visitas de usted se establecerán en la forma de una rutina y es natural que paulatinamente usted vaya edificando una nueva vida lejos del enfermo que para entonces mucho habrá cambiado.

Cuestiones sexuales en los asilos

Los residentes de los asilos que se encuentran confusos a veces se desvisten en público, se masturban o hacen requerimientos amorosos al personal o a los otros residentes. Las necesidades sexuales y el comportamiento de estos pacientes se ha convertido últimamente en un tema de gran controversia. El comportamiento sexual en los asilos es diferente del que se presenta en el hogar porque deja de ser un asunto privado y de una manera u otra afecta al personal, a los otros residentes y a su familiares. Todo esto lleva a hacer consideraciones éticas respecto a si una persona con un proceso demencial debe o no seguir teniendo derecho a hacer decisiones sexuales por sí misma.

Hoy en día la cultura moderna se encuentra saturada de discusiones acerca de la sexualidad, pero sólo abordan la sexualidad de los jóvenes y hermosos. La mayoría de la gente, incluido el personal del asilo, se sienten incómodos cuando se trata de la sexualidad de los viejos, de los no atractivos, de los inválidos y de los dementes.

Si el personal se queja con usted acerca del comportamiento inapropiado de su familiar, recuerde que mucho de lo que a primera vista parece ser sexual en realidad es sólo reflejo de la desorientación y confusión del paciente. Usted y el personal pueden trabajar juntos para ayudar al enfermo explicándole dónde se encuentra, llevándolo al baño y diciéndole dónde se puede desvestir. Generalmente lo único que se necesita es decirle "No es hora de acostarse; no es hora de ponerse la pijama". Otra manera es distraerlos ofreciéndoles un vaso de jugo o algo por el estilo.

Las personas con confusión mental llegan a trabar estrecha amistad con otros residentes sin que esto signifique que medie una atracción sexual. La amistad es una necesidad universal que no deja de existir cuando uno cae en un proceso demencial. A veces se oyen historias respecto a pacientes que se acuestan en la cama de otros residentes del asilo. Esto es fácil de entender si pensamos que casi todos hemos compartido una cama con otra persona durante muchos años y hemos tenido el placer que su proximidad nos proporciona. Es posible también que el enfermo no se dé cuenta dónde está, que no sepa distinguir su cama y tal vez que no tenga ni idea con quién está o que se imagine que está con su propio cónyuge. Recuerde que los asilos son lugares donde los residentes se encuentran muy solitarios y sin muchas oportunidades de recibir contacto y amor humanos. Su manera de responder a incidentes como los citados dependerá de las actitudes y valores que tenga así como de la respuesta del personal del asilo.

Algunos residentes de los asilos se masturban pero el personal no se da por enterado porque por lo general sucede en el cuarto del paciente. Si se masturba en público, con toda tranquilidad hay que llevar al paciente a su cuarto.

Otra conducta que suele observarse entre los residentes del sexo masculino es que ocasionalmente hacen proposiciones amorosas al personal del asilo. Todos sabemos que muchos hombres están acostumbrados y gozan mucho al coquetear con las damas sin ánimo de ofenderlas; por eso, cuando el personal amablemente fija los límites esta conducta rara vez representa un problema.

HOSPITALES PSIQUIÁTRICOS PÚBLICOS

La conducta de las personas que sufren una enfermedad demencial llega a volverse a tal punto difícil de manejar que en ningún asilo las aceptan por lo que suele enviárseles a las unidades geriátricas de los hospitales psiquiátricos. En algunos casos el manejo experto de parte de los médicos y enfermeras logra reducir su comportamiento problema y las dan de alta de tales instituciones. Sin embargo, la idea es tratar de evitar que sean enviadas allí y con este fin debe consultarse a un psiquiatra geriátrico.

Así como hay padres que descuidan a sus hijos, ocasionalmente hay familias que no quieren hacerse cargo de algún familiar anciano, o lo internan en un hospital psiquiátrico para no tener que pagar un asilo. En los Estados Unidos de Norteamérica, por ley se exige que los ingresos y bienes del enfermo se empleen en sufragar los gastos de su atención. Debido a la disposición oficial de reducir la población de los pacientes geriátricos en los hospitales psiquiátricos, éstos no están admitiendo el ingreso de nuevos pacientes. En algunos lugares existen programas tendientes a evitar en lo posible que se les interne y, para lograrlo, se valen de servicios de otro tipo a cargo de médicos, enfermeras y trabajadores sociales expertos en ayudarlos. En virtud de esta política de desinstitucionalización y de los recortes en los presupuestos, algunos hospitales no aceptan pacientes con demencia y muchas veces es difícil encontrar un lugar para un paciente problema.

En general, los hospitales psiquiátricos tienen pésima reputación; sin embargo, en algunos la atención es buena, la mayoría están haciendo todo lo posible dentro de sus limitaciones y otros merecen la mala reputación. Averigüe cómo cataloga su médico al hospital psiquiátrico de su localidad.

Si el paciente tuviera que ser llevado a un hospital psiquiátrico, usted podrá seguir visitándolo y mantener los lazos familiares de la misma manera que en un asilo.

17

Enfermedades del cerebro y causas de la demencia

Cuando el cerebro no funciona correctamente aparecen problemas como retraso mental, dislexia, demencia o psicosis. Las causas pueden ser: una lesión cerebral, una alteración genética, sustancias químicas en el el medio que están dañando al cerebro y muchas más. Explicaremos en este capítulo cómo difiere la demencia de otros problemas del cerebro y describiremos algunas de sus causas más comunes.

DEMENCIA

Los médicos agrupan los diferentes problemas del cerebro basándose en los síntomas. Así como la fiebre, la tos, el vómito, etc., son síntomas de diferentes enfermedades, la pérdida de la memoria, la confusión, las alteraciones de la personalidad y del habla son también síntomas de diferentes enfermedades.

Demencia es el término médico para un grupo de síntomas y describe una declinación global de la capacidad intelectual, lo suficientemente severa como para interferir con el funcionamiento cotidiano. Se presenta en una persona alerta y despierta. (No intoxicada, adormilada, ni angustiada). La declinación del funcionamiento intelectual significa una pérdida de diferentes tipos de procesos mentales tales como la capacidad matemática, el vocabulario, el pensamiento abstracto, el juicio, el habla y la coordinación. Incluye también alteraciones de la personalidad. Es diferente del retraso mental, el cual está presente desde la infancia.

Son diferentes las enfermedades que pueden producir síntomas de demencia; algunas son tratables, otras no. En algunas es posible detener el progreso de la demencia, en otras es posible revertirlo, y en otras más no es posible cambiar el proceso. Algunas de estas enfermedades son raras, otras no tanto, pero las personas que las padecen generalmente no se vuelven dementes y, por lo tanto, no se debe suponer que la demencia es el resultado inevitable de sufrir estas enfermedades. En seguida damos una lista *parcial* de padecimientos capaces de producir demencia:

Alteraciones metabólicas:

Disfunción de tiroides, paratiroides o de las glándulas suprarrenales.

Disfunción del hígado o los riñones.

Algunas deficiencias vitamínicas, por ejemplo de vitamina B_{12}.

Problemas estructurales del cerebro:

Hidrocefalia normotensa (flujo anormal del líquido cerebroespinal).

Tumores cerebrales.

Hematoma subdural (derrame sanguíneo debajo del cráneo que hace presión sobre el cerebro).

Traumatismo (lesiones del cerebro).

Hipoxia y anoxia (oxígeno insuficiente).

Infecciones:

Tuberculosis.

Sífilis.

Infecciones en el cerebro causadas por hongos, bacterias o virus, tales como meningitis y encefalitis.

Toxinas (venenos):

Monóxido de carbono.

Fármacos o drogas.

Envenenamientos por metales.

Alcohol (hay desacuerdo entre los científicos respecto a si puede causar o no demencia).

Enfermedades degenerativas (las causas generalmente son desconocidas):

Enfermedad de Alzheimer.

Ataxia de Friederich.

Enfermedad de Huntington.

Enfermedad de Parkinson.

Enfermedad de Pick.

Parálisis supranuclear progresiva.

Enfermedad de Wilson.

Enfermedades vasculares (de los vasos sanguíneos):

Problemas cerebrovasculares o enfermedad de infartos múltiples.

Enfermedades por autoinmunidad:

Artritis tempora.
Lupus eritematosus.
Enfermedades psiquiátricas:
Depresión.
Esquizofrenia.
Esclerosis múltiple.

El síndrome de Korsakov causa solamente alteraciones de la memoria y no de otras funciones mentales. Aparentemente semeja una enfermedad demencial, pero como afecta sólo un área de las funciones mentales, no es una demencia verdadera.

Según las investigaciones existentes, cerca del 50 por ciento de los casos de demencia se deben a la enfermedad de Alzheimer; 20 por ciento a la enfermedad por infartos múltiples y otro 20 por ciento tienen como causa una combinación de ambas. Por último, el 10 por ciento de los casos de demencia se deben a una u otra de las enfermedades restantes capaces de producir demencia.

Enfermedad de Alzheimer

El médico alemán Alois Alzheimer la describió por primera vez en 1907. El caso descrito originalmente era el de una mujer de poco más de 50 años, y recibió el nombre de *demencia presenil*. Los neurólogos ahora están de acuerdo en que la demencia que presentan las personas mayores es la misma, o por lo menos similar al padecimiento presenil y generalmente la llaman demencia senil tipo Alzheimer.

Los síntomas de la enfermedad generalmente muestran un deterioro gradual y casi imperceptible en muchas áreas de la capacidad intelectual y se acompañan de deterioro físico. Al principio de la enfermedad se nota solamente una disminución de la memoria. Las personas son más olvidadizas de lo normal y suelen tener dificultad para aprender nuevas habilidades y afrontar tareas que requieren razonamiento abstracto o cálculo matemático. Pueden empezar a tener problemas para realizar su trabajo o a notar que ya no disfrutan de la lectura. Su personalidad cambia y frecuentemente se deprimen.

Más tarde hay alteraciones del lenguaje y de las habilidades motoras. Al principio la persona es incapaz de encontrar la palabra correcta para nombrar las cosas o usa una palabra incorrecta, pero gradualmente se vuelve incapaz de expresarse. También encuentra más dificultad para entender las explicaciones y desiste de leer o ver la televisión. Otras veces no puede realizar tareas que antes ejecutaba fácilmente. Es probable que su caligrafía se altere y que camine torpemente o arrastrando los pies. Puede suceder que se pierda en la calle, que olvide que tiene la estufa encendida, que malinterprete lo que está sucediendo y que muestre poca capacidad de juicio. Puede presentar alteraciones de personalidad o arranques de ira, incapacidad para hacer planes por sí misma y de manera responsable. Los familiares generalmente no se dan cuenta del principio de los problemas de lenguaje o motores, pero a medida que la enfermedad progresa todos estos síntomas se vuelven aparentes.

Cuando la enfermedad ha avanzado, la persona se deteriora severamente, se vuelve incontinente e incapaz de caminar o se cae con frecuencia. No podrá decir más de dos palabras y no podrá reconocer a nadie o quizá sólo a una de dos personas. Necesitará cuidados de enfermería profesional o de parte de usted. Estará incapacitada físicamente y disminuida intelectualmente.

La enfermedad de Alzheimer generalmente conduce a la muerte en siete a diez años, pero a veces evoluciona más rápidamente (de tres a cuatro años) o más lentamente (hasta quince años).

Se pueden observar al microscopio los cambios que tienen lugar en la estructura cerebral de una persona que sufrió enfermedad de Alzheimer. Éstos incluyen números anormalmente grandes de placas neuríticas y nudos neurofibrilares (ver Capítulo 18). Éstos son claramente signos de lesión cerebral. El diagnóstico de la enfermedad de Alzheimer puede hacerse basándose en el tipo de síntomas, la forma en que progresan, la ausencia de cualquier otra causa o problema y con una tomografía axial computada (TAC). Sin embargo, el diagnóstico definitivo de la enfermedad de Alzheimer se basa en la presencia de estas estructuras anormales específicas, las placas neuríticas y los nudos neurofibrilares del tejido cerebral. La única manera de llegar a esta determinación es mediante la biopsia cerebral, que consiste en extraer una pequeña cantidad de tejido cerebral a través de un pequeño orificio que se hace en el hueso del cráneo y que no alterará mayormente la función cerebral. Las biopsias cerebrales no se hacen rutinariamente por ahora ya que no hay tratamiento para la enfermedad que las justifique, pero esto cambiará a medida que la investigación de la demencia progrese.

Demencia por infartos múltiples

En el pasado, se creía que las enfermedades demenciales de la edad avanzada se debían a un *endurecimiento de las arterias* del cerebro. Ahora sabemos que no es así. La demencia por infartos múltiples es el efecto acumulativo de la destrucción de pequeñas áreas del cerebro causada por pequeñas oclusiones cerebro-vasculares repetidas. El efecto acumulativo de estas oclusiones lleva al daño cerebral que causa la demencia. Esta enfermedad afecta varias funciones tales como la memoria, la coordinación o el lenguaje y los síntomas difieren según las áreas del cerebro que se han lesionado.

La demencia por infartos múltiples generalmente avanza en forma escalonada. Es posible recordar la temporada específica en que la persona mostró un mayor deterioro (a diferencia de la declinación gradual e imperceptible de la enfermedad de Alzheimer). Después, durante cierto tiempo, el estado del enfermo parece no empeorar e incluso podría mostrar una mejoría. En algunos casos la demencia avanza con el tiempo, en otros se mantiene estable durante varios años. A veces puede detenerse si se evita que haya más oclusiones cerebrovasculares, pero a veces no es posible detener su avance.

Algunas personas pueden sufrir al mismo tiempo enfermedad de Alzheimer y enfermedad por infartos múltiples.

Depresión

La depresión es una causa tratable de demencia. En un estudio realizado en el Hospital Johns Hopkins casi la cuarta parte de los pacientes que tenían síntomas de demencia sufrían depresión y el 82% de ellos mejoró cuando recibieron tratamiento antidepresivo. Desde hace apenas unos años se ha aceptado que la depresión puede ser causa de demencia, por lo que no será extraño que algún médico no reconozca una demencia causada por depresión. No obstante, los síntomas de depresión son generalmente fáciles de reconocer.

Cuando una persona con un problema de memoria está deprimida es necesario evaluar si la depresión es la causa de la demencia, o viceversa. Sin embargo, la depresión deberá tratarse tenga o no tenga la persona una demencia irreversible. No permita que el médico pase por alto la depresión y tenga presente que la depresión de su paciente podría mejorar, pero no así sus problemas de memoria.

OTROS PADECIMIENTOS CEREBRALES

Existen otras alteraciones mentales que no son demencias. En seguida las describimos:

Delirio

El término *delirio* describe otro *conjunto de síntomas* que se deben a causas varias. El delirio a menudo se confunde con la demencia ya que el paciente con delirio, al igual que el paciente con demencia, es olvidadizo y desorientado pero, a diferencia de la persona demente, *el paciente con delirio muestra un nivel reducido de la conciencia*. Probablemente tenga poca capacidad para enfocar, mantener o cambiar la atención. Otros síntomas de delirio incluyen: una interpretación errónea de la realidad, ideas falsas o alucinaciones. También se presenta con lenguaje incoherente, somnolencia durante el día o insomnio por la noche y un aumento o una disminución de la actividad física (motora). Los síntomas de delirio a menudo se desarrollan en unas cuantas horas, o días y tienden a variar a lo largo del día.

Las personas mayores que no tienen enfermedades demenciales pueden mostrar signos, a menudo intermitentes, de poca capacidad para fijar la atención, tendencia a la confusión o problemas de la memoria. En este caso, podría ser un delirio causado por otras enfermedades, o por la acción de fármacos, y deberá considerársele como un síntoma cuya enfermedad causal hay que identificar y tratar si es posible.

Las personas con enfermedades demenciales son propensas a presentar delirio además de su demencia y problemas como estreñimiento, una infección, o simplemente un resfriado podrían ocasionar que empeoraran repentinamente. Es importante resolver este tipo de problemas ya que hasta aquellos aparentemente sin importancia son capaces de afectar seriamente a una persona con una enfermedad demencial.

Senilidad, síndrome cerebral orgánico crónico y síndromes cerebrales orgánicos agudos o reversibles

La palabra *senilidad* simplemente significa *"vejez"* y, por lo tanto, no describe ninguna enfermedad y a muchas personas les parece despectiva y cargada de prejuicios.

El síndrome cerebral orgánico crónico y los síndromes cerebrales orgánicos agudos o reversibles se refieren, respectivamente, a aquellas demencias que no pudieron ser tratadas (crónicas) y a delirios que responden al tratamiento (agudos). En la actualidad ya no están en uso porque no son específicos y porque llevan implícito un pronóstico que no debe presuponerse. Esperamos que con el tiempo deje de haber síndromes cerebrales "crónicos".

AIT
(ataque isquémico transitorio)

Es una alteración funcional transitoria que se debe a un deficiente suministro de sangre a una u otra parte del cerebro. La persona que la padece repentinamente puede ser incapaz de hablar o de articular bien las palabras. Otras veces se presenta con debilidad, parálisis, mareos o náuseas. Estos síntomas generalmente duran sólo unos minutos o unas horas y la persona se recupera, lo que diferencia claramente de una apoplejía, la cual se presenta con los mismos síntomas, pero deja siempre signos de lesión aunque si es muy ligera podría pasar inadvertida. El AIT debe considerarse como un aviso de un inminente y serio problema cerebrovascular y debe consultarse al médico.

Trastornos cerebrales localizados

Son problemas cerebrales que temporal o permanentemente afectan partes pequeñas o grandes del cerebro. Las causas son diferentes: tumores cerebrales, enfermedades cerebrovasculares, traumatismos cráneo-encefálicos. A diferencia de la demencia, tales trastornos no son globales aunque pueden afectar más de una función mental. Los síntomas le indicarán al neurólogo el lugar del trastorno o lesión. Se les conoce por lesión cerebral focal o localizada y cuando es amplia da síntomas iguales a los de la demencia.

Un problema cerebrovascular mayor que causa trastornos del tipo de parálisis repentina de todo un lado del cuerpo, caída de un lado de la cara, o trastornos del lenguaje, es una lesión de una parte del cerebro. Este problema puede ser causado por un coágulo que obstruye los vasos del cerebro o una ruptura de uno de éstos, lo cual provoca un sangrado dentro del cerebro. Generalmente las células cerebrales resultan lesionadas, pero se recuperan cuando desaparece el proceso inflamatorio. Parece ser que otras partes del cerebro son también capaces de sustituir gradualmente a las células dañadas y de llegar a aprender a ejecutar las tareas de estas últimas. Así pues, las personas que han tenido una enfermedad cerebrovascular generalmente mejoran y es importante que se les proporcione la rehabilitación necesaria. En cuanto a la probabilidad de presentar nuevos problemas de este tipo, es posible reducirla mediante un buen manejo médico.

Lesiones de la cabeza

Los traumatismos de la cabeza pueden destruir tejido cerebral, ya sea directamente o a causa del sangrado dentro del cerebro. Algunas veces se forma un coágulo entre el cráneo y el cerebro que hace que aumente la presión sobre las células cerebrales y llegue a dañarlas. Este problema se llama *hematoma subdural* y puede presentarse aun con traumatismos de cráneo por caídas ligeras.

Las personas con enfermedades demenciales son propensas a las caídas y quizá no podrán, o no recordarán, informáselo a usted. Si sospecha que una persona ha recibido un golpe en la cabeza, llame al médico de inmediato porque el tratamiento podría evitar un daño permanente. El sangrado dentro del cráneo no necesariamente acontece en el punto en que la cabeza recibió el golpe.

18

La investigación actual sobre la demencia

Actualmente hemos llegado a un punto muy interesante en la investigación sobre la demencia. No hace mucho tiempo casi todas las personas suponían que la demencia era el resultado natural del envejecimiento y sólo algunos pioneros se interesaban en estudiarla; todo esto ha cambiado en los últimos diez años y ahora se sabe lo siguiente:

1. La demencia no es el resultado natural del envejecimiento.
2. Sus causas son enfermedades específicas e identificables.
3. El diagnóstico es importante porque identifica los problemas tratables.
4. También es importante una evaluación correcta para manejar las enfermedades asociadas a la demencia que por ahora son incurables.

Día con día crece el número de investigaciones enfocadas a las enfermedades demenciales. Las nuevas herramientas de estudio posibilitan una visión mucho más clara de lo que sucede en el cerebro y además el interés y la comprensión de parte del público han hecho que exista una mayor demanda de soluciones. Estos factores han atraído a hombres y mujeres talentosos al estudio de la demencia y esperamos que sus hallazgos entusiasmen a la gente para que apoye la investigación aportando dinero.

LAS INVESTIGACIONES

A veces es difícil tanto para los científicos como para los familiares de los enfermos entender e interpretar el significado de los datos obtenidos a través de la investigación. En seguida anotamos algunos hechos importantes que usted debe saber acerca de la investigación científica, que esperamos le sirvan para comprender lo que lea al respecto.

Es esencial que en los estudios se definan cuidadosamente los términos. Por ejemplo, algunos investigadores han estudiado personas con "síndrome cerebral orgánico", pero los datos de estos estudios dan lugar a equivocación porque no nos permiten saber si las personas tenían enfermedad de Alzheimer u otros problemas.

Es diferente una simple relación entre dos cosas y la prueba de que una de ellas causa la otra. Así, podríamos encontrar tanto A como B en el cerebro de un paciente con demencia, pero esto no significa que A causó B, ya que ambas A y B podrían ser resultado de un factor no conocido, C.

Es importante que en los estudios se elimine la influencia de otros factores, ya que algunas veces al probar una técnica o fármaco nuevos el paciente se mejora, pero esta mejoría podría deberse ya sea a la atención adicional que se le ha prestado al paciente o a algún otro factor. A esto se le llama efecto de placebo y es muy común. Los estudios cuidadosos, por ejemplo de los fármacos, se diseñan escrupulosamente para evitar la posibilidad de que sean otros los factores que causen la mejoría. Por todo lo anterior, cuando se oye decir que varias personas mejoraron con cierto medicamento, debe tenerse presente que pudo deberse a que no tenían la misma enfermedad o a que tuvo lugar el efecto de placebo y la mejoría fue temporal.

También es importante saber lo que significan los estudios en animales de laboratorio. Los investigadores que trabajan con animales toman en consideración las similitudes que hay en las reacciones de los animales con las de los humanos, así como las diferencias. Cuando se administra enormes dosis de sustancias químicas a un animal cuya vida es más corta que la del hombre, aumentan las probabilidades de observar la existencia de un relación entre la sustancia y la enfermedad, si ésta se presenta.

La epidemiología estudia la distribución de las enfermedades en grandes grupos de individuos. La epidemiología de las enfermedades demenciales podría mostrar tarde o temprano a los científicos la existencia de una relación entre una enfermedad y algo más, por ahora desconocido; por ejemplo, un factor hereditario, la dieta durante la niñez, o el uso de algún medicamento muchos años atrás. Si usted ha proporcionado datos para algún programa de investigación seguramente le habrán hecho muchas preguntas que aparentemente no se relacionan con su enfermedad; sin embargo, los datos así reunidos aportan valiosas informaciones epidemiológicas.

Al mismo tiempo que se ha difundido el conocimiento del público de la enfermedad de Alzheimer se ha difundido propaganda de supuestas curaciones, muchas de ellas costosas, inefectivas y peligrosas además de ofrecer falsas esperanzas. La asociación para el Estudio de la Enfermedad de Alzheimer y Trastornos Relacionados*, puede informarle sobre los tratamientos que a juicio de los médicos carecen de validez.

En seguida ofrecemos un resumen de los resultados de algunas investigaciones:

Investigación sobre la demencia por infartos múltiples y sobre las enfermedades cerebrovasculares

Las investigaciones buscan determinar los efectos que la hipertensión, la obesidad, la dieta, el tabaquismo, las enfermedades cardiacas y otros factores podrían tener en la vulnerabilidad de un individuo a las enfermedades cerebrovasculares o a la enfermedad por infartos múltiples. Se están estudiando las áreas del cerebro más susceptibles de sufrir daño, así como las alteraciones de la bioquímica cerebral que acontecen después de una enfermedad cerebrovascular. Están observando hasta qué grado, de qué manera y en qué casos la rehabilitación es útil para cada paciente. Examinan el efecto de fármacos que evitan esto o que dilaten los vasos sanguíneos, aumenten el suministro de oxígeno al cerebro o eviten la formación de coágulos.

Investigación sobre la enfermedad de Alzheimer
Neurotransmisores

Existen en el cerebro sustancias químicas que se llaman *neurotransmisores* y que son necesarias para que los mensajes pasen de una célula nerviosa a otra. Se ha descubierto que en algunas enfermedades ciertas de estas sustancias se encuentran en cantidades subnormales. Por ejemplo, los síntomas de la enfermedad de Parkinson mejoran cuando se administra al paciente L-Dopa la cual aumenta la cantidad de dopamina que era el neurotransmisor deficiente.

* 360 N. Michigan Ave., Chicago, Ill. 60601, E.U.A.

Los científicos saben ahora que las personas con enfermedad de Alzheimer tienen una deficiencia de la enzima llamada *colinacetiltransferasa* que es necesaria para producir el neurotransmisor llamado *acetilcolina*. Así pues, se supone que la cantidad de acetilcolina es deficiente en el cerebro de los pacientes con enfermedad de Alzheimer. Las investigaciones actuales están dirigidas a tratar de encontrar la manera de aumentar la cantidad de acetilcolina en el cerebro o de encontrar un fármaco que la sustituya. También podrían ser deficientes otros neurotransmisores tales como la somatostatina.

Recientemente se ha descubierto que una pequeña área del cerebro llamada el núcleo basal de Meynert muestra una pérdida de células en los pacientes con enfermedad de Alzheimer y además parece ser que esta área del cerebro es precisamente donde se origina la acetilcolina. Es probable que las placas y nudos típicos de la enfermedad sean fragmentos remanentes de las células que contenían la acetilcolina.

Alteraciones de la estructura cerebral

Desde hace mucho tiempo se sabe que existen alteraciones microscópicas en el cerebro del paciente con enfermedad de Alzheimer que consisten en placas seniles neuríticas y nudos neurofibrilares. Estas alteraciones son mucho menores en el cerebro de las personas de edad avanzada normales. Para rastrear su formación y el papel que juegan en la enfermedad se está analizando su estructura y su bioquímica.

Nutrición

La lecitina y la colina son sustancias que están presentes en muchos alimentos y ahora se sabe que el cuerpo las necesita para manufacturar la acetilcolina. Se han hecho estudios en los que se ha administrado lecitina a grupos de pacientes con demencia, pero los resultados no son alentadores y es necesario investigar más profundamente algunos puntos. Se necesita saber más acerca de por qué hay un suministro escaso de acetilcolina en algunos cerebros. Los familiares de los pacientes a menudo les proporcionan lecitina que compran en las tiendas vegetarianas, pero no hay datos que muestren que mejora la memoria, el estado de ánimo, ni la conducta.

Metales

Se han encontrado cantidades elevadas de aluminio en el cerebro de algunos pacientes con enfermedad de Alzheimer; se sabe también que otros metales como el manganeso están a veces asociados a otras formas de demencia. Parece ser más probable que la presencia de aluminio sea un resultado de lo que está causando la demencia y no por sí mismo la causa de la demencia. La gente ha llegado a pensar que es conveniente dejar de tomar antiácidos o dejar de cocinar en trastes de aluminio y de usar desodorantes con aluminio. No hay datos de que el uso de estas cosas causen demencia y, por otro lado, hay estudios de personas que han estado expuestas a dosis mucho mayores de aluminio y no muestran demencia. Se están haciendo estudios de medicamentos que aumentan la eliminación de aluminio.

Virus

Hay algunos datos de investigación que han hecho que los científicos sospechen que la enfermedad de Alzheimer sea de origen viral. Tal vez usted ha leído acerca de las enfermedades de Creutzfeldt-Jacob y la llamada Kuru, que son raras pero se les ha estudiado mucho porque parece que son transmitidas por un agente viral. Por ahora no hay datos que apoyen la hipótesis de que la enfermedad de Alzheimer sea causada por un virus lento, pero continúan las investigaciones al respecto.

Fármacos

Se están estudiando muchos medicamentos para conocer sus efectos sobre la memoria y de cuando en cuando se proponen diferentes fármacos para tratar pacientes con enfermedades demenciales. Sin embargo, por ahora ninguno de ellos se ha encontrado efectivo cuando se le prueba en el laboratorio aunque en algunos informes preliminares se hable de pacientes que mejoraron. Se siguen probando nuevos fármacos; algunos de ellos permitirán nuevos tratamientos y otros no se usarán si los estudios cuidadosos indican que no son efectivos.

Defectos del sistema inmunológico

El sistema inmune es la defensa del organismo contra la infección. Los estudios de algunas de las proteínas que el organismo usa para luchar contra la infección muestran niveles anormales de estas proteínas en los pacientes con enfermedad de Alzheimer.

Algunos científicos sospechan que a veces el sistema inmunológico en vez de atacar células provenientes del exterior del organismo, tales como los microorganismos invasores, puede alterarse y llegar a atacar a las células del propio organismo. Existe la teoría de que esto podría ser la explicación de la enfermedad de Alzheimer. Por ello se están llevando a cabo muchos estudios desde este punto de vista.

Neuropsicología

Los neuropsicólogos, que estudian la relación entre la estructura cerebral y la conducta, están tratando de diagnosticar los sitios exactos del cerebro que se encuentran afectados en la enfermedad de Alzheimer.

Otros estudios

Otros investigadores están estudiando el suministro sanguíneo y la circulación cerebrales, los antecedentes genéticos y las historias clínicas de los pacientes con demencia. Quizá de estos estudios emerja alguna pista respecto a la causa de la enfermedad, pero aún no existe nada digno de mención.

EL PAPEL DE LA HERENCIA

Los familiares de los enfermos preguntan a menudo sí existe la posibilidad de que sus descendientes presenten la enfermedad. Las probabilidades que tiene un adulto de presentar enfermedad de Alzheimer son de 1 a 2 por ciento a la edad de 65 años, pero las probabilidades se cuadruplican si un paciente cercano ha tenido la enfermedad. Estos datos, además de la observación de que la enfermedad se encuentra a veces relacionada con otras afecciones tales como el síndrome de Down (mongolismo) que tiene como causa defectos cromosómicos, han hecho que los investigadores sospechen que hay *un factor genético* en la enfermedad de Alzheimer. Un factor genético quiere decir que un individuo ha heredado una tendencia a ser más vulnerable a una enfermedad, pero no necesariamente que la sufrirá.

Algunos investigadores creen que las mujeres adquieren la enfermedad de Alzheimer más frecuentemente que los hombres y que éstos son más susceptibles de sufrir la demencia por infartos múltiples. Esto se explica simplemente porque es más probable que los hombres sufran enfermedades vasculares mientras que las mujeres tienden a vivir hasta edades más avanzadas en las que la enfermedad de Alzheimer aumenta en frecuencia. Continúan las investigaciones para corroborar lo anterior.

MANTENERSE ACTIVO

Frecuentemente la gente quiere saber si mantenerse mentalmente alerta e interesado en la vida así como en buen estado físico evita el desarrollo de una enfermedad demencial. Hasta donde se sabe, ni el ejercicio físico ni la actividad mental son capaces de evitar o alterar el curso de la enfermedad de Alzheimer. La actividad sirve para mantener un buen estado de salud y mejorar la calidad de la vida. Algunos estudios que no tomaron en cuenta las diversas causas de la demencia han producido resultados equívocos acerca del efecto de la actividad sobre la demencia.

Algunas personas parecen desarrollar una demencia poco tiempo después de retirarse; sin embargo, al examinarse los datos con cuidado se descubre que las etapas más tempranas de la demencia estaban ya presentes antes de la jubilación y fueron un factor en la decisión de la persona respecto a su retiro.

EFECTO DE LAS ENFERMEDADES AGUDAS SOBRE LA DEMENCIA

Algunas personas parecen iniciar un proceso demenciante después de una enfermedad grave, una hospitalización o una operación quirúrgica. Sin embargo, no se sabe aún si estos hechos afectan o alteran el curso de la enfermedad de Alzheimer y muy a menudo, cuando se examina detenidamente el caso, resulta que el proceso ya había empezado antes de que la persona hubiera sido sometida a una operación o padecido alguna enfermedad. La angustia que causa una enfermedad aguda y la tendencia de una persona con demencia a presentar delirio empeoran su estado y hacen que por vez primera se note la existencia de un proceso demencial. Luego, al salir del estado agudo, el daño cerebral hará que sea más difícil para el enfermo adaptarse a la vida y *parecerá* más demente.

ESTUDIOS SOBRE EL MANEJO DE LA DEMENCIA

El foco de las investigaciones es ahora la enfermedad de Alzheimer, la enfermedad por infartos múltiples y la enfermedad cerebrovascular. Con el tiempo sabremos cómo prevenir o tratar cada una de estas enfermedades pero entretanto, el mayor avance que hemos logrado es haber aprendido a cuidar a los pacientes con enfermedades demenciales. Es mucho lo que se puede hacer para facilitarles la vida a los enfermos y a sus familiares. Este libro está encaminado a difundir nuestra comprensión creciente acerca de las maneras de mejorar la calidad de la vida cuando hay enfermedad.

LOS DERECHOS DE LOS PACIENTES

En los Estados Unidos algunos estados publican una carta de derechos de los pacientes internados en hospitales y asilos. En general, son como la que reproducimos a continuación*:

CARTA DE DERECHOS DE LOS PACIENTES HOSPITALIZADOS

El paciente debe tener derecho a:

1. Ser tratado con consideración y respeto.
2. Que se le informe el nombre del médico responsable de coordinar su atención, si el paciente así lo solicita.
3. Saber el nombre y el cargo de toda persona que esté atendiéndole.
4. Obtener de su médico información actualizada y completa relativa a su diagnóstico, tratamiento y pronóstico en términos que él pueda comprender. Cuando por razones médicas no sea recomendable dar tal información al paciente, deberá proporcionarse ésta al familiar que aparezca como responsable del enfermo.
5. Recibir de su médico la información necesaria para que el paciente pueda decidir si da o no da su consentimiento para que le apliquen cualquier tratamiento o procedimiento, o ambos, con excepción de las situaciones de emergencia para las que no necesita darlo. Tal información debe incluir, como mínimo, el procedimiento o tratamiento en cuestión, o ambos, los riesgos médicos importantes que representan y la duración probable de la incapacidad resultante, en caso de haber tal. También se le informará al paciente de los procedimientos alternativos de diagnóstico y tratamiento importantes, cuando los haya.
6. Rechazar un tratamiento hasta donde lo permita la ley, y estar informado de las consecuencias médicas de su acción.
7. Que se trate su caso en privado hasta donde esto no interfiera con su atención médica adecuada. Esto no impide que el personal apropiado discuta discretamente su caso o examine médicamente al paciente.

---

* Tomada de J. Otten y F.D. Shelley, *When Your Parents Grow Old*. Nueva York: Funk and Wagnalls, 1976. Reproducido con autorización de Harper & Row Publisher Inc.

8. Que se manejen en privado y confidencialmente todos los expedientes relacionados con su tratamiento, excepto en los casos en los que la ley, o un contrato de pago, estipule lo contrario.

9. Obtener del hospital, de manera razonable, respuesta a los requerimientos de servicios que el hospital por costumbre imparte, que sean pertinentes para el tratamiento del paciente.

10. Que el médico, o algún delegado de éste, le informe de sus requerimientos subsecuentes médico-asistenciales después de que haya sido dado de alta de la institución; y que, antes de que lo trasladen a otra parte, el hospital le notifique la necesidad que hay para hacerlo y de las alternativas que existan para no llevar a cabo el traslado.

11. Saber, a solicitud de él, la identidad de otras instituciones médico-asistenciales y educacionales que el hospital haya autorizado a participar en su tratamiento.

12. No dar su consentimiento para ser objeto de investigación o de experimentación humana.

13. Examinar y recibir una explicación del monto de su cuenta, sin importar cuál sea su forma de pago.

14. Conocer las normas y reglamentos del hospital relativas a su conducta como paciente.

15. Que se le dé tratamiento sin discriminación de raza, color, religión, sexo, país de origen o fuente de financiamiento.

CARTA DE DERECHOS DE UNA PERSONA QUE INGRESA A UN ASILO

El asilo debe asegurar que cada paciente:

1. Esté totalmente informado, con evidencia escrita, de que está debidamente enterado, antes o durante el momento de su admisión a la institución, y durante su estancia en ella, de estos derechos y de todas las normas y reglamentos que rijan la conducta y responsabilidad del paciente.

2. Esté totalmente informado, antes o durante el momento de su admisión, y durante su estancia en la institución, de los servicios de que dispone ésta y de los cargos que impliquen, incluyendo cualquier cargo por servicios que no queden dentro del contrato de pago de un tercero, o no cubiertos en la cuota por día de la institución.

3. Esté totalmente informado, a través de un médico, de su condición médica, a menos de que esté médicamente contraindicado

(en cuyo caso deberá estar documentado debidamente por un médico en el expediente del paciente) y tener la oportunidad de participar en investigación experimental.

4. Sea transferido o dado de alta sólo por razones médicas, o por su propio bien o el de los otros pacientes, o por no pagar su estancia (excepto que lo prohíba el contrato de pago efectuado por un tercero), y ser notificado con la debida anticipación para garantizar que su traslado o alta se realizará en orden. Estas acciones deben estar documentadas en su expediente médico.

5. Reciba apoyo o ayuda durante todo el periodo de su estancia, para ejercer sus derechos como paciente y como ciudadano, y en cumplimiento de lo anterior pueda expresar sus inconformidades y recomendaciones para cambiar las políticas y servicio institucionales, al personal y a los representantes externos de su elección, libre de coerciones, interferencias, prohibiciones, discriminaciones o represalias.

6. Puede manejar sus asuntos financieros personales, o por lo menos recibir un estado de cuenta trimestral de las transacciones financieras hechas en su nombre, si es que la institución acepta esta responsabilidad que él les delegaría por escrito durante un periodo de tiempo y de acuerdo con las leyes vigentes.

7. No sea objeto de ningún abuso mental o físico, ni se le restringirá su conducta, ya sea por medios químicos o físicos (salvo en caso de emergencia) sin la autorización escrita de un médico y durante un tiempo específico y limitado, o cuando sea necesario para prevenir que el paciente se haga o haga daño a otros.

8. Tenga la seguridad de que se tratarán en privado y en forma confidencial sus expedientes personales y médicos, y que él pueda aprobar o rechazar que se les muestren a algún individuo ajeno a la institución, excepto en el caso de que se le traslade a otra institución médico-asistencial.

9. Sea tratado con consideración y respeto y se le reconozca completamente su dignidad e individualidad, incluyendo que su tratamiento sea hecho en privado así como también la atención de sus necesidades personales.

10. No se le pida que ejecute tareas para la institución que no sean para los fines terapéuticos del plan de atención previsto para él.

11. Pueda asociarse y comunicarse en privado con personas de su elección, y enviar y recibir su correo personal sin abrir, a menos que exista contraindicación médica para esto.

12. Pueda reunirse y participar en actividades de grupos sociales, religiosos y comunitarios, como él lo desee, a menos que esté médicamente contraindicado.
13. Pueda conservar y usar su ropa y objetos personales según lo permita el espacio, a menos que esto atente contra los derechos de otros pacientes, o que esté contraindicado por razones médicas.
14. En caso de estar casado, se le permita privacía en la visita de su cónyuge; si ambos residen en la institución, que se les permita compartir un cuarto, a menos que esté médicamente contraindicado.

Instituciones a las que puede acudir en la Ciudad de México

Asociación Mexicana de Alzheimer y Enfermedades Similares.
Tel. 277-3552

Instituto Nacional de Neurología y Neurocirugía
Departamento de Genética
Clínica de la Demencia
Av. Insurgentes Sur 3877
México 22, D.F.
Tel. 573-2822

Hospital Regional López Mateos
Servicio de Geriatría
Av. Universidad 1321
México 12, D.F.
Tel. 534-8060

Instituto Nacional de la Senectud
Concepción Béistegui 13
México 12, D.F.
Tel. 536-2488

Se acabó de imprimir esta obra
el día 21 de septiembre de 1988
en los talleres de
IMPRESORA GALVE, S. A.
Callejón de San Antonio Abad 39.
México 06820, D. F.
la edición consta de 3 000
ejemplares, más sobrantes para
reposición.